D0831199

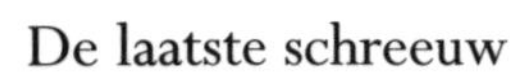
De laatste schreeuw

Kate Brady

De laatste schreeuw

De Fontein

Oorspronkelijke uitgever: Grand Central Publishing, New York
Oorspronkelijke titel: *One Scream Away*
Uit het Engels vertaald door: Ewoud van Hecke en Pieter Janssens
Omslagontwerp: Marry van Baar
Zetwerk: ZetSpiegel, Best
ISBN 978 90 261 2659 8
NUR 332

Voor Brady, mijn steun en toeverlaat.

En voor Kaitlin en Kyle, de beste twee personages die ik ooit heb mogen creëren.

1

Bighorne Butte, Washington
Nog 4500 kilometer

Een koele nacht, met slechts een sikkeltje van de maan zichtbaar en een steeds dikker wordende mist die dreigend op het water hing. Achttienhonderd meter lager glinsterde Seattle in een nevelsluier, maar hier op de eenzame hoogte was de lucht ijl en helder, gedompeld in angstaanjagende stilte. Het enige licht was de blauwwitte zuil van een halogeenzaklantaarn. De enige beweging was het vertrouwde draaien van een oude cassetterecorder. Het enige geluid was het gesmoorde snikken van een vrouw die op het punt stond dood te gaan.

Chevy Bankes keek op haar neer. Volgens haar rijbewijs heette ze Lila Beckenridge, en op de foto waren scherpe jukbeenderen te zien en haar dat in een knotje samengebonden was. Vast een danseres, dacht hij, terwijl hij haar enkels vastbond – vereelte voeten en een graatmager lichaam, en de vage geur van zweet onder haar parfum.

En een schreeuwster met een goed stel longen. Daarmee was ze haar rol waard in de voorstelling die hier vannacht begon.

Chevy probeerde kalm te blijven, maar hij kreeg slappe knieën van de grootsheid van het moment. Hij had al vaker vrouwen om het leven gebracht, maar nooit met een *doel*. Hij had nooit eerder een vrouw vermoord als cadeau voor een andere vrouw, of iemand van het leven beroofd voor iets anders dan zijn eigen onmiddellijke behoefte. In die zin was de danseres uniek. Het begin van iets.

Een pervers soort dankbaarheid overspoelde hem en hij boog zich over haar heen om haar over haar wang te strelen. Ze spuugde naar hem.

'Trut!' Terwijl hij grommend zijn gezicht afveegde met de rand van zijn overhemd, maakte woede zich van hem meester. Hoe durfde ze? Dit was niet volgens plan...

Who killed Cock Robin? I, said the Sparrow, with my bow and arrow, I killed Cock Robin...

Chevy bedekte zijn oren. 'Nee,' zei hij, maar het liedje was zijn hoofd al binnengedrongen, een volksliedje dat hem kwelde als een zoemende mug bij zijn oor. Hij sloeg naar de lucht rond zijn hoofd in een poging het weg te jagen en vervolgens haalde hij uit met zijn voet en schopte de vrouw op de grond. Haar kaak kraakte met het geluid van knappend hout in een haardvuur en ze kreunde van de pijn.

Geleidelijk aan verdween het liedje uit zijn hoofd.

Chevy wachtte en dwong zichzelf rustig adem te halen. Controle. Stilte. Er mocht vannacht niet gezongen worden, zeker niet nu het plan waaraan hij zeven jaar had gewerkt eindelijk ten uitvoer zou worden gebracht.

Trillend haalde hij zijn handen van zijn oren en deed zijn ogen weer open, alsof hij de stem kon zien en afweren als die terugkwam. Hij keek naar de cassette – er waren nog tien, misschien vijftien minuten tape over – en daarna op zijn horloge. Het was al laat en hij moest nog een telefoontje plegen. Bovendien zat zijn kleine zusje te wachten; ze was niet graag alleen. Die arme Jenny was toen ze jong was al zo vaak alleen geweest en had al genoeg op Chevy moeten wachten.

'Nog heel even, Jen,' fluisterde hij, alsof ze hem kon horen. Hij zette de cassetterecorder uit en pakte de doos op die hij helemaal tot boven op de berg had gedragen. De doos was zestig centimeter lang en ongeveer dertig centimeter diep en niet al te zwaar, maar toch onhandig om te dragen. Hij zette hem naast de danseres op de grond en trok de flappen los. Stukken piepschuim dwarrelden rond zijn voeten toen hij het breekbare pakje uit de doos haalde en het zijdepapier laag voor laag loswikkelde, totdat...

'Jezus!' Chevy's adem stokte, hoewel hij het gezicht eerder had gezien: donkere gevoelvolle ogen, een wezenloze glimlach, dikke lokken menselijk haar. Hij slikte en doorzocht de stapel verzekeringspapieren in de doos om er zeker van te zijn dat dit de oudste pop uit de serie was: *Benoit, 1862. Roomwit hoofd en borstplaat, houten lijf. Zeldzame beweegbare oogleden. Geschatte waarde: 40.000–50.000 dollar.*

Chevy draaide de pop een paar keer omhoog en weer omlaag en bekeek ondertussen haar ogen. In tegenstelling tot wat er in de verzekeringspapieren stond, waren de ogen van deze pop nog nooit dichtgegaan. Ze bleven open en waakzaam en namen alle details in zich op.

Who saw him die? I, said the Fly, with my little eye...

'Laat het stoppen!' snauwde Chevy tandenknarsend. Vijf hartslagen lang bleef hij luisteren, toen ademde hij uit. Kom op! Hij moest nog met de vrouw aan de slag. Hij legde de pop op de grond, een paar meter van hem vandaan voor het geval hij spetters zou maken, haalde vervolgens een stanleymes uit zijn zak en liep terug naar de danseres.

Toen ze weer begon te piepen bleef hij opeens staan. Verdomme, hij was het bijna vergeten.

Hij drukte tegelijkertijd PLAY en RECORD in en ging op zijn knieën naast de schouder van de danseres zitten. De cassetterecorder nam haar gejammer op, dat nu door haar gebroken kaak vervormd werd, maar toch nog prachtig klonk, en haar angst bereikte een hoogtepunt toen hij zich over haar heen boog.

Nog maar een paar schreeuwen te gaan.

Met bonkend hart ging Chevy aan de slag, waarbij hij regelmatig naar de pop keek en zijn hand met moeite stil kon houden. Toen hij klaar was kwam hij overeind en liet het gegil van de vrouw over zich heen komen. Een paar minuten, meer niet, en toen: *klik*.

Geen tape meer.

Hij opende zijn ogen en bekeek zijn werk. Een beetje vies, maar goed genoeg. Hij pakte zijn .38 Ruger uit een tas met spullen en veegde de slaap van de vrouw schoon. Ze merkte het al niet meer en haar gegil was afgezwakt tot snikken in haar ademhaling, alsof ze besefte dat het afgelopen was. Chevy mat twee centimeter recht omhoog, markeerde de plek met een wenkbrauwpotlood en zette de loop van het pistool er precies op. Toen haalde hij de trekker over.

Na het schot trad er een aangename stilte in. Chevy hield zijn adem in, maar hij wist dat het zingen nu niet meer terug zou komen. Dat deed het nooit wanneer het geschreeuw goed was.

Hij maakte de danseres los en legde haar armen en benen neer zoals hij dat wilde, daarna was hij tien minuten bezig met het verzamelen van de dingen waar een team van de Technische Recherche uren naar zou zoeken: het stanleymes, het vuurwapen met de huls, de cassetterecorder, het touw en de tentharingen – alles stopte hij in zijn sporttas, zelfs de kleinste stukken piepschuim. Toen hij op een bepaald moment een stuk piepschuim in zijn zak stak en zijn hand er weer uit haalde, viel er een snoeppapiertje uit. Hij zag het en raapte het op, waarbij hij zijn hartslag van opluchting voelde stijgen. Het kwam er nu op aan te blijven opletten en voorzichtig te zijn.

En een beetje geluk kon ook geen kwaad.

Nadat hij nog één keer had rondgekeken liep Chevy met zijn tas en de doos de berg af, waarbij hij om de vijftien meter even bleef staan om op het mobieltje van de danseres te kijken. Toen hij halverwege de berg was, klonk er een leuk telefoongeluidje: de voicemail.

Zijn hart begon sneller te kloppen. Dit was het moment waarop hij had gewacht, het telefoontje waarvan hij zeven lange jaren had gedroomd.

Het spel kon beginnen.

Arlington, Virginia

Middernacht, haar kind was ingestopt en sliep al lang. Het licht van een gloeilamp van honderd watt scheen omlaag op een gele mat in de kelder, de lucht doordrongen van de geur van zweet en leer, de gebruikelijke stilte onderbroken door onlogische geluiden van geweld. Grommen, hijgen en naar adem snakken. Af en toe het piepen van rubberzolen.

De telefoon ging.

Beth Denison fronste haar voorhoofd. Ze haalde diep adem, waarbij de lucht zich als nat zand in haar longen nestelde, en kwam weer tot zichzelf. Inademen, concentreren, in balans blijven. En uithalen. Ze sloeg met haar vuist in een zandzak van zeventig kilo. Ze liet er een stevige linkse hoek op volgen en na nog een zwaaistoot te hebben uitgedeeld, draaide ze zich rond en gaf een trap waarmee ze de luchtpijp van iemand die haar had aangevallen zou hebben verbrijzeld. Ze sprong achteruit door de terugslag, draaide om haar as en schopte met haar hak op een hoogte waar bij een man van gemiddelde lengte zijn ballen zitten.

Het rinkelen van de telefoon stopte.

Hijgend legde ze haar handen op haar knieën. Deze keer geen mysterieus bericht, geen kreunen of zwaar ademen. Misschien begon de beller er genoeg van te krijgen. Ze kwam overeind en strekte haar vingers, huiverend van de pijn in haar knokkels. Ze had niet de moeite genomen om beschermende kleding te dragen en daar zou ze morgen voor boeten. Maar vanavond had ze behoefte aan totale lichamelijke uitputting, zodat ze niet meer hoefde te denken – aan de toekomst van de antiekzaak, aan Evan en aan telefoontjes van een of andere klootzak die blijkbaar een telefoonboek had, 's avonds een paar minuten vrije tijd en een neiging tot perverse...

Tring, tring.

Ze draaide zich om en sloeg een paar keer tegen een boksbal, waarbij ze het geluid van de bal in haar oren voelde kloppen. Maar niet luid genoeg: het gerinkel kwam er nog steeds bovenuit. Vier, vijf keer ging de telefoon. Deze keer hing de beller niet op.

'Verdomme!' Ze maakte een wanhoopsgebaar met haar armen en liep met twee treden tegelijk de trap op om... Ja, om wat te doen? Opnemen en de beller vertellen wat ze aanhad? Hem zeggen dat hij moest opsodemieteren? Ze keek naar de telefoon in de keuken en fronste verbaasd haar wenkbrauwen toen ze het nummer van de beller op het schermpje zag. Netnummer 206. Weer Seattle, maar ze herkende het verder niet.

Nadat de telefoon zes, zeven keer was gegaan, sloeg het antwoordapparaat aan en haar eigen opgewekte stem zei: *Hoi. Je spreekt met de Denisons, of liever gezegd, met ons antwoordapparaat. Je weet wat je moet doen. Pieieiep.*

'Hallo, popje.'

De stem was laag en duidelijk. Ze raakte bevangen door angst.

'Beth, ik weet dat je er bent. Neem op.'

Beth? Haar angst werd steeds groter. Bezorgd wierp ze een snelle blik op Abby's slaapkamer. Geen geluid, geen beweging van de dekens. Gelukkig was Abby in het soort diepe slaap verzonken dat de natuur alleen jonge kinderen toebedeelt.

'Be-heth. Het is nu zeven lange jaren geleden. Wil je niet met me praten?'

Haar longen leken niet meer te werken. *Nee. Alsjeblieft, nee.* Dit kon niet waar zijn.

'Ja, Beth.' En met zachtere stem zei hij: 'Verrassing!'

Sputterend kwam het verleden tot leven en de koude druppels van de herinnering liepen over haar rug.

'Je dacht zeker dat ik je nooit zou vinden?' zei hij. 'Maar ik ben erg vindingrijk. Ik ben zelfs zo vindingrijk dat ik een paar heel bijzondere cadeautjes voor je heb. Ik kan niet wachten tot je ze ziet.' Hij zweeg even, alsof hij wist dat ze de leuning van de keukenstoel moest vastpakken om niet te vallen en dat de wereld plotseling voor haar ogen begon te draaien.

Stommeling, zei Beth tegen zichzelf. *Natuurlijk wist hij dat. Geef dan geen antwoord. Negeer hem gewoon en neem niet...*

'Hoe is het trouwens met je dochter, Beth?'

Razendsnel greep ze de telefoon. 'Klootzak!'

'Aha, daar ben je. Ik begon me al zorgen te maken.'

Voor haar ogen lichtten rode vonken op. 'W-wat?'

'Hoe bedoel je, wat? O, je hebt het zeker nog niet gehoord? Nou ja, zo vreemd is dat ook niet. Waarom zou iemand jou het nieuws vertellen?'

'Waar heb je het over?'

'Vrijheid. Mijn verdiende loon. Eindelijk heb ik gekregen wat mij al die jaren ontzegd is.'

De kamer leek te bewegen. Beth wist niet eens zeker of haar benen nog wel op de grond stonden. Ze deed haar ogen dicht. *Denk goed na.* Waarom belde hij haar? 'Ik begrijp het niet,' zei ze.

'Met een paar muisklikken kun je het hele verhaal op internet vinden. Voorlopig volstaat het te zeggen dat ik vrij ben. Ik ben zelfs al een poosje vrij en in de tussentijd heb ik alle details van onze hereniging geregeld.'

Walging kroop achter in Beths keel omhoog en bleef daar hangen als een steen. Vrij? *Blijf rustig. Beheers je.* Als hij was vrijgelaten, was er maar één reden waarom hij contact met haar zou willen opnemen. En daarvoor zou hij onmogelijk het verleden willen oprakelen. 'Ik bel de politie. Ik vertel ze alles wat –'

Hij grinnikte. 'Nee, dat doe je niet. Je denkt dat je iedereen om de tuin hebt geleid en dat je gewoon je mooie leventje kunt leven met die mooie dochter van je. Maar je bent één ding vergeten: ik ken jouw geheimen.'

Ze kneep zo hard in de telefoon dat ze kramp in haar arm voelde schieten. 'Jij weet helemaal niets over mij.'

'Is dat zo?' vroeg hij.

Ze hoorde een klik aan de andere kant en even dacht Beth dat hij had opgehangen. Toen hoorde ze hem weer in haar oor ademen, met een zwak *whrrr* op de lijn.

'Kort samengevat: ik weet wat er met Anne Chaney is gebeurd. Ik weet waarom je uit Seattle bent weggegaan en helemaal naar de andere kant van het land bent verhuisd, naar Arlington in Virginia.' Hij zweeg even. 'En ik weet hoe het zit met je doch–'

Ze snakte naar adem, maar probeerde dat te onderdrukken. Te laat.

'O, dat klonk goed, Beth. Doe dat nog eens.'

'Stop...' Ze wilde het eruit gooien, maar hield zich in. *Blijf stil. Geen geluid maken.* Ze herinnerde zich hoeveel hij van geluiden hield.

Schreeuwen, trut! Gil voor me!

'Laat me je stem nog eens horen, Beth,' zei hij. 'Het hoeft nu nog niet veel te zijn. Gewoon een paar korte geluiden om de voorstelling mee te begin–'

Beth smeet de telefoon door de keuken. Angst en woede kronkelden als slangen in haar buik en ze dwong zichzelf rustig adem te halen, waarbij ze haar woede de overhand liet nemen. Verdomme, ze moest haar hoofd koel houden. Zelfs nu hij een vrij man was vormde hij nog niet half zo'n grote bedreiging voor haar als zij voor hem. Hij was degene die bang zou moeten zijn. Bovendien had hij niet eens vanuit dit deel van het land gebeld.

Netnummer 206... Seattle.

De werkelijkheid bezonk in haar maag. Dit was geen droom. Het was geen nare herinnering uit de diepten van een ander leven. Het was geen dronken grappenmaker met een telefoonboek die een willekeurig nummer had gekozen en op HERHAAL bleef drukken.

Het was Chevy Bankes.

Het verlangen om Abby te zien trof Beth in haar borst. Ze stormde de slaapkamer in. Abby lag languit in een streep maanlicht, een speelgoedkat tegen haar buik gedrukt en een echte hond op haar enkels gelegen. De hond zwiepte met zijn staart en draaide zich verwachtingsvol op zijn rug, zich niet bewust van de rilling die door Beths lichaam trok, terwijl ze naar het op en neer gaan van Abby's buik keek: één ademhaling, twee ademhalingen, drie. Drie was het magische getal. Beth ging 's avonds pas slapen als ze bij Abby drie ademhalingen had geteld.

Deze keer telde ze er tien.

Ze glipte de gang weer op en ondertussen had ze de grootste moeite haar tranen te onderdrukken. *In godsnaam, niet huilen.* Met tranen was nog nooit iets bereikt. Dit had niet mógen gebeuren, maar ze had altijd geweten dat het toch zou kúnnen gebeuren. Maar Bankes was niet de enige met een plan.

Ademhalen, rustig blijven, concentreren. Ze gebruikte haar jarenlange Muay Thai-ervaring om zich te focussen en toen ging ze naar de grote slaapkamer. Ze sleepte een schommelstoel door de kamer en zette hem naast een reusachtige Chippendale-ladekast. Het was een meubelstuk uit de vroege New England-periode met een rijk versierde bovenregel, een volkomen origineel wapenschild en een donker patina. Toch had ze deze kast niet gekocht omdat hij zo oud of mooi was, maar vanwege zijn kroonlijsten.

Ze klom op de wankele schommelstoel en wrikte de pinakel op de rechterkroonlijst van de kast los. Krakend ging hij open.

Er sprong een opgevouwen vel papier uit. Beth stopte het onder het zweetbandje aan haar pols en greep nog een keer in de geheime ruimte. Haar vingers omklemden de kolf van een 9 mm Glock, koud maar krachtig, verwaarloosd maar nooit vergeten. Ze pakte hem op, strekte haar beide ellebogen en richtte het rode lichtje op de telefoon aan de andere kant van de kamer.

Ze wist hoe ze hem moest gebruiken. En als het nodig was – om Abby te beschermen – zou ze dat doen ook.

Nadat ze het pistool had laten zakken, klom ze van de stoel af, haalde het vel papier van onder haar polsbandje en vouwde het open. Het was een lijst met namen. Cheryl Stallings, haar schoonzus. Twee advocates, van wie de een Beths testament had opgesteld en de ander de reputatie had elke rechtszaak koste wat kost te willen winnen. Drie antiekhandelaren met speciale belangstelling voor Amerikaans antiek uit de achttiende en negentiende eeuw, die ieder contant geld hadden aangeboden voor een paar van Beths mooiste meubelstukken en die wilden kopen, als ze er verder tenminste geen vragen over stelde.

Het doornemen van de lijst had een kalmerend effect op haar; het was een concrete herinnering aan het feit dat ze een plan had en over de middelen beschikte om dat plan uit te voeren. Ze haalde diep adem. Ondanks het late tijdstip pakte ze de telefoon op, maar ze aarzelde. De cijfers 9 en 1 leken groter dan de rest.

Ik bel de politie; ik vertel ze alles. Maar het was bluf geweest en dat wist Bankes. Ze kon de politie niet bellen. Dat kon ze Abby niet aandoen.

Rustiger geworden mompelde ze een gebed – om vergiffenis, voor het geval God toch bestond. Ze schraapte haar keel en veranderde haar stem in de kalme, zelfverzekerde toon die ze jaren daarvoor had geperfectioneerd. Ze belde het bovenste nummer.

De eerste leugen zou het moeilijkst zijn.

2

New York, New York

Het begon te onweren en Neil Sheridan werd uit een diepe verdoving gewekt, een toestand waarin hij al weken verkeerde. Een drilboor beukte in op zijn schedel en hij greep naar zijn hoofd, in de verwachting dat dat in tweeën was gespleten. Zijn vingers omsloten iets warms en zachts. Zijn hersenen? Nee, een borst. Hij verplaatste zijn hand. Nog een. O ja, dat was waar ook, borsten waren meestal met z'n tweeën.

Het ging harder onweren. 'Verdomme, Neil, doe de deur open.'

Nadat hij met veel moeite zijn ogen open had gekregen, werden ze getroffen door een streep fel zonlicht. Hij draaide zich om en onder een zacht gekreun rolden de borsten van hem weg.

'Neil, als je niet opschiet laat ik het hotelpersoneel je deur openmaken. Je bent gewaarschuwd.'

'Je hoeft niet zo hard te roepen,' mompelde hij, terwijl hij met tegenzin overeind kwam. Aan het voeteneind van het bed vond hij een spijkerbroek; met een schouder tegen de muur leunend wurmde hij zich erin.

'Oké, maak de deur maar open,' zei de stem op de gang. Rick? Godver. Het onweerde niet meer, maar de pijn schoot nog door zijn hoofd als de kogels van een M16. Ergens achter de deur begon een vrouwenstem razendsnel Spaans te praten, maar Rick onderbrak haar: 'Ik ben politie-inspecteur, mevrouw. Maak gewoon die verdomde deur open.'

'Wacht even,' zei Neil, maar zijn hese stem was nauwelijks te horen. Hij morrelde aan het slot en trok de deur open. Een werkster gaapte hem aan.

'Sjezus, wat zie jij er slecht uit,' zei Rick nadat hij de werkster een briefje van twintig in de hand had gedrukt. Hij keek haar na, terwijl ze de gang uit snelde en ging toen Neils suite binnen. 'Ik heb je gebeld. Ik had gehoord dat je weg bent bij The Sentry en al een maand weer in Amerika bent.'

'De tijd vliegt.'

Rick bukte zich, pakte een lege whiskyfles op en raapte met twee vingers een kanten negligeetje van de vloer. Hij deponeerde ze allebei op een tafel die bezaaid was met bakjes van de afhaalchinees. Hij keek in een bakje en rook eraan. 'General Tsao's Chicken,' zei hij. 'Met whisky?'

'Dat kun je bij alles drinken.'

Met de punt van zijn schoen stootte Rick zachtjes tegen een tweede fles. De fles rolde over een stuk opengescheurd folie dat op de vloer lag. Hij keek naar de slaapkamerdeur en schudde zo kort met zijn hoofd dat Neil even dacht dat hij het zich had ingebeeld. 'Ik wil dat je met me meekomt naar Arlington. Je hebt je nu lang genoeg in zelfmedelijden gewenteld.'

'Nee, ik heb me gewenteld in de vrouw die nu in de slaapkamer op me ligt te wachten.'

'Ach, door de drank weet je waarschijnlijk haar achternaam niet eens meer.'

'Daar heb ik haar niet naar gevraagd,' zei Neil, terwijl hij zich in een stoel liet zakken. Hij had pijn in zijn hoofd en dat kon eigenlijk niet. Hij had geen hersenen meer mogen hebben, dat werd tenminste tegen jongens op de middelbare school gezegd: als je te veel drinkt en te veel neukt, word je een leeghoofd en kun je niet meer denken of voelen.

Allemaal mooie beloften.

'Wil je niet weten waarom ik hier ben?' vroeg Rick.

'Dat weet ik al. Je denkt dat de kans dat ik een kogel door mijn kop schiet hier groter is dan wanneer je vrouw en kinderen erbij zijn.'

Het bleef even stil. 'En is dat zo?'

Neil sloot zijn ogen, maar toch kwamen de beelden terug: een film waarin zijn broer een vluchtelingenkamp bezocht, mensen plotseling wegrenden en iets op de grond ontplofte, waarna Mitch door de lucht vloog. Hij knipperde met zijn ogen om de beelden te laten verdwijnen. 'Een kogel door mijn kop schieten zou te makkelijk zijn.'

'Het was niet jouw taak om die aanval te stoppen, Neil. The Sentry is een beveiligingsbedrijf.'

'Dat zal wel, maar ik heb voor beveiliging gezorgd voor de klootzak die een vluchtelingenkamp heeft opgeblazen en bijna mijn broer heeft vermoord.'

Rick grimaste. 'Waar is Mitch nu?'

'In Zwitserland, om te herstellen. Daar kan hij goed oefenen op zinnen als "Mea culpa" en "Rot op".'

'Ik dacht dat jij daar het auteursrecht op had,' mompelde Rick, terwijl hij een doosje maagtabletten oppakte. 'Vlieg met me mee naar Washington D.C. Ik onderzoek een interessante moordzaak.'

Neil keek hem aan alsof hij een buitenaards wezen was. 'Moordzaken interesseren mij al negen jaar niet meer.'

'Drie dagen geleden is in de buurt van Seattle een vrouw vermoord.'

'Geen belangstelling.'

'Wandelaars hebben haar lichaam vanmorgen vroeg gevonden.'

'Geen belangstelling.'

'Ze was een danseres van zesentwintig jaar. Ze had een dochtertje dat op de peuterschool zat.'

Neil sloot zijn ogen.

'De moordenaar is misschien dezelfde als –'

'Het. Kan. Me. Niets. Schelen.' Neil dreunde de woorden op en daarbij hield hij zijn kaken zo strak dat hij even bang was dat zijn kiezen zouden breken. Hij greep naar de dichtstbijzijnde fles, maar Rick was hem te snel af en smeet de fles door de kamer.

De laatste kostbare druppels troost spatten op het behang uiteen.

'Kijk nou wat je doet,' mopperde Neil, die was opgestaan. 'Dat was de laatste fle–'

Rick sprong op. Binnen twee tellen was Neils rug tegen de muur gedrukt. 'Het gaat misschien om Anthony Russell, stomme egoïstische klootzak die je bent,' zei Rick, terwijl zijn vingers in Neils armen prikten. 'Deze moord zou wel eens door *Anthony Russell* gepleegd kunnen zijn.'

Neils longen weigerden plotseling dienst. Het duurde even voordat ze weer werkten, en toen dat het geval was maakte hij zich met een duw los van Rick. 'Sodemieter toch op,' zei hij, maar nadat hij twee stappen had gezet draaide hij zich weer om. 'Anthony Russell leeft niet meer. Ik heb hem doodgeschoten.'

'Ja, nadat hij tijdens de voorgeleiding een vrouwelijke gerechtsbode had aangevallen en was gevlucht. Dat weet ik nog.' In Ricks voorhoofd klopte een ader. 'Maar het heeft toch nooit echt vastgestaan dat hij die studente heeft vermoord?'

'Hij heeft bekend. Wat wil je nog meer?'

'Ik bedoel...'

'Ja, wat bedoel je nou eigenlijk?' Neil kwam dichterbij. 'Anthony Russell heeft Gloria Michaels ontvoerd na een studentenfeest. Hij heeft haar bijna doodgestoken en haar daarna voor alle zekerheid in het hoofd geschoten, en nadat hij was ontsnapt heb ik die smeerlap doodgeschoten. Dus hoe die vrouw in de buurt van Seattle er ook uitziet, ze kan absoluut niet door Anthony Russell vermoord zijn.'

'Je hebt Gloria's lichaam niet gevonden op de plek waar hij zei dat het zou liggen.'

Diep vanbinnen voelde hij een spoortje twijfel, en dat was niet voor de eerste keer. 'Die klootzak heeft bekend.'

'Ja, zodat het OM drie andere aanklachten zou intrekken.'

Het kloppen in Neils hoofd nam weer toe. Het had niemand iets kunnen schelen waarom Anthony Russell had bekend; het enige wat belangrijk was geweest was dat ze een bekentenis hadden. 'En waarom kom je bij mij met Anthony Russell aanzetten?'

'Het rapport over de moord op die vrouw in de buurt van Seattle deed een belletje bij me rinkelen.'

'Wat stond er dan in?'

'Een vrouw verdwijnt met haar auto. De auto wordt schoongeveegd en gedumpt. Het lichaam van de vrouw wordt dagen later gevonden in een bosrijk gebied. Ze blijkt te zijn toegetakeld met een mes en doodgeschoten met een .38-kogel met een holle punt. En op de plaats delict is een stukje van een snoeppapiertje gevonden.' Hij zweeg even. 'Van een Reese's Cup-koekje.'

De twijfel begon wortel te schieten. Het leek inderdaad op de zaak-Gloria Michaels, vooral vanwege het snoeppapiertje dat haar moordenaar in de auto had achtergelaten. Neil slikte. 'Is ze verkracht?'

'Dat staat nog niet vast, maar' – hij zweeg even en ging met zijn hand over zijn gezicht – 'daar lijkt het wel op.'

Vingers van afgrijzen kropen over Neils nek. Hij liep door de kamer heen en weer en bedacht hoe hij zich eruit zou kunnen praten, maar in zijn hoofd kwamen als schimmen allerlei mogelijkheden op: de mogelijkheid dat Anthony Russell had gelogen over Gloria om tot een schikking te komen met het OM. De mogelijkheid dat een jury hem misschien zou hebben vrijgesproken als het tot een rechtszaak was gekomen. De mogelijkheid dat Neil zijn gezin in de steek had gelaten om vervolgens achter de verkeerde man aan te gaan.

En de mogelijkheid dat de echte dader drie dagen eerder in Seattle een vrouw had vermoord.

'Neil, jij kende de zaak-Gloria Michaels beter dan wie ook. Kijk er eens naar. We kunnen het eerstvolgende vliegtuig naar Virginia nog halen.'

Neil kneep zijn ogen toe. 'Waarom onderzoekt een inspecteur uit Arlington in Virginia een moord die 4500 kilometer verderop is gepleegd?'

'De politie van Seattle heeft me gevraagd om iets te checken. Met het mobieltje van de dode vrouw is in de nacht van de moord een vrouw in mijn district gebeld.'

'Wie dan?'

'Ze heet Elizabeth Denison.'

Neil zocht in zijn geheugen naar de namen van de mensen die hij ooit met Anthony Russell in verband had gebracht. Hij kende niemand met de naam Elizabeth Denison, maar dat was eigenlijk geen verrassing. Want Anthony Russell had niets met deze zaak te maken. 'Heb je met mevrouw Denison gesproken?'

'Er is niemand thuis. Ik heb een observatieteam in haar straat gezet om haar op te wachten. Toen schoot de zaak-Gloria Michaels me te binnen en besloot ik hierheen te komen om je te vragen naar de moord te kijken.'

Neil vloekte. Verdomme, hij wilde er helemaal niet naar kijken. Negen jaar had hij zich niet drukgemaakt om onbenullige dingen als goed en kwaad of recht en onrecht. Hij was maar een eenvoudige, goedbetaalde waakhond geweest. Jungles, bergen, woestijnen. Plaatsen waar hij zich nooit had afgevraagd of hij de goeden of de slechten beschermde, waar het er alleen maar om ging de eerste te zijn die schoot.

Ze kunnen allemaal de pot op. Dat was tegenwoordig zijn motto en het contrast kon niet groter zijn met de woorden die in de politiebadge waren gegraveerd die hij ooit had gedragen.

Hij leunde met zijn arm tegen de muur en legde zijn voorhoofd erop. 'Als jij gelijk hebt,' zei hij ten slotte, 'dan heb ik een onschuldige man vermoord.'

'Onschuldig? Anthony Russell heeft op je geschoten. Dankzij hem is een gerechtsbode voor de rest van haar leven verlamd.'

'Hij zat in voorarrest omdat ik hem had ingerekend vanwege Gloria.'

Rick deed een stap in zijn richting. 'Hij was een moordenaar met een strafblad van hier tot Tokio. De enige reden waarom het van belang is of jij fout zat en hij Gloria niet heeft vermoord, is de mogelijkheid dat haar echte moordenaar gisteravond in Seattle heeft toegeslagen. Snap je dat?'

Ik snap het, dacht Neil, maar om de een of andere reden was hij bang om het hardop te zeggen. Als hij dat deed, zou hij misschien weer tot leven komen, zou hij misschien weer om dingen gaan geven. Dat had hij negen jaar geleden afgezworen.

Terwijl de waarschuwingen door zijn hoofd schoten, gleed zijn hand in zijn zak en nam hij een gehavend stukje lint en plastic in zijn handpalm. Hij hield het stevig vast en deed zijn ogen dicht bij de gedachte aan de ergste mogelijkheid van allemaal.

Als Anthony Russell onschuldig was, dan was Mackenzie voor niets gestorven.

Die gedachte bracht hem bijna aan het wankelen. Dat, en iets wat flink aan zijn geweten knaagde. Het lijk van een danseres uit Seattle.

Hij haalde zijn hand uit zijn zak en liet de haarspeld zitten. Hij haalde diep adem en keek naar Deur Nummer Een, in het besef dat hij die niet zou kiezen en dat de vrouw die erachter in bed lag alleen wakker zou worden. Een echte man, een man wiens geweten ruimte had voor dat soort dingen, had zich daar misschien schuldig om gevoeld.

Maar Neil niet. Hij had in zijn leven al te veel lijken gezien.

3

'Lila Beckenridge uit Bellevue, Washington,' zei Rick op gedempte toon nadat ze in het vliegtuig in hun stoel waren gaan zitten. Hij haalde de twee dossiermappen tevoorschijn en gaf ze aan Neil. 'Ze kwam van een repetitie, ging bij een avondwinkel langs en is daarna nooit meer thuisgekomen.'

Neil opende de map waarin de foto's van de plaats delict zaten. 'Godsamme,' zei hij en hij slikte de smaak van gal in zijn keel weg. Hij werd aangestaard door een gruwelijk paar ogen. 'Heeft hij haar bewerkt?'

'Hij heeft haar oogleden afgesneden. Daar liggen ze, op de grond.'

Neil draaide de bladzijde om en huiverde. 'Jezus,' zei hij en hij bladerde de foto's door, waarbij hij probeerde zich niet te laten afleiden door de blik waarmee Lila Beckenridge door de korst bloed en vuil op haar gezicht heen naar hem leek te kijken. Hij dwong zichzelf meer op de gebruikelijke details te letten. Twee centimeter boven haar slaap zat het kogelgat – klein en zwart en merkwaardig gaaf, als een punt op het eind van een verhaal dat nog niemand kende. Op haar rechterkaak zat een blauwe plek, maar op haar gezicht na zag ze er bijna elegant uit: haar armen waren opzij gebogen als bij een versteende danseres, haar blouse was in haar rok gestopt en haar rok was netjes rond haar knieën getrokken. Ze was zo mager als een lat en op de detailopnames van haar polsen waren brandwonden te zien die van een stuk touw afkomstig leken. Andere close-ups waren van gaten in de grond, alsof ze voor haar dood met iets gespietst was.

Neil slikte en opende een tweede map, waar E. DENISON op stond. 'Is dit alles wat je hebt over deze vrouw, die in jouw district is gebeld? Haar rijbewijs en de koopakte van haar huis?'

'Hé, ik zit niet bij de FBI. Meer hebben we bovendien niet nodig. Ik begrijp niet waarom iemand haar zou bellen.'

'Iemand? De moordenaar, zul je bedoelen.'

'Of Lila Beckenridge.'

Neil bladerde het rapport door. 'Het telefoontje is vlak na middernacht gepleegd. Het tijdstip waarop Lila Beckenridge is overleden is naar schatting tussen zes en twaalf uur.'

'Naar schatting. Je weet toch hoe vaak de mening van een patholoog-anatoom na de autopsie wordt bijgesteld, vooral als het lijk al wat ouder is?'

Af en toe, dacht Neil, maar niet vaak genoeg om aan te nemen dat er nu een fout was gemaakt. Neil was weliswaar een tijdje uit de roulatie geweest, maar hij was de drie basisregels van rechercheonderzoek nog niet vergeten. Basisregel Twee: iedereen in de keten is zo fout als de foutste schakel.

De vrouw die Elizabeth Denison heette was een schakel in een keten waar ook een moordenaar toe behoorde. Dat maakte haar nog niet tot een crimineel, maar het betekende wel dat ze iets over hem moest weten; iets waarmee hij gevonden kon worden.

Hij schoof op zijn stoel heen en weer, niet op zijn gemak door de lichte spanning die hij in zijn borst voelde. De moord op Gloria Michaels kon niet meer worden teruggedraaid. Er waren overeenkomsten tussen haar zaak en de zaak-Lila Beckenridge – genoeg om wenkbrauwen te doen fronsen –, maar er waren ook verschillen. De voornaamste waren de negen jaar die tussen de twee moorden in zaten en de afstand van 4500 kilometer tussen de plek van de moord en de woonplaats van de vrouw die was gebeld. Als de moordenaar van Gloria al die tijd vrij had rondgelopen, waar had hij dan gezeten?

Natuurlijk kon Neil het antwoord op die vraag niet weten. Hij had zich in die negen jaar immers verscholen achter M16's en een makkelijk motto.

Het vliegtuig maakte een sprongetje en de remmende wielen gleden over de landingsbaan. Ze taxieden naar de gate en Rick stopte de mappen weg. 'Klaar?' vroeg hij.

Plotseling verlangde Neil naar de vrouw in de hotelkamer.

'Kom op,' zei Rick. 'Ik zal een scheermes, een jasje en een stropdas voor je regelen. We moeten haast maken en snel met mevrouw Denison gaan praten. Ik wil nu wel eens weten waarom ze gebeld is door een dode vrouw.'

Er lag een loom zaterdagavondgevoel over de wijk waar Elizabeth Denison woonde; lange schaduwen strekten zich uit over prachtig verzorgde gazons en er hing een geur van houtskool in de lucht: een groep kinderen was op straat het speelveld voor een spelletje *four-square* aan het tekenen. De kinderen renden snel de stoep op toen ze Ricks auto zagen en liepen weer de straat op met hun bal en een doos krijt nadat hij gepasseerd was. Een half huizenblok verder zwaaide een vrouw die net haar post kreeg naar hen alsof ze, alleen maar omdat ze door haar straat reden, oude vrienden moesten zijn, en op een oprit aan de rechterkant stond een man te wachten tot zijn beagle klaar was met op iemands tulpen plassen. Hij knikte toen Rick hem van achter het stuur groette.

'Idyllische buurt,' mompelde Neil, terwijl hij met een slok koffie een handvol aspirientjes naar binnen werkte. 'Ik ben benieuwd wat de buren van mevrouw Denison zouden denken als ze zouden weten van haar vriendje aan de andere kant van het land.'

'Ja, maar vergeet niet dat ze misschien zelf niet eens weet wie haar heeft gebeld. Je hoeft haar niet als een wildeman te ondervragen.'

'Van jou moest ik me scheren en een net pak aantrekken,' zei Neil. 'Hoe kan ik als een wildeman overkomen als ik er zo goed uitzie?'

Rick snoof.

'Het komt door mijn litteken, nietwaar?' Neil streek met zijn vinger langs de doffe, gekartelde ribbel die van zijn linkeroorlel tot zijn kin liep, parallel aan de kromming van zijn kaak. Het leek wel alsof zijn wang ooit van het bot was losgescheurd.

En dat was ook zo.

'Nee, het komt niet door dat litteken, eikel,' zei Rick, 'maar door de manier waarop je je gedraagt. Zo opgefokt en emotioneel. Alsof je lak hebt aan alles en iedereen.'

'Vrouwen vallen voor die duistere, gepassioneerde kracht.'

'Je moet niet met deze vrouw naar bed, je moet haar aan het práten proberen te krijgen. En mocht je denken dat je met foto's van Lila Beckenridge in haar gezicht kunt zwaaien, nou vergeet het maar. We houden de moord geheim tot we zeker weten of Elizabeth Denison er iets mee te maken heeft.'

'Dat meen je niet.'

'Hé, het mobieltje van Lila Beckenridge kan door zoveel mensen zijn opgeraapt en gebruikt.'

'Softie,' zei Neil, maar Rick hapte niet. Hij parkeerde tegen de stoeprand, maakte een nieuw doosje maagtabletten open en stopte er een stuk of drie, vier in zijn mond. Voor het eerst zag Neil hoe de jaren van zijn gezicht waren af te lezen: in Ricks brede, Slavische voorhoofd waren rimpels gegrift en rond zijn mond lagen diepe groeven. Hij was tweeenveertig, maar hij zag eruit als iemand van vijftig en slikte maagtabletten alsof ze deel uitmaakten van de Schijf van Vijf.

Bovendien, zo schoot hem nu te binnen, had hij het op de terugreis niet over Maggie gehad. Hij had wel opgeschept over zijn drie jongens en met foto's van zijn nieuwe dochtertje gezwaaid, maar hij had Maggie niet één keer genoemd.

Vreemd.

Neil draaide zijn hoofd en wachtte tot Rick zijn tabletten had doorgeslikt. 'Gaat het een beetje?'

'Luister,' zei Rick, terwijl hij zich naar hem toe draaide. 'Het OM beschuldigt ons ervan dat we vorig jaar tijdens een onderzoek voorbarig hebben gehandeld waardoor iemand om het leven is gekomen. Zoals bij die eerste verdachte van de bomaanslag in Atlanta tijdens de Olympische Spelen, weet je dat nog? Nou, deze man heeft zelfmoord gepleegd toen we hem achtervolgden.' Hij zweeg even en fronste zijn voorhoofd om iets wat alleen hij kon zien. 'Hij bleek onschuldig.'

'Ach jezus.'

'Er loopt momenteel een rechtszaak tegen ons. Dus hoe graag jij ook wilt dat deze mevrouw Denison de moordenaar kent, ik kan haar pas van betrokkenheid bij de moord beschuldigen als ik het zeker weet. Bovendien,' zei hij, terwijl hij naar de straat keek, 'kijk eens om je heen. Ik wil er tien dollar om verwedden dat de vrouwen die in deze wijk wonen geen bal afweten van welke moord dan ook.'

'Die weddenschap staat,' zei Neil, terwijl hij Ricks blik naar het huis van Elizabeth Denison volgde. Het zag er eigenaardig uit, met botergele buitenmuren, bloeiende azalea's in de tuin en drie varens op de veranda. Het paste wel goed bij de kleine knappe vrouw op de foto van het rijbewijs.

En daardoor moest Neil aan Basisregel Drie denken: alles ziet er altijd mooier uit dan het in werkelijkheid is.

4

Denver, Colorado
Nog 2700 kilometer

Zodra Chevy haar zag wist hij dat zij de volgende was die moest sterven. Ze parkeerde haar Buick LeSabre, bouwjaar ergens in de jaren negentig, in vak F, rij 12, een flink eind van de ingang van het Fuller Cancer Treatment Center vandaan. Ze droeg een lange boerenrok en klompen en ze liep langzaam, alsof ze door iets werd afgeleid. Het feit dat ze een telefoongesprek met iemand voerde beviel Chevy wel. Maar haar lot werd bezegeld door haar bontgekleurde tulband, waaruit bleek dat ze een chemopatiënte was.

Ja, zij moest het worden.

Zijn adrenaline steeg. Chevy ging rechtop zitten; hij wilde haar nu meteen ontvoeren. Ze was maar een meter of vijfentwintig bij hem vandaan. Maar ja, het was halfvijf 's middags en klaarlichte dag. Elke seconde dat hij bleef twijfelen – nu of later, nu of later – liep ze verder bij hem weg, steeds dichter naar de tijdelijke veiligheid van de bezoekersingang.

Hij wachtte vijf tellen te lang en sloeg op het stuur.

'Wat is er?' vroeg Jenny. Ze had zitten dutten in de passagiersstoel.

'Te gevaarlijk. Ik zal moeten wachten.'

'Bangerik,' plaagde ze, maar Chevy was uit zijn humeur en draaide zich naar haar toe om haar af te snauwen. De aanblik van haar gezicht hield hem tegen. Het was lijkbleek en broodmager, en haar ogen waren geprononceerder dan anders. Het reizen was haar zwaar gevallen; eerst waren ze uit Seattle weggegaan en de dag erna had ze op Chevy moeten wachten, terwijl hij in Boise nog wat zaken afhandelde. Hij had er een hele dag over gedaan om ervoor te zorgen dat de poppen op de juiste dagen verstuurd zouden worden, al zijn geld van zijn bankrekening te halen en zijn kluis leeg te maken.

Maar nu waren ze in Denver en kwam er schot in de zaak. Het tweede cadeau voor Beth Denison was zojuist het ziekenhuis binnengelopen.

Hij haalde een foto van Beth uit zijn borstzak. De foto was gehavend; doordat hij hem uit een nummer van *Antiques Magazine* had gescheurd ontbrak haar arm vanaf haar elleboog, en er liepen vouwlijnen door haar lichaam als het dradenkruis van een geweer. Maar haar gezicht was goed te zien. Hij glimlachte bij de gedachte dat er op haar mooie wang een overblijfsel zat van de tijd die ze samen hadden doorgebracht. Al die jaren in de gevangenis had hij zich afgevraagd of ze hem nog kende. Vanwege het litteken vermoedde hij van wel; elke keer wanneer ze in een spiegel keek werd ze aan hem herinnerd.

Hij sloot zijn ogen, draaide het contactsleuteltje één slag en drukte op PLAY op de cassettespeler in het dashboard.

'Klootzak die je bent... Ik begrijp het niet.' Gesnik. *'Hou op!'* Stokkende ademhaling.

Haar paniek trof hem als de handen van een minnares. Het begin van haar verdiende lijdensweg.

Hij stopte de cassette, spoelde terug en speelde hem opnieuw af.

'Klootzak die je bent... Ik begrijp het niet.' Gesnik. *'Hou op!'* Stokkende ademhaling. *'W-waarom?'*

Hij luisterde nog een keer.

'Chevy?'

De geluiden werden onderbroken door Jenny's stem.

'Ga je haar nog een keer bellen?' vroeg ze.

'Dat kan niet,' zei hij. Hij zette de cassettespeler uit en haalde diep adem, in een poging de spanning te verminderen die hij in zijn onderbuik voelde. 'Nog niet. Je weet dat ik Lila Beckenridge' mobieltje weg moest doen.' Hij keek naar de deur waardoor de vrouw met de tulband naar binnen was gegaan. 'Maar het zal niet lang meer duren voordat ik een nieuwe heb.'

'Ik begrijp niet waarom je zo graag naar die cassette luistert. Volgens mij is ze gewoon gek.'

'Bang, Jenny, niet gek.' Een lichte woede maakte zich van hem meester. Chevy hield van Jenny, maar ze had geen benul van zijn methode. Ze begreep niet dat hij dit moest doen om het zingen te stoppen.

En het ging niet goed met haar, al sinds de avond dat ze Beth Denison hadden leren kennen.

'Als jij het zegt, zal het wel,' zei ze. 'Jij bent tenslotte "De Jager".'

'Zeg dat niet,' snauwde hij. De Jager. Die bijnaam had de pers hem gegeven toen hij terechtstond voor de moord op Anne Chaney. Al die jaren geleden had de aanklager gezegd dat 'het jachtseizoen nog niet geopend was' toen Chevy Anne Chaney een kogel in de rug schoot, aan de rand van een meer dat bekendstond om zijn elanden en herten. Die bewoordingen hadden heel wat teweeggebracht, en de pers had voor Chevy een bijnaam verzonnen die aansloeg: De Jager – hoofdletter D, hoofdletter J. Jenny vond het wel grappig, maar Chevy had zich er altijd aan geërgerd. Hij was geen jager. Een jager ligt op de loer, ongezien, en slaat razendsnel toe. Iemand heeft nog niet met zijn ogen geknipperd of hij is al dood. Wat was daar spannend aan?

De kick zat 'm voor hem juist in de voorbereiding, de uitvoering en de macht die hij over zijn slachtoffer had. De eerste geluidjes vastleggen die ze maakt als ze verrast wordt, haar langzaam door een fase van angst leiden, en haar ten slotte op het juiste moment de laatste schreeuw van ondraaglijke pijn en overgave laten slaken. Hij kon eigenlijk niet van Jenny verwachten dat ze dat begreep. Het had zelfs hem tijd gekost om het te leren. De drie vrouwen vóór Anne Chaney hadden nauwelijks meegeteld, en de eerste, Gloria Michaels, ook niet. Bij haar was het een opwelling geweest, een dwanghandeling in een moment van razernij toen het zingen niet meer te verdragen was. Maar hij had er veel van opgestoken en het bij de anderen beter gedaan; elke nieuwe moord gaf hem meer bevrediging dan de vorige.

Beth Denison zou hem de ultieme voldoening geven. Haar lijdensweg zou het resultaat van een geniaal plan worden en bovendien een amusante en ironische gebeurtenis: alles draaide om een serie antieke poppen die ze helaas nooit had kunnen zien, maar die het leven van hen beiden zeven jaar eerder drastisch had veranderd. Op de avond dat Anne Chaney stierf.

Hij greep in de bergruimte tussen de twee stoelen en pakte de envelop met de verzekeringsformulieren. Het eerste formulier, voor de pop die zogenaamd met haar ogen kon knipperen, was al met kruisjes doorgehaald. Hij ging naar de volgende bladzijde: *Benoit, 1864. Roomwit hoofd en borstplaat, geitenleren lijf. Kurken hoofd met menselijk haar is vervangen. Ontbrak tot 1995 in de Larousse-collectie. Geschatte waarde: 20.000–25.000 dollar.*

Hij boog zich naar Jenny toe om haar de foto te laten zien. 'Kijk,' zei hij. 'Je hebt deze pop altijd mooi gevonden, toch?'

Ze antwoordde niet.

'Ik ga deze niet per post versturen. Jij en ik gaan hem verstoppen. Je mag me helpen er een geschikt plekje voor te vinden, goed? Hij mag heel lang door niemand gevonden worden.' Net als de kankerpatiënte. Ook zij zou door niemand gevonden worden. 'Wil je dat ik de pop voor je uit de kofferbak ga halen?'

Opnieuw geen antwoord. Chevy stopte de verzekeringspapieren weg en sloeg de wegenkaart open, in het besef dat hij net zo goed tegen lucht kon praten. 'Luister, vanavond hoeft het niet lang te duren. Als we tegen middernacht vertrekken, zijn we morgenochtend ongeveer' – hij maakte uit zijn hoofd snel een paar berekeningen en volgde met zijn vinger de I-80 in oostelijke richting – 'hier. Omaha. Daar ben ik nog nooit geweest,' zei hij, terwijl hij op de kaart tikte. 'Wat vind je ervan?'

Hij liet Jenny de kaart zien. Het bleef stil.

'Jen?' Hij zuchtte en stopte de kaart weg. Ze was weer afwezig, op die donkere, stille plek waar niemand haar kon bereiken. Waar niemand haar pijn kon doen.

Bedroefd deed Chevy zijn ogen dicht, en toen hij ze weer geopend had liep de vrouw die als volgende aan de beurt was om te sterven de deur van het ziekenhuis uit. Hij ging rechtop zitten en voelde een rilling over zijn rug gaan.

'Oké, kom op,' zei hij, terwijl zijn vingers beefden van de spanning. 'Daar gaat 'ie.'

Toen ze op de bel van mevrouw Denison hadden gedrukt, kwam er niemand naar de deur, maar er begon wel een hond indrukwekkend hard te blaffen.

'Heb jij toevallig een kluif bij je?' vroeg Neil en hij liep de veranda af. Hij kwam bij het hek van de achtertuin, waar het naar pas omgespitte grond en bloemen rook. In de hoek van een stenen patio lagen een plastic kruiwagentje en een kleine kinderhark, -schep en -handschoenen opgestapeld, terwijl in een bloempot ernaast de tuinierspullen van een volwassene lagen. In bloembedden stonden ontluikende petunia's en een of andere klimplant waarvan hij de naam niet kende; bij het hek groeiden rode en witte begonia's.

Elizabeth Denison was bezig geweest lentebloemen te planten en haar kind te leren tuinieren. Vast een meisje, dacht Neil: het kruiwagentje was roze met paars en op de minihandschoenen zaten roze bloemetjes.

Zijn hart sloeg over.

'Denk je dat ze gevlucht is?' vroeg Rick, die achter hem aan was komen lopen.

Neil sperde zijn neusgaten open. 'Daar lijkt het niet op. Ze was nog niet klaar met tuinieren, maar de spullen zijn wel min of meer opgeruimd; het is niet zo dat ze alles gauw heeft laten vallen.'

'Laten we met de buren gaan praten. Misschien weten zij waar ze is. Volgens de koopakte heeft ze dit huis al drie jaar.'

'Niet getrouwd, toch?'

'Alles staat op haar naam.'

Alleenstaande vrouw met minstens één kind. Hond. Burgerlijk huis, compleet met bloembedden en draperieën voor de ramen. Zou ze een vriend hebben die vrouwen met een mes bewerkt? Neil moest toegeven dat dat heel onwaarschijnlijk leek.

'Hé, daar is ze,' zei Rick.

Hij knikte naar de straat, waar een donkergroene Suburban aan kwam rijden. De bestuurster stopte even, zei iets tegen een kind dat achterin zat en zette haar SUV voor de garagedeur. Ze kwam de auto uit, hielp het kind met uitstappen en deed de auto op slot.

Alles ziet er altijd mooier uit dan het in werkelijkheid is.

Rick liep op haar af. 'Mevrouw Denison? Ik ben inspecteur Richard Sacowicz van de Politie Arlington, en dit is Neil Sheridan. We willen u even spreken.' Hij haalde zijn politiepenning tevoorschijn als legitimatie voor hen beiden.

Ze keek Neil even aan en hij sloeg zijn armen over elkaar, gewend als hij was aan de blik waarmee een man van één meter negentig met een lelijk litteken altijd werd bekeken.

'Mij?' vroeg ze met een ietwat gespannen stem. 'Waarover?'

'Mammie, wie is dat?' zei het kind, een klein meisje dat een honkbalpet droeg waarop de afbeelding van een lieveheersbeestje geborduurd was.

'Abby,' zei mevrouw Denison, 'wil jij Heinz even uitlaten? Zo te horen staat hij te springen om naar buiten te gaan.'

'Heinz is onze hond.' Het meisje keek naar Neil, maar sprak tegen Rick.

Rick ging op zijn hurken zitten. 'Is hij lief?' vroeg hij.

'Als je geen kat bent wel,' antwoordde Abby lachend. 'Hé, wat is geel en hangt achter een auto?'

Rick speelde het spel mee. 'Een caravan?'

'Nee,' zei ze fel, terwijl ze een vermanende vinger naar hem opstak, 'een banaanhangwagen.'

'O, daar trap ik mooi in, zeg. Hé, wat is groen en glijdt van een berg?'

De ogen van het kleine meisje straalden van pret. 'Een skiwi.'

Rick streek haar over haar kin, en Neil had bewondering voor zijn aanpak. Rick kon iedereen op zijn gemak stellen. Mensen zouden hem zelfs hun grootste geheimen nog vertellen.

'Abby,' zei mevrouw Denison, terwijl ze haar dochter een sleutel voorhield, 'ga de hond eens uitlaten.'

Abby pakte de sleutel aan, maar bleef als aan de grond genageld tegenover Rick staan. 'Hé, wat is groen en heeft een gewei?'

'Geen idee,' antwoordde Rick.

'Een dophertje.'

Rick begon hard te lachen, en Neil verrassend genoeg bijna ook.

'Hé,' onderbrak mevrouw Denison hen, 'wat gebeurde er met het meisje dat niet naar haar moeder wilde luisteren?'

'Het geeft niet,' zei Rick, terwijl Abby met tegenzin naar de zijdeur liep. 'Ik kan wel wat nieuwe moppen gebruiken. Ik heb een zoon van negen die denkt dat hij een komiek is.' Ja, Rick was goed in luisteren naar flauwe grappen, zoals het een echte vader betaamt.

'Gaat het lang duren?' vroeg mevrouw Denison. 'Ik kan dit meubelstuk niet lang buiten laten staan.'

'Het is een Queen Anne-ladekast,' riep het kleine meisje, dat inmiddels bij de zijdeur stond. 'Volgens meneer Waterford is hij heel veel waard, maar mammie zegt dat hij liegt als een –'

'Abby!'

Waterford. In Neils hoofd begon zich een lijstje te vormen. Namen om te controleren, aanwijzingen om na te trekken. Zijn intuïtie was dus toch niet helemaal verdwenen. Weer een verrassing.

Een merkwaardige kruising tussen een collie, een husky en een ras dat hij niet kende kwam naar buiten stormen en Abby riep hem. De hond ging iedereen af om geurtjes te verzamelen en liep vervolgens rondjes om Abby heen tot ze het toverwoord 'koekje' zei, waarna ze samen het huis weer binnenliepen.

'Geweldige waakhond,' zei Rick om nog wat te slijmen. 'En nee, het hoeft niet lang te duren.'

'Nou, goed dan.' Terwijl mevrouw Denison iets van de achterbank van de SUV pakte, nam Neil haar in zich op. Ze was een kleine vrouw in een spijkerbroek, Nike-schoenen en een wit T-shirt onder een pluizige sweater die aan de bovenkant half openhing. Even had hij de neiging zijn hand erin te steken. Verder had ze de slanke bouw en het afgetrainde lichaam van een sportvrouw. Ze had donker haar tot op haar schouders, en toen ze haar zonnebril omhoogschoof kwam haar pony bijna tot haar achterhoofd. Toen ze zich omdraaide met wat T-ballspullen in haar handen viel het zonlicht op haar gezicht.

Neil knipperde met zijn ogen. Hoog op haar wang zat een litteken, een streepje van vier centimeter lang. Het maakte haar er niet minder aantrekkelijk op en was niet zo opvallend en angstaanjagend als het zijne. Het gaf haar juist diepgang en karakter, alsof het een verhaal over haar vertelde.

Ze drukte op een knop en de deur van de garage ging omhoog. Hij zag een gigantische ruimte met plaats voor twee auto's die was uitgebouwd tot een groot souterrain en fel verlicht was. De ruimte stond vol met... spullen. Dat was het enige woord dat Neil ervoor kon bedenken. Meubels, serviesgoed, manden, speelgoed, dekens, dozen en een lange rij boeken en tijdschriften. Naast een computer stond een inkjetprinter waarin een stuk of twintig geprinte vellen lagen. Het bovenste vel was een foto van een antieke pop, en ernaast lag de echte versie in een gedeeltelijk geopende doos, met een UPS-etiket erop waar de datum van de vorige dag op stond. De pop zelf, die in zijdepapier was gewikkeld en in stukken piepschuim lag, staarde naar het plafond.

Neil pakte hem op. De pop was ongeveer vijfendertig centimeter lang en had zijdeachtig haar en een doordringende, verbaasde blik. 'Antiek,' zei hij. 'Bent u antiekhandelaar?'

'Ik werk als onderzoeker voor Foster's Antiques. Wilt u weten hoeveel de pop die u daar vasthoudt waard is?'

Hij fronste zijn wenkbrauwen. 'Zes maanden van mijn salaris?'

'Ik denk niet dat u zoveel verdient.'

Neil onderdrukte een glimlach en legde de pop weer neer. Mevrouw Denison kwam naar hem toe lopen en stopte, in een merkwaardig beschermend gebaar, de pop dieper in de doos. Zijn maag draaide om bij de aanblik van haar handen.

Hij wierp een snelle blik op haar keel, nek en gezicht en op alle andere huid die zichtbaar was. Geen verwondingen die met make-up waren verdoezeld, geen blauwe plekken of schaafwonden. Wel waren haar knokkels ontveld. Hij dacht even aan Abby, maar verwierp die mogelijkheid zodra hij in hem was opgekomen. Kleine meisjes die door hun moeder geslagen worden spelen de dag erna geen T-ball, ravotten niet met grote honden en vertellen geen flauwe mopjes aan volslagen vreemdelingen. Maar toch had mevrouw Denison onlangs met haar vuisten iets – of iemand – geraakt.

'Ik moet naar boven, naar Abby,' zei ze. 'We kunnen in de keuken praten.'

Ze volgden haar de trap op en gingen haar woonkamer binnen. Neil had verwacht dat die vol zou staan met onbetaalbare beeldjes en antieke tapijten en Lodewijk-de-zoveelste-meubels die hij niet durfde aan te raken. Maar hij zat er helemaal naast. De kamer straalde warmte en gezelligheid uit en had zo de cover kunnen sieren van een woontijdschrift, waarvan er stapels in de supermarkt lagen. Het was er netjes, maar niet op een overdreven manier: op de haard lagen barbiepoppen en plastic paarden, op de salontafel lag een waterverftekening van een of ander wezen met vier poten te drogen, en er hing een geur van chocoladekoekjes.

Een aanval van warme gevoelens temperde Neils verwachtingen. Rick had gelijk: deze vrouw leefde een burgerlijk leven en was niet het type dat een moordenaar kende. Het enige waar hij op kon hopen was dat ze wist wie Lila Beckenridge was.

Die hoop koesterend liep hij langs Abby en Heinz die op de bank zaten. Hij volgde Rick het eetgedeelte van de keuken in.

'Waar gaat het over?' vroeg mevrouw Denison.

Rick nam de leiding van het gesprek over. 'Kent u een vrouw die Lila Beckenridge heet?' vroeg hij, terwijl hij haar de foto van het rijbewijs liet zien.

Ze bekeek de foto en fronste haar voorhoofd. 'Nee, ik geloof het niet.'

'Weet u het zeker?'

'Ik heb die naam nog nooit gehoord,' zei ze met een oprecht verbaasde blik.

'En Gloria Michaels?' vroeg Neil, maar ze schudde opnieuw haar hoofd.

‘Woensdag,’ zei Rick, ‘hebt u vlak na middernacht een telefoontje gekregen uit Seattle. Wie was de beller?’

Een fractie van een seconde verstijfde ze. Toen ze daarna snel haar ogen neersloeg, herinnerde Neil zich dit klassieke gedrag weer: de vrouw stond op het punt te gaan liegen.

5

En dat was Regel Een: iedereen liegt, niemand uitgezonderd. Criminelen, getuigen, slachtoffers, sexy jonge moeders met schattige dochtertjes.

Echtgenotes.

'Het telefoontje waarin we geïnteresseerd zijn werd twee dagen geleden gepleegd, om negen over twaalf 's nachts,' zei Rick. 'Was dat van een vriendin van u?'

'Nee.'

'Van wie was het dan?'

'Luister,' zei ze, 'ik heb woensdagnacht een obsceen belletje gekregen. Dat is alles.'

Neil glimlachte. 'Da's een mooi smoesje. Dat gelooft u toch zelf niet?'

Ze keek hem boos aan, maar Rick kwam tussenbeide. 'Het telefoontje duurde tweeëntachtig seconden, mevrouw Denison. Dat is een lange tijd om naar een obscene beller te luisteren.'

Haar mond ging dicht, en even dacht Neil dat hij een klikgeluid van het sluiten hoorde. Hij wierp een snelle blik op Rick: *tien dollar, vriend.*

'Oké, en wat zei de beller dan?' vroeg Rick.

'Hij zei wat altijd gezegd wordt bij een obsceen telefoontje. Ik heb het niet opgeschreven.'

Hij.

Rick fronste zijn wenkbrauwen. 'Bent u bang voor die man?'

'Natuurlijk ben ik bang. Zoals ik al zei, het was een obsceen belletje. Het was griezelig.'

'Waarom hebt u dan geen aangifte gedaan?' vroeg Neil.

Ze sloeg haar armen over elkaar. 'Voor zover ik weet is griezelig doen aan de telefoon niet strafbaar.'

Ze had gelijk. Er kwamen elke dag wel een paar vrouwen naar het politiebureau die een obsceen telefoontje hadden gekregen, en meestal werd hun klacht door een balieagent afgehandeld zonder dat er papier aan te pas kwam. Maar er klopte iets niet aan de houding van mevrouw Denison. Een alleenstaande moeder die midden in de nacht enge telefoontjes kreeg zou juist heel graag haar medewerking verlenen. Ze zou blij moeten zijn dat er een paar helden hadden aangebeld.

'Hoelang werkt u al bij Foster's?' vroeg Rick.

'Zes jaar fulltime. Daarvoor werkte ik parttime in hun galerie in Seattle.'

'Seattle,' zei Neil peinzend.

'Ik ben er al jaren niet meer geweest, meneer Sheridan. Vlak nadat ik was afgestudeerd ben ik hierheen verhuisd.'

'Wat hebt u gestudeerd?'

'Amerikaanse geschiedenis en kunstgeschiedenis.'

Ze zei het bijna tartend, met vooruitgestoken kin en lang oogcontact, alsof ze hem uitdaagde iets in haar woorden te vinden wat gelogen was. Dat was typisch voor goede leugenaars: zoveel mogelijk dingen vertellen die waar zijn om de leugens te camoufleren. En zij wás goed. Bovendien had ze fascinerende ogen, van het soort waar een man in kon verdrinken als hij niet voorzichtig genoeg was. Grote ogen, met de kleur van zwarte koffie. Ze had een hoog voorhoofd en dikke wimpers. Ze was exotisch, maar ook nog iets anders.

Uitgeput. Neil was er zeker van dat ze de laatste tijd niet veel geslapen had.

'Moet u voor uw werk ook reizen?' vroeg Rick.

'Soms bezoek ik antiekbeurzen, meestal in een lang weekend of in de vakantie.' Ze zweeg even. 'Maar niet in Seattle.'

Neil wees naar haar gezicht. 'Dus die wallen onder uw ogen komen niet van een jetlag?'

'Abby voelde zich niet zo lekker; ik ben de hele nacht bij haar geweest. Ik wist trouwens niet dat het opnemen van de telefoon in je eigen huis strafbaar was. Heb ik een advocaat nodig?'

Neil begon zijn geduld te verliezen. Ze stond te liegen, dat was zo klaar als een klontje. Hij liep naar de telefoon op het aanrecht. 'Ja, dat zou wel eens kunnen. Zal ik even een pro-Deoadvocaat voor u bellen?' Hij morrelde opzettelijk wat aan de telefoon en drukte op een toets. 'O, pardon,' zei hij heel onschuldig, en Rick vloekte binnensmonds.

'U hebt... twee... nieuwe berichten,' zei een automatische mannenstem.

Mevrouw Denison raakte in paniek. 'Dat mag u helemaal niet...'

Zodra ze naar de telefoon wilde lopen pakte Neil haar bij haar pols. De stem van een vrouwelijke beller zei: *'Mevrouw Denison, u spreekt met Margaret Chadburne uit Boise. Nog even over de poppen die ik naar u heb opgestuurd. U zou de eerste vanochtend gekregen moeten hebben.'*

Neil voelde de polsslag van mevrouw Denison in zijn hand tekeergaan. Hij verslapte zijn greep een beetje.

Pieieiep.

'Hoi schat, met mij. Hannah zei dat je vanmiddag de ladekast van Waterford hebt meegenomen uit de galerie. Bel je me zodra je hem onderzocht hebt?'

Na de laatste pieptoon keek Neil naar mevrouw Denison. 'Wie was dat?'

'Margaret Chadburne, uit Boise. Ze had gecontroleerd wanneer ze de poppen naar mij had verstuu–'

'Nee, dat andere bericht.'

'Dat was mijn baas, Evan Foster.'

'Schat,' zei hij en ze staarde hem aan. 'Hij noemde u schat.'

'Evan Foster was eergisteren niet in Seattle en heeft me toen niet gebeld. Laat hem erbuiten.'

Neil onderdrukte een glimlach. 'U neemt uw vrienden wel erg in bescherming.' Hij draaide haar hand om en bekeek haar ontvelde knokkels. 'Bent u zo ook hieraan gekomen?'

'Ik doe aan kickboksen,' zei ze, terwijl ze haar hand wegtrok. Het was het eerste wat ze zei dat ook leek te kloppen. Ze was stoer, beheerst en strijdlustig. Even dwaalden Neils gedachten af en zag hij haar magere lichaam in elastaan alle spanning eruit slaan die in haar opgekropt zat...

Dit was geen goed idee. Hij zette het beeld uit zijn hoofd. 'Waar is uw man?' vroeg hij.

'Pardon?'

Hij wees naar de hal, waar hij achter de keukendeur een grote foto aan de muur had zien hangen: mevrouw Denison in een roomkleurige jurk met een bloem in haar haar en een man met rossig haar ernaast. 'U draagt een ring,' zei Neil, 'maar hij is geen mede-eigenaar van dit huis. Waar is hij? In Seattle soms?'

'Dood.'

Het antwoord kwam als een schok, maar het was zo eenvoudig na te trekken dat er geen reden was om eraan te twijfelen. 'Wanneer?' vroeg Neil.

'Zeven jaar geleden, toen ik zwanger was van Abby.'
'Dat vind ik heel erg voor u, mevrouw Denison,' zei Rick. 'Hoe is het gebeurd?'
Haar kin ging een eindje omhoog. 'Adam vloog na mijn afstuderen met mijn familie terug naar Chicago om er een huis te gaan zoeken. Het vliegtuig verongelukte. Mijn ouders, mijn broer, mijn man en nog tweehonderddrie andere mensen aan boord kwamen om het leven. Verder nog iets?'
Ho, dit was niet het verhaal dat Neil had verwacht. Een mislukte liefde, overspel, een scheiding, zoiets, maar niet het tragische verlies van iemand – iedereen – van wie ze hield in niet meer dan een paar seconden.
'Oké.' Rick gaf haar een kaartje. 'Als die kerel nog een keer belt, laat het me dan weten, goed?'
Ze pakte het kaartje aan – ongetwijfeld met de bedoeling om het in de prullenbak te gooien zodra ze weg waren – en Rick liep terug door de woonkamer. Neil volgde hem en probeerde haar woorden uit zijn hoofd te zetten, maar dacht toen: bekijk het maar. Hij draaide zich naar de bank en knielde naast Abby. 'Ik hoop dat je je snel weer beter voelt, lieve...'
'Meneer Sheridan!'
'Ik voel me prima,' zei Abby verbaasd.
Neil stond op en wendde zich tot mevrouw Denison. 'Gek hoe snel kinderen er weer bovenop kunnen komen, hè?'
'Hé,' zei Abby, 'wat is er met je gezicht gebeurd?'
De vraag kwam als een donderslag bij heldere hemel en behoorde niet tot haar moppenrepertoire. Neil raakte zijn litteken aan. 'Ik heb een paar jaar geleden een ongelukje gehad. Best eng, hè?'
'Nee hoor, mammie heeft er ook een. Het betekent gewoon dat je ooit pijn hebt gehad.'
Zo had hij het nog nooit bekeken. Tamelijk snugger voor een zesjarige en in ieder geval eerlijk, in tegenstelling tot de moeder van het meisje. Er trok een scheut van bezorgdheid door zijn borst: haar moeder betrok Abby in iets zonder dat die ook maar enige keus had. Dat hadden kinderen nooit.
De gedachte bleef hem achtervolgen toen hij met grote passen de stoep op liep. Hij sloeg met zijn vuist op het dak van Ricks auto. Er schoot kramp in zijn elleboog. 'Ze liegt,' zei hij, terwijl hij zichzelf dwong zijn vingers te strekken.

Rick zette grote ogen op. 'Denk je?'

'Ze kent de dader, verdomme. Hij heeft een vrouw vermoord en zij liegt voor hem.' Zijn hart sloeg dubbel zo snel.

'Pak haar dan op voor medeplichtigheid, man. Neem haar maar eens flink onder handen.'

'Ja? Moeten we haar soms lange tijd uit haar slaap houden? Of moeten we misschien waterboarding toepassen?'

'Ach, sodemieter toch op.'

'Obscene telefoontjes, Neil. Dat is haar verhaal en het lijkt te kloppen. Misschien is ze echt bang.'

'Waarom zegt ze dat dan niet? Jezus, Rick, jij bent politie-inspecteur en ik ben...' Hij zweeg. Hij was helemaal niets meer. 'Als ze bang was geweest, had ze het wel gezegd.'

'Dat heeft ze ook gedaan.'

'Lulkoek. Dat van dat griezelige telefoontje was een dekmantel voor die klootzak en dat weet je maar al te goed.' Hij gleed met zijn hand in zijn zak en voelde de kapotte haarspeld. 'Ik moet het weten, Rick. Of het Russell nou was of niet, dankzij die smeerlap heb ik bijna alles verloren wat me dierbaar was.'

Rick keek naar hem over het dak van de auto. 'Je weet dat ik geen observatieteam op een vrouw kan zetten die ervan wordt verdacht dat ze haar telefoon heeft opgenom–'

'Kijk.'

Rick volgde Neils blik naar het huis van mevrouw Denison. Door het grote raam was te zien dat ze de telefoon opnam. Ze liep ermee naar het raam, maar liet de draperieën neer toen ze Rick en Neil zag. Maar haar silhouet bleef zichtbaar en ze zagen dat ze binnen een paar seconden ophing.

'Dat ging snel,' zei Neil.

'Kom op, Neil. We mogen die vrouw niet zo bespieden. Met kijken schieten we niets op.'

'Waarmee dan wel?'

'De moord op Gloria Michaels nog een keer bekijken bijvoorbeeld, en die vergelijken met de moord op Lila Beckenridge. Misschien vinden we genoeg overeenkomsten om ervoor te zorgen dat jouw vrienden van de FBI de zaak heropenen.'

'Vrienden?' zei Neil, terwijl hij zich in de bestuurdersstoel liet zakken. 'Dat had je gedacht.'

Maar het leek inderdaad het beste wat ze konden doen. Ze reden terug naar het politiebureau en onderzochten nauwkeurig alles wat bekend was over de moord op Lila Beckenridge. Ten slotte nam Rick Neil mee naar huis en dumpte hem in de logeerkamer. Voor het eerst sinds tijden sliep Neil weer eens nuchter.

Neils zondag begon aan de telefoon: hij kreeg te horen dat Ellen Jenkins op de golfclub was. Hij haalde een huurauto op – toen hij bij het autoverhuurbedrijf kwam bleek het om een Dodge Charger, bouwjaar 2009, te gaan – en bedacht dat hij voor een afspraak met Ellen iets passends moest dragen en zeker geen woestijnuitrusting of een gescheurde spijkerbroek. Hij ging naar een warenhuis en kwam naar buiten in een blauwe bandplooibroek en een roomkleurig overhemd met een borstzak met een logo erboven. De mensen op de golfclub hielden vast van logo's, dacht hij, hoewel hij niet goed kon zien wat het voorstelde. Het leek vaag op een pinguïn.

Twee uur later reed hij door Chester County, Pennsylvania. De wijk waar Ellen woonde werd gekenmerkt door torenvormige villa's met hoge stenen muren, garages met plek voor vier auto's, zwembaden met een hek eromheen en tennisbanen. De golfclub kwam in zicht als een landschap dat op wijnflessen staat afgebeeld, en toen Neil bij het toegangshek kwam zag hij dat hij op de magische lijst met namen stond van mensen aan wie toegang werd verleend. De manager van de golfbaan verwachtte hem; het logo op zíjn borstzak bestond uit cursieve letters.

'Haar groep is nog maar bij de zevende hole,' zei de manager en hij wierp Neil de sleutels van een golfkarretje toe. 'Als ik jou was zou ik haar niet storen.'

'Waarom niet?' zei Neil. 'Ellen is zo lief als een katje.'

De man lachte spottend. 'Ja, en wij zijn de gewonde muizen.'

Ellen keek niet op toen hij aan kwam lopen. 'Sheridan, als je ook, maar één woord zegt voordat ik deze putt gemaakt heb, gebruik ik op de volgende hole een van jóúw ballen.'

Neil was niet gek. Hij zag hoe de felste officier van justitie van Oost-Pennsylvania neerhurkte om de baan van de bal te bekijken, bij wijze van oefening een puttbeweging maakte en de bal vervolgens in het putje tien meter verderop sloeg.

Ze maakte een buiging en de drie mannen van haar groep applaudisseerden. Een caddie nam haar club aan en een van de mannen kuste haar op haar wang. Neil dacht dat het Byron moest zijn, de arme man die negen jaar geleden ook al haar echtgenoot was en zichtbaar ouder was geworden.

'Hé, lang geleden,' zei ze, terwijl ze op Neil af liep. 'Wat heb je daar op je borst, een pinguïn?'

'Met kerst koop jij iets van hetzelfde merk voor Byron.'

'Ik heb tegen hem gezegd dat ik met jou meerij en dat ik hem weer zie bij de volgende hole. Weet je hoe je met zo'n karretje moet rijden?'

'Hou je vast.'

Hij reed naar de tee van de achtste hole en zette het karretje tussen een bunker en de rough. 'Je ziet er goed uit,' zei hij, terwijl hij zijn zonnebril afnam.

'En jij ziet eruit als een terrorist die een golfbaan op sluipt.'

'Het komt zeker door de pinguïn?'

'Nee, door het litteken,' zei ze, terwijl ze zijn wang naar zich toe draaide. 'Ik heb pas later over de schietpartij gehoord. Ik wist niet... Ik bedoel, het moet erger zijn geweest dan ik dacht.'

'Ik ben een tijdje uit de roulatie geweest, maar nu versier ik met mijn litteken alle vrouwen.'

'Dus jij en Heather...'

Neil slikte. 'Na het schietincident zijn we nog maar een paar jaar bij elkaar geweest.'

'Aha.'

Tot meer emotionele conversatie was Ellen Jenkins niet in staat en ook Neil was er niet erg bedreven in. 'Ik kom je om een gunst vragen,' zei hij.

'Je meent het.'

'Ik wil de zaak-Gloria Michaels opnieuw onderzoeken. Het zou kunnen dat Anthony Russell niet de moordenaar is.'

Ellens mond viel niet open van verbazing, want daar was ze te stoïcijns voor, maar Neil zag de spanning in haar hals. 'En ik neem aan dat je daarvoor scheepsladingen vol bewijs hebt?'

'Woensdagnacht is er in Seattle een vrouw vermoord. Er zijn overeenkomsten met de zaak-Gloria Michaels...'

Hij legde alles uit en toen hij klaar was vroeg Ellen: 'En kwam de kogel uit hetzelfde pistool waarmee Gloria is doodgeschoten?'

'Dat is niet zo makkelijk aan te tonen,' gaf hij toe. 'Het was een .38-

kogel, maar met een holle punt. Die spat flink uit elkaar als hij iets hards raakt.'

'Een schedel bijvoorbeeld,' zei Ellen. Ze haalde diep adem, stapte uit het golfkarretje, deed een paar stappen in de richting van de bunker en schoof haar zonneklep recht. Neil liep achter haar aan, maar liet haar even nadenken. 'Ik heb me altijd afgevraagd of die klootzak van een Russell gelogen heeft,' zei ze na een tijdje. 'En waarom niet? Even een verhaal verzinnen over zijn zogenaamde moord op Gloria Michaels en hup, geen doodstraf meer. Zijn advocaat was dolblij om de schikking, verdomme.'

Neil wist dat ze gelijk had, maar reageerde toch stekelig. 'Russell ging met Gloria en hij was niet bepaald van onbesproken gedrag. Het is niet zo dat hij haar niet had kunnen vermoorden.'

'Onzin. Jullie FBI'ers gingen je ermee bemoeien omdat het op een ontvoering leek en vervolgens namen jullie met intimidaties het onderzoek over, wezen Russell aan als dader en droegen hem aan ons over.'

'Hé, ik ben hier verdomme niet om te biechten, maar om je om hulp te vragen!'

'Waarom bel je je vriendjes van de FBI dan niet?' Ze maakte een verontschuldigend gebaar met haar hand. 'Laat ook maar. De FBI ongelijk bekennen? Ze weten niet eens hoe dat moet.'

'Ik wil alleen het rapport, Ellen. Ik zal er waarschijnlijk genoeg in vinden om de FBI ook weer mee te laten doen.'

'De zaak is gesloten. En dat rapport is openbare informatie.'

'Ik wil niet alleen de stukken die openbaar zijn, maar het hele dossier. De getuigenverklaringen, de foto's, de aantekeningen in de marge van de verslagen en de e-mails, die heb ik nodig, Ellen.'

'Ik ben degene die de aanklacht tegen Russell heeft behandeld.'

'Ja, en het rapport staat vol met de bezwaren die je daartegen had.'

Niet alleen het rapport, maar ook de kranten en de politieke roddelrubrieken. Ellen wilde de doodstraf voor Russell, maar de officier van justitie van toen, Wallace McMahan, vroeg haar de beschuldiging van moord met voorbedachten rade in te trekken en voor doodslag te gaan. Die zaak was makkelijker te winnen. En toen er uiteindelijk een schikking met Russell werd getroffen en hij bekende dat hij Gloria Michaels had vermoord, werd dat als een overwinning voor McMahan beschouwd.

'Wally McMahan heeft zich kandidaat gesteld voor de Senaat,' zei ze. 'Als de zaak wordt heropend staat hij voor schut.'

'Je hebt een hekel aan Wally McMahan.'

Een glimlachje krulde zich om haar lippen. 'Ja, hè?' Ze bekeek van hem opzij. 'Goed, geef me alle informatie die je hebt over de moord op die vrouw in Seattle, dan kijk ik er na de negende hole naar. Erná. En na een douche en een paar glazen martini. Kom om zes uur maar bij me langs, dan laat ik je weten wat ik ervan vind.'

Op meer had hij niet kunnen hopen. De rest van de middag zat hij te surfen in een internetcafé en belde hij met Seattle. Ze wilden hem geen moer vertellen over Lila Beckenridge: hij was geen politieagent, hij was geen FBI'er en hij was geen advocaat. Hij was niet eens een journalist. Hij was helemaal niets.

Om tien voor zes kwam hij bij Ellens villa aan.

'Ik weet niet zeker of de moordenaar van Gloria Michaels dezelfde dader is die ook in Seattle heeft toegeslagen,' zei ze, terwijl ze hem een kartonnen doos vol documenten gaf. 'Maar ook al is die kans klein, toch wil ik dat je hem opspoort.'

'Ellen, ik zou je wel willen zoenen,' zei Neil.

'Ja, ja, dat zeggen ze allemaal.'

Hij was net de doos met documenten in de Charger aan het zetten toen Rick belde. 'Ik heb het autopsierapport van Lila Beckenridge net binnen,' zei hij. 'Je gelooft nooit wat erin staat.'

'Wat dan?'

'Kom maar naar mijn kantoor.'

'Maar dat is twee uur rijden.'

'Plankgas geven dus.'

6

Neil was tegen negen uur terug in Arlington. Rick leunde naar voren over zijn bureau. 'Weer een,' zei hij. 'Misschien.'

Neil zweeg even. 'Wat?' vroeg hij vervolgens. 'Hoe bedoel je, "misschien"?'

'Vanmiddag is niet ver van Denver een auto gevonden, helemaal schoongeveegd. Hij is van een alleenstaande vrouw die Thelma Jacobs heet. Ze wordt vermist.'

Neils hartslag schoot omhoog, en even was hij bang dat zijn hart op hol zou slaan. 'Er worden elke dag auto's van vermiste personen gevonden. Waarom is deze ene in Denver zo belangrijk?'

'Raad eens wie Thelma Jacobs gisteravond om halfacht heeft gebeld.'

Neil keek hem verbijsterd aan. 'Dat meen je niet.'

'Toch wel. Maar het telefoontje duurde niet langer dan tien seconden.'

'Godver.' Neil kon het niet geloven. 'Dat is het telefoontje dat we Elizabeth Denison gisteravond zagen beantwoorden toen we wegreden.' Hij stond op en begon te ijsberen. 'Denver? Hij verplaatst zich?'

'Zou kunnen.'

'Maar geen lijk?'

'Nog niet. Thelma Jacobs was gistermiddag om drie uur nog bij een praatgroep voor vrouwen die zijn genezen van borstkanker. Daar is ze voor het laatst gezien.'

'Geen danseres dus,' zei Neil. En ook geen studente. Hij schudde zijn hoofd, alsof de puzzelstukjes op de een of andere manier in elkaar zouden vallen als alle informatie door elkaar werd gehusseld. 'Laten we gaan uitzoeken of Thelma Jacobs op de lijst van mensen staat aan wie Elizabeth Denison een kerstkaart stuurt.'

'Dat heb ik al gedaan. Ze zegt dat ze nog nooit van haar heeft gehoord. En degene die haar om halfacht had gebeld had een verkeerd nummer ingetoetst.'

'En dat moeten wij geloven?' Neil sloeg met zijn vuist op tafel en strekte meteen zijn vingers, omdat de kramp er weer in was geschoten. Zijn hart ging behoorlijk tekeer. Woede, dacht hij aanvankelijk, maar daarna besefte hij dat het adrenaline was. Hij zat weer achter een moordenaar aan en Elizabeth Denison vormde een aanknopingspunt.

Rick opende een map. 'Dit is het autopsierapport van Lila Beckenridge. Ze is inderdaad verkracht, waarbij de dader een condoom van het merk Trojan heeft gebruikt, en haar rechterkaak was gebroken, waarschijnlijk doordat ze is geschopt. En deze markering hier' – hij schoof een foto over zijn bureau naar Neil toe en wees naar Lila's slaap – 'is geen modder of bloed. Het is wenkbrauwpotlood.'

'Wenkbrauwpotlood?' Neil bekeek de streep. Hij was recht als een pijl en twee centimeter lang.

'Ja, gitzwart wenkbrauwpotlood van het merk Revlon, het is echt geen grap. Het lijkt wel alsof hij een streepje heeft gezet om de plek van de kogel te markeren. Bij het bovenste deel van de streep staan allemaal stippeltjes.'

'De dader heeft dus van heel dichtbij geschoten.'

'Klopt. Net als bij Gloria, nietwaar?'

'Inderdaad.'

'En was Gloria verkracht?' vroeg Rick.

'Ja, en de dader had daarbij ook een Trojan-condoom gebruikt. Bovendien was ze van achter het stuur van haar auto gesleurd, geslagen, met een mes bewerkt en in een bos achtergelaten. Haar auto was op dezelfde manier schoongeveegd als die van Lila Beckenridge, en op de bestuurdersstoel zaten resten van Reese's Cup-koekjes. Maar ze was niet met wenkbrauwpotlood gemarkeerd, verdomme.'

Rick haalde zijn schouders op. 'Ondanks dat verschil zijn er dus genoeg overeenkomsten om een nieuw onderzoek te rechtvaardigen. De vraag is nu: heb je de hulpofficier van justitie daarvan weten te overtuigen?'

'Ze is tegenwoordig officiér van justitie, en het antwoord op je vraag is ja. De documenten over de zaak-Gloria Michaels liggen in mijn kofferbak.'

'Laten we die dan maar gaan doornemen. Zullen we een pizza bestellen of zo?'

Neil knikte en liep al naar de deur, waarbij hij met toegeknepen ogen naar Rick keek. Rick stond te popelen om zich – om halftien 's avonds –

op een zaak te storten die zich maar voor een heel klein deel in zijn district afspeelde. Neil had de indruk dat Rick iets te veel hooi op zijn vork nam om de dag door te komen. Bovendien was het hem opgevallen dat hij dikke, donkere wallen onder zijn ogen had.

'Hé, ben je al thuis geweest?' vroeg Neil.

Rick bladerde in de Gouden Gids naar de letter P. 'Vanavond nog niet. Ik heb het nogal druk gehad.'

'Aha. En gisteravond? Maggie zei dat je meteen hierheen bent gereden nadat je mij had afgezet.'

'Ik moest nog wat werk afmaken.'

Toen Neil het kantoor rondkeek kreeg hij spanning op zijn borst. Hij zag nu dingen die hij daarnet niet had opgemerkt, omdat hij al te zeer afgeleid was geweest: een opgevouwen deken op de rugleuning van de bank, een kussen eronder en een toilettas op de grond waar een tandenborstel uit stak. 'Shit, man,' zei hij hoofdschuddend. 'Hoelang al?'

Rick keek op en leunde achterover tegen de rugleuning van zijn stoel. 'Eerst een tijdje in de studeerkamer thuis. De laatste paar weken hier op kantoor.'

'Jezus.' Het was dus niet zijn werk waar Rick zo moe van was.

Neil liep terug naar het bureau en sloeg de Gouden Gids dicht. 'Laat die pizza ook maar. We kunnen die documenten net zo goed bij jou thuis bekijken.'

'Eigenlijk wil Maggie liever een tijdje alleen zijn.'

'Dan had ze maar niet met je moeten trouwen en vier kinderen met je moeten krijgen. Heb je nog een extra bed thuis?'

'Ik hoop het maar, want ik ga niet in bed liggen met een kerel die een pinguïn op zijn borst heeft.'

'Grapjas. Kom op, ik rij.'

Toen ze bij het huis van Rick aankwamen, lagen de kinderen al in bed, maar Maggie nog niet. Neil bestelde pizza, met groene olijven erbij voor Maggie, en ze aten met z'n drieën. De spanning was voelbaar en sneed door Neils hart. Hij kon zich geen wereld voorstellen waarin Rick en Maggie Sacowicz niet samen waren. Ze hadden altijd een voorbeeldig huwelijk gehad.

Ten slotte bracht Neil een kussen naar de studeerkamer. Hij bleef nog een uur lezen en viel toen in slaap, dromend over de fouten hij zelf had gemaakt. Dat laatste telefoongesprek: *'Sorry, schatje, pappie moet weer aan het werk, maar ik ben zo snel mogelijk thuis... Verdomme, Heather, ik heb hier nu geen tijd voor; regel het zelf maar. Ik moet Anthony Russell vinden...'*

Op maandagochtend was de adrenalinestoot van de avond ervoor veranderd in rusteloosheid. Neil had niets te doen. Even overwoog hij naar Seattle of Denver te vliegen, maar toen realiseerde hij zich dat de politie daar niet inschikkelijk zou zijn: er was voor hem geen plaats in het onderzoek naar de moord op Lila Beckenridge of Thelma Jacobs. Als Rick niet was gevraagd om Elizabeth Denison op te zoeken, waren hij en Neil niet eens iets over die moorden te weten gekomen.

Maar goed, die kennis had hij nu wel en bovendien wist hij zeker dat Elizabeth Denison iets verzweeg. Rick mocht dan geen andere keus hebben dan haar ondervraging helemaal volgens het boekje te doen, Neil had die beperking niet. Hij had geen politiepenning en geen carrière waar hij aan moest denken.

Hij had geen regels.

'Wat zie jij er slecht uit,' zei Evan Foster, terwijl hij Beth een stoel aanbood in zijn favoriete lunchgelegenheid, een Caraïbisch grillrestaurant op Barrett Road, compleet met zoutwateraquariums en palmbomen.

'Dank je,' antwoordde ze morrend, terwijl ze een losse haarstreng achter haar oor schoof. 'Ik voelde me niet lekker en heb het hele weekend in bed gelegen.'

Eigenlijk had ze het hele weekend op internet gezeten en haar lijstje afgewerkt, maar dat kon ze niet tegen Evan zeggen. Ze besefte nog steeds niet helemaal wat er gaande was. Bankes was al bijna een jaar uit de gevangenis. Hij was vervroegd vrijgelaten omdat de afdeling Interne Zaken van de Politie Seattle had ontdekt dat de officier van justitie die zijn rechtszaak behandelde corrupt was en samenspande met een paar agenten die het ook niet zo nauw namen met de regels.

'Als je ziek was,' zei Evan, 'waarom heb je Abby dan niet naar ons gebracht, zodat haar tante Carol op haar kon passen en jij wat kon uitrusten?'

'Ik kan prima voor mijn eigen dochter zorgen, Evan. Dat doe ik al –'

'Al heel lang. Ja, ik weet het. Je bent echt een geweldige moe–'

Beth hoorde niet wat Evan verder nog zei. Drie meter verderop werd Neil Sheridan door een serveerster naar een tafel gebracht. Hij strekte zijn lange benen uit, zag Beth, en knipoogde naar haar.

Ze had het gevoel dat haar maag een koprol maakte. Wat deed hij hier, verdomme?

'Beth.' Het was Evans stem. 'Ik vroeg je wat Abby van T-ball vindt.'

'O,' zei ze, terwijl ze op haar schoot aan haar servet draaide, 'ze vindt er niks aan.'

'Waarom laat je het haar dan doen?'

'Omdat het goed voor haar is,' zei Beth. *Evan. Concentreer je op Evan, niet op Sheridan.* 'Het is deze week voorjaarsvakantie op school en ik stuur haar een paar dagen naar Cheryl en Jeff. Hopelijk kan Jeff haar een beetje trainen, zodat ze het wat leuker gaat vinden.'

'Nou, dat zal vast lukken als je haar voor jezelf in een jongen laat veranderen door je zwager.'

'Ik probeer haar niet in een jongen te veranderen, ik wil alleen dat ze dingen leert kennen die...'

'Adam haar ook had leren kennen. Neem haar dan eens mee naar een honkbalwedstrijd.'

'Het probleem is dat ik niet van honkbal hou.'

'Laat míj haar dan een keer meenemen. Orioles, over drie weken. Zitplaatsen precies achter de thuisplaat.'

Beth zweeg even. 'Nee, Evan,' zei ze ten slotte. 'Abby zou kunnen denken dat...'

'Dat ik een bijzonder iemand ben? Ja, stel je voor.' Hij stopte de kaartjes terug in zijn borstzak en zijn gezichtsuitdrukking veranderde van charmant in oprecht van zijn stuk gebracht. 'Vertel me eens, word je het nooit beu om steeds alleen te slapen? Dat er niemand in je leven is die je lievelingskleur of je grootste angst kent?'

'Ken jij ze?' vroeg Beth.

Met veel moeite wist hij een glimlach te produceren. 'Je lievelingskleur is blauw. Je grootste angst is dat je weer van iemand gaat houden.'

Twee keer fout, Evan, dacht ze, al had ze heel graag gewild dat hij het bij het rechte eind had gehad.

Haar mobieltje ging. Beth pakte het uit haar handtasje en keek wie er belde. Eerder op de dag, toen ze Abby naar T-ball bracht, had ze een oproep gemist van hetzelfde nummer, maar er was geen bericht ingesproken. Ze stopte het mobieltje weer weg. Ze stond nu niet bepaald te popelen om telefoontjes van onbekenden te beantwoorden.

'Vertel me eens over de ladekast van Waterford,' kwam Evan ter zake. 'Is het wat?'

'De achterkant is opgekalefaterd. Niet meer dan zesduizend, hoogstens achtduizend dollar.'

'Verdomme.'

'Kerry Waterford is een oplichter. Dat heb ik je al een paar keer gezegd.'

'Dan worden het de poppen, Beth. Hopelijk zijn de poppen van die weduwe een fortuin waard.'

'Dat zou best wel eens kunnen. Ik heb er nog maar een gezien, maar dat is een echte Benoit. En een van zijn eerste, uit 1862.' Er verscheen een fonkeling in haar ogen. 'Dit exemplaar deed me een beetje aan de Larousse-poppen denken.'

'Larousse?' Evan leunde naar voren. Hij was geen poppendeskundige, maar de Larousse-collectie kende hij maar al te goed. Die was bijna een eeuw lang beheerd door een rijke verzamelaarsfamilie.

'Rustig aan. Ik heb het gecontroleerd: de Larousses hebben nog niets verkocht; hun collectie in Vancouver is nog steeds compleet. Maar deze pop is zeker de moeite waard.'

'Verkeert de pop in een goede staat?'

'Het knippermechanisme van haar oogleden werkt niet, maar voor de rest is er niets mis mee. Dertig- of veertigduizend dollar, denk ik, zelfs inclusief de restauratiekosten voor de ogen.'

'Kassa,' zei Evan, nu met een glimlach op zijn gezicht. 'Hoeveel exemplaren zijn er in totaal van?'

'Dat weet ik niet. De eigenares is een weduwe uit Boise. Haar echtgenoot had ze op zolder liggen. Ik heb haar in september op de antiekbeurs in Dallas ontmoet, nadat Kerry haar had proberen over te halen een nep-Benoit te kopen. Ik heb er lang over gedaan om haar ervan te overtuigen ze te verkopen, maar vanmorgen heeft ze me gebeld en gezegd dat ze me er nog twee heeft opgestuurd.'

Van de andere kant van het gangpad kwam de stem van Sheridan aanrollen, die ze even was vergeten. Hij bedankte de blozende serveerster voor zijn clubsandwich, pakte zijn glas water en toostte ermee naar Beth.

Ze kreeg er kippenvel van. Tijdens de rest van het etentje stond ze in tweestrijd: aan de ene kant wilde ze tegen Sheridan zeggen dat hij moest opdonderen, aan de andere kant wilde ze hem smeken Bankes bij haar vandaan te houden. Maar voor dat laatste stond er te veel op het spel.

Toen Evan naar de rekening greep, hield Beth hem tegen en pakte die zelf. 'Ik zal wel betalen,' zei ze. 'Ik blijf nog een paar minuten om nog wat telefoontjes te plegen en een kopje koffie te drinken.'

Het werd tijd om met Neil Sheridan te praten.

7

Voordat Evan Foster wegging gaf hij Beth Denison een kus. Alleen op haar wang, maar dat kwam door haar: op het laatste moment draaide ze, in een typisch vrouwelijke beweging, automatisch haar hoofd weg. Ze had over Abby, T-ball en antieke poppen gepraat, op sla en soepstengels gekauwd, en geprobeerd niet betrapt te worden, terwijl ze nerveuze blikken in de richting van Neil wierp. Zij en Foster hadden niets besproken dat ook maar enigszins met moord of ontvoering in verband gebracht kon worden. Sterker nog, Beth Denison wekte zo'n onschuldige indruk dat Neil zich begon af te vragen of zijn inwendige leugendetector nog wel werkte.

Toen ging zijn mobieltje. Het was Rick. 'Elizabeth Denison is kort geleden op haar mobieltje gebeld.'

'Ja, dat weet ik,' zei Neil. 'Ik ben nu bij haar.'

'Je bent wát?'

'Of eigenlijk niet bij haar, maar in dezelfde eetgelegenheid. Ze heeft met Evan Foster geluncht.'

'Heeft ze ongeveer veertig minuten geleden haar telefoon opgenomen?'

'Nee. Haar mobieltje ging en ze heeft het nummer gecontroleerd, maar daarna stopte ze haar telefoon weer in haar handtas. Hoezo?'

'Dat telefoontje is gepleegd met een mobieltje vanuit Omaha, Nebraska. Het was al de tweede keer vandaag. Het duurde vijftig seconden.'

Neils nekharen gingen overeind staan. 'Omaha?'

'Vermoedelijk wordt de eigenares van de telefoon vermist. Ze is nog niet lang genoeg weg om de vermissing officieel te maken, maar haar familie is bezorgd en heeft haar verdwijning gemeld.'

'Dat meen je niet.'

'Voor alle zekerheid wil ik Elizabeth Denison voor ondervraging meenemen. Waar ben je?'

Met stijgende hartslag vertelde Neil hem waar hij zich bevond. Weer een? Hij keek naar Elizabeth, die net haar handtas pakte.

'Doe geen domme dingen, Neil,' zei Rick. 'Er is in Omaha nog geen misdrijf gepleegd. We willen haar alleen maar ondervragen.' Er viel een stilte. 'Neil?'

'Ik heb je gehoord.'

Toen Elizabeth opstond verbrak hij de verbinding. Ze liep langs Neil, vertraagde haar pas bij zijn tafel en schoof haar rekening onder de zijne.

Neil zou erom hebben kunnen lachen als hij niet zo boos was geweest. En in de war. Hij wachtte een minuutje voor het geval ze daadwerkelijk naar het toilet ging, legde toen genoeg geld voor beide rekeningen op tafel en volgde haar naar de achterkant van het restaurant. Hij vond haar in de buitenste hal voor de toiletten, met haar rug naar hem toe gekeerd en met haar mobieltje tegen haar oor gedrukt. Ongetwijfeld om het bericht uit Omaha te beluisteren.

Hij liep dichter naar haar toe, maar bleef staan toen hij hoorde dat ze niet naar een voicemailbericht aan het luisteren was.

'En, heb je de sieraden?' vroeg ze gehaast. 'Oké. Breng ze naar de kluis. Ik bel Vito om de levering te regelen. Maar wees voorzichtig. Ze zijn ons misschien op het spoor.'

'Grappig,' zei Neil.

Ze draaide zich om. 'Mijn god!' Ze legde de vingers van een van haar handen gespreid op haar borst. 'Meneer Sheridan. Ik wist niet dat u hier stond.'

'Ik neem aan dat Vito's achternaam Gambino is?'

'Dat zou u zeker wel willen weten?' Ze rechtte haar schouders en zette het mobieltje in haar andere hand uit. 'U volgt me toch niet?'

'Ik heb hier geluncht. Komt u nooit vrienden tegen in een restaurant?'

'U bent geen vriend. En u bent ook geen politieagent.'

Neil was onder de indruk. 'Zo zo, u hebt uw huiswerk gedaan.'

'Blijft u uit mijn buurt, of ik dien een aanklacht tegen u in. Wegens intimidatie, waarbij u zich uitgeeft voor politieman.'

'Ik heb me niet voor iemand anders uitgegeven. Ik zat vroeger bij de FBI. Inspecteur Sacowicz heeft me gevraagd met u te praten, omdat de man die u steeds belt misschien dezelfde man is die een paar jaar geleden betrokken was bij een moordzaak.'

Plotseling werd ze heel bleek en ze verstijfde. 'Ik heb u toch gezegd dat ik hem niet ken?'

Neil deed een stap in haar richting. 'Ja, maar u liegt.'

Ze wilde langs hem lopen, maar Neil pakte haar bij haar elleboog. Ze ontplofte zowat. Sissend ging ze met haar rechterelleboog naar zijn keel en bracht haar knie omhoog. Neil draaide zijn lichaam, pareerde haar aanval puur instinctief en met een flinke dosis geluk, en binnen twee tellen had hij haar tegen de muur geduwd en hield hij haar polsen boven haar hoofd geklemd.

'Laat me los,' zei ze buiten adem.

'Wat was dat, verdomme?' Neils hart ging als een razende tekeer. Hij kon niet geloven dat ze hem bijna had verrast en hij vond het ongelofelijk dat ze zo fel had gereageerd toen hij haar alleen maar bij haar arm pakte. Zelfs nu ze tegen de muur werd gehouden leek ze de details van hun posities in zich op te nemen, alsof ze overwoog een of andere ingewikkelde Jackie Chan-manoeuvre te maken. In godsnaam, hij was een ex-FBI'er en had voor The Sentry gewerkt; bovendien was hij bijna twee keer zo groot als zij. 'Lijkt me geen goed idee,' waarschuwde hij haar. 'U mag dan een zwarte band of zoiets hebben, ik beheers alle vechttechnieken die u kent, plus nog heel wat meer waar u geen idee van hebt.'

Ze verzette zich en hij bracht zijn gezicht dichter bij het hare, als een man die zijn minnares vasthoudt en lieve woordjes in haar oor fluistert, voor het geval iemand hen zou zien. Met dat verschil dat Beth Denison geen katje was om zonder handschoenen aan te pakken. 'Ik wil antwoorden,' zei hij.

'Laat me los.'

'Waarom probeerde u me daarnet te vermoorden?' Jezus. Dat was niet de vraag die hij had moeten stellen. Hij had haar naar het telefoontje moeten vragen. Maar in zijn hoofd was kortsluiting ontstaan. Een zintuiglijke overbelasting. De geur van bessen in haar haar, het kloppen van haar hartslag in haar pols, haar borsten tegen zijn ribbenkast. 'Geef antwoord,' zei hij. 'Waarom reageerde u zo fel?'

'U pakte me beet,' snauwde ze.

'Ik raakte u aan. Dat is iets anders.'

'U raakt me nog steeds aan. Laat los.'

Neil probeerde in haar ogen te blijven kijken, maar kon het niet nalaten zijn blik naar haar mond te laten zakken. De betovering werd verbroken toen hij haar strak op elkaar geperste lippen zag, die geheimen achterhielden. Vloekend liet hij haar gaan, maar ze kwam achter hem aan zodra ze zich realiseerde dat hij tijdens de worsteling haar mobieltje van haar had afgepakt.

'Verdomme,' zei ze stampvoetend. 'Wat wilt u van me?'

'Ik wil weten waarom een vrouw als u tegen de politie liegt en vervolgens zo vechtlustig rondloopt,' zei hij. 'Maar ik neem er ook genoegen mee als ik erachter kom wie u gebeld heeft tijdens uw lunch.'

'Wat?'

'Uw mobieltje ging een minuut of veertig geleden. Volgens inspecteur Sacowicz was het telefoontje afkomstig uit Omaha.'

Ze knipperde met haar ogen alsof ze oprecht verbaasd was. Neil keek op het schermpje van haar mobiel.

'U hebt niet het recht om mijn mobiel af te luisteren! Ik sleep de politie voor het gerecht.'

'Ik werk niet bij de politie, weet u nog? U kunt natuurlijk een aanklacht tegen me indienen wegens handtastelijkheid of diefstal van uw mobieltje, maar dan wordt het weer zo'n kwestie van het woord van de een tegen het woord van de ander.' Hij keek haar fronsend aan. 'En ík heb deze week nog niet tegen de politie gelogen.'

'Geef me mijn mobieltje terug.'

Hij duwde haar handen weg en drukte op OK. Op het schermpje verscheen een nummer: netnummer 402. Verdomd nog aan toe. 'Tijdens uw lunch hebt u niet opgenomen,' zei hij, 'hoewel dit telefoontje bijna een minuut duurde. Dan zal er zeker wel een bericht ingesproken zijn?'

Elizabeth Denison keek machteloos toe hoe Neil nog een keer op OK drukte en de telefoon naar zijn oor bracht. *'Ha, Beth, waar ben je? Neem eens op, popje. Ik moet met je praten.'*

Zijn bloed stopte met stromen. Geen vrouw, niet de eigenares van het mobieltje. Was dit de stem van de moordenaar van Gloria Michaels? Hij zette de telefoon uit en keek naar Elizabeth. Laatste kans. 'Wie is dit?'

'Hoe moet ik dat weten? Ík heb het bericht niet gehoord.'

Hij drukte op de juiste toetsen en hield de telefoon bij haar oor. Terwijl ze naar het bericht luisterde trok het bloed uit haar wangen.

'Mevrouw Denison?' vroeg hij, maar ze leek hem niet te horen. Toen hij haar schouder aanraakte bewoog ze als een geschrokken kat. Neil fronste zijn wenkbrauwen. Dertig seconden eerder was ze nog woedend geweest, maar nu leek ze doodsbang.

Maar er was geen tijd om daarover na te denken. Er kwamen twee politieagenten in uniform door het restaurant naar hen toe lopen, en Neil stopte het mobieltje terug in haar handtas. Hij deed een stap achteruit toen ze de hal in liepen.

'Mevrouw Denison,' zei een kalende agent, 'inspecteur Saçowicz wilt dat u met ons meekomt naar het politiebureau.'

'Wat?' Met angst en boosheid in haar ogen keek ze naar Neil en daarna weer naar de agenten. 'Waarom in godsnaam?'

'Alleen maar voor een ondervraging, mevrouw,' zei de andere agent, een aantrekkelijke blonde jongen van wie onduidelijk was of hij al oud genoeg was om alcohol te drinken. Hij trok een gezicht dat hij waarschijnlijk voor de spiegel had geoefend en voegde eraan toe: 'Als u niet vrijwillig meegaat zullen we u onder dwang mee moeten nemen.'

Elizabeth deed alsof ze er niets van begreep, maar ze verraadde zichzelf door de blik in haar ogen. Terwijl de agenten haar naar buiten begeleidden keek ze naar Neil en een pijnlijke herinnering trof hem in zijn borst. *Jezus, Heather, ik kan er ook niets aan doen dat je niet eerlijk tegen me wilt zijn...*

Hij vloekte.

Die verdomde herinneringen steeds.

Omaha, Nebraska
Nog 1900 kilometer

Chevy schoof de vrouw aan haar armen in de bestuurdersstoel van de Honda. Hij deed een stap naar achter en keek over de rand van het ravijn, een vijfenveertig meter hoge rotswand in een verlaten groeve waar de wereld leek te eindigen. Hij hoefde niet bang te zijn dat iemand de vrouw hier zou vinden, en dat was cruciaal voor het plan dat hij had uitgedacht. Deze vrouw moest vermist worden, net als de vrouw uit Denver.

Hij legde de pop bij de dode vrouw op schoot, glimlachend bij de gedachte aan al het geld dat weldra het ravijn in zou vallen en in de vergetelheid zou raken. *Benoit, 1864. Originele kleding. Roomwit hoofd en borstplaat, geitenleren lijf. Een van de twee poppen die tot 1995 ontbraken in de Larousse-collectie. Geschatte waarde: 20.000–25.000 dollar*. Weer een kostbare pop die Beth nooit zou zien.

Verdomme, hij wilde dat hij niet aan haar dacht. Het enige wat tot nu toe fout was gegaan in zijn plan was dat ze vanochtend de telefoon niet had opgenomen, hem niet de kans had gegeven om de duimschroeven nog wat steviger aan te draaien. Een bericht inspreken was riskant, maar uiteindelijk besloot Chevy dat toch te doen. Hij moest haar stem horen, al was het maar via de voicemail, om te weten dat ze doodsangsten uitstond zodra ze zijn bericht hoorde. Hij wilde de bevestiging dat dit alles één grote lijdensweg voor haar was.

In tegenstelling tot moeder. Zij had nooit geleden; in een fractie van een seconde was ze dood geweest. Het ene moment hadden er nog onschuldige vrolijke volksliedjes op haar lippen gelegen, het andere moment ging ze rochelend dood. Met een .38-kaliber pistool in haar hand.

Chevy schudde de herinnering van zich af en zette de versnellingspook in de neutrale stand. Hij liep naar de achterkant van de Honda, zette zijn schouder tegen de bumper en begon te duwen. De auto kwam in beweging en de voorkant helde over toen de banden in de richting van het ravijn schoven. Zwaar ademend bleef hij duwen tot de voorbanden over de rand van het ravijn kwamen. De auto bewoog steeds sneller en stortte vlak daarna de diepte in.

Hij hoorde hoe het metaal krakend de grond raakte, waarbij flarden geluid als een schreeuw uit de groeve opstegen. Hij haalde het mobieltje van de dode vrouw tevoorschijn en wilde Beth gaan bellen, maar hij bedacht zich.

Hij keek op zijn horloge. Het was twee uur, in Virginia een uur later. Hij wilde maar wat graag met Beth praten, maar hij kon de telefoon van deze vrouw niet lang meer zonder risico gebruiken. Misschien was het nu al te gevaarlijk. Uit de agenda in haar handtasje bleek dat ze die ochtend om negen uur een afspraak bij de kapper had. Misschien had iemand al gemerkt dat ze verdwenen was en haar zelfs als vermist opgegeven. Normaal gesproken hoefde hij zich nog geen zorgen te maken, maar door de moord op Lila Beckenridge en de verdwijning van Thelma Jacobs zouden de autoriteiten de melding van een vermiste vrouw zo serieus nemen dat ze nu niet de gebruikelijke vierentwintig uur zouden wachten voor ze een onderzoek zouden instellen.

Hij bekeek het mobieltje en de frustratie vanwege het niet kunnen horen van Beths stem veroorzaakte zowat lichamelijke pijn bij hem. Maar de kans dat deze telefoon getraceerd zou worden, werd steeds groter naarmate er meer tijd verstreek. Het had geen enkele zin om risico's te nemen.

Hij zette de telefoon uit en gooide hem, als een pitcher, in het ravijn.

Hij haalde een pen uit zijn zak en zette een markering op het verzekeringsformulier van de pop die zojuist de diepte in was gestort. Aan zijn volgende bestemming denkend bladerde hij naar bladzijde vier.

O ja, díé pop. Er ging een siddering door hem heen. Daarvoor zou hij minstens twee lege cassettes nodig hebben.

'Ha, Beth, waar ben je? Neem eens op, popje. Ik moet met je praten...'

Beth zat aan een koude metalen tafel in de verhoorkamer, haar ogen gesloten, terwijl de opname van een voicemailbericht uit Ohama door een digitale recorder werd afgespeeld. Het was de derde keer dat de inspecteur het haar had laten horen, maar als hij dacht dat hij haar kon breken door het bericht een paar keer te herhalen, zat hij er faliekant naast. Ze liet het simpelweg niet in haar hoofd toe.

'Mevrouw Denison?' vroeg inspecteur Sacowicz, terwijl hij de recorder hardhandig uitzette. 'Is er iets wat u wilt zeggen?'

Spoor hem op. Dood hem. Laat hem uit mijn leven verdwijnen.

'Nee.'

'Kunt u uitleggen wat dat pistool in uw handtas doet?'

'Ik ben een alleenstaande vrouw die haar dochter wil beschermen,' zei Beth, verwijzend naar het .22-kaliber pistool dat ze sinds kort weer bij zich droeg. 'Ik heb er een vergunning voor.'

'Vechtsporten, kickboksen, een pistool. U neemt die bescherming wel heel serieus.'

Inderdaad.

De inspecteur keek haar aan met ogen die de kleur van tin hadden en plotseling speelde hij de opname nog een keer af. Deze keer was Beth er niet op voorbereid. Bij het geluid van Bankes' stem werd ze overspoeld door een golf van paniek. Ze voelde haar maaginhoud door haar keel omhoogkomen.

Hou het tegen. Laat de angst je niet overmeesteren. Omaha is ver weg.

Maar ze kon het trillen niet stoppen, dat ergens diep vanbinnen begon. In een poging de rillingen onder controle te houden sloeg ze haar armen voor haar borst over elkaar, maar het hielp niet. 'Ik moet weg,' zei ze, terwijl ze probeerde ook haar stem niet te laten trillen. 'Abby is over een halfuur klaar met T-ball.'

De inspecteur ging met zijn hand over zijn gezicht. 'Het probleem is, mevrouw Denison, dat ik vind dat u beter nog een tijdje hier kunt blijven om erover na te denken. Misschien schiet u dan een naam te binnen.'

'Wat? Abby wacht op me, ik moet haar gaan ophalen.' De inspecteur liet zich niet kennen. Beth kon het niet geloven. 'Ik word nergens van beschuldigd. U kunt me niet hier houden.'

Hij schudde zijn hoofd, een langzame, lusteloze beweging waardoor hij er ouder uitzag dan hij vermoedelijk was. 'Zoals u wilt.' Hij zuchtte. 'Hierbij bent u aangehouden vanwege belemmering van de rechtsgang en omdat u weigert mee te werken in een politie-onderzoek. U hebt het recht om te zwijgen, al hoef ik dat niet tegen u te zeggen. Als u niet van dat recht gebruikmaakt, kan alles wat u zegt –'

'Wacht! Hoe moet het nu met mijn dochter?'

'Kunt u iemand bellen die haar kan ophalen?'

Beth werd overvallen door wanhoop. *Ik zit in de gevangenis, Evan; wil jij Abby ophalen? Hannah, zou jij op Abby willen passen tot ik word vrijgelaten uit de gevangenis?*

'Goed,' zei Sacowicz als antwoord op haar zwijgen. 'Ik zal zelf wel voor haar zorgen. Shaw Park, nietwaar? De ploeg van coach Mike, de Lieveheersbeestjes.'

'Wacht!' riep Beth, bijna in shock door de pure angst die zich van haar meester had gemaakt. *Chevy Bankes! Hij heet Chevy Bankes. Maar u moet hem met rust laten. Hij is vrij en hij komt hierheen en juridisch gezien heeft hij alle recht om...* Ze stond er versteld van dat het maar een haartje had gescheeld of ze had de woorden daadwerkelijk uitgesproken. 'Alstublieft,' fluisterde ze.

'Wat, "alstublieft"?' vroeg hij, terwijl hij zich naar haar toe boog. 'U kunt dit alles stoppen en uw dochtertje ophalen en naar huis brengen als u gewoon de naam van de beller noemt. Daarna bent u vrij om te gaan en staan waar u wilt.'

Het klonk simpel, maar ellende houdt niet op door die te benoemen.

Ze kon het niet; ze moest voortdurend aan Abby denken. Als ze vandaag zou zwijgen, zou Abby daar een paar uur last van hebben, misschien de rest van de middag. Maar als ze Chevy Bankes' naam zou noemen, zou de rest van haar dochters leven een hel worden. Daar had Adam dus wel gelijk in gehad. *Vertel het nooit aan iemand, Beth. Niemand zal het begrijpen.* En had haar advocaat dat vanmorgen niet bevestigd? *Mondje dicht, mevrouw Denison. Het beste wat u voor uw dochter kunt doen is het aan niemand vertellen en bidden dat we Bankes ervan kunnen overtuigen u met rust te laten.*

Beth pakte de rand van de tafel vast en keek met wazige ogen naar

Sacowicz. 'Alstublieft, inspecteur.' Ze haatte tranen, maar ze kon niet voorkomen dat ze over haar wangen liepen. 'U hebt gezegd dat u een vader bent. Alstublieft. Laat Abby niet bang zijn. Wat er verder ook gebeurt, laat mijn dochter alstublieft niet bang zijn.'

Sacowicz schraapte zijn keel. 'Ik zal voor haar zorgen, mevrouw Denison.'

Hij wilde naar de deur lopen toen Beth zei: 'Wacht.' Haar stem was nauwelijks luid genoeg om ervoor te zorgen dat hij bleef staan. Ze schraapte haar keel. 'Ik wil een advocaat.'

8

De advocate kwam binnenstormen als een wervelwind, vond Neil. Ze heette Adele Lochner, lang en slank, met een strak knotje in haar haar, scherpe jukbeenderen en een neus die iets te groot was.

'Bent u weer rechtschapen burgers aan het lastigvallen, inspecteur?' vroeg ze, terwijl ze door de doorkijkspiegel naar Beth keek. Ze wendde zich tot Neil. 'En wie bent u?'

'Neil Sher–'

'Dit is voormalig FBI-agent Neil Sheridan.'

'Voormalig,' zei ze, terwijl ze ging zitten. 'En wat doet hij nu?'

'Ik heb hem om advies gevraagd. Hij weet alles over een zaak die met de onze in verband staat,' zei Rick. 'Kunnen we het daar nu over hebben?'

'Natuurlijk. Belemmering van de rechtsgang? Waar slaat dat op?'

'Met die aanklacht willen we bewerkstelligen dat mevrouw Denison de naam noemt van een man die haar regelmatig belt,' zei Rick. 'Een man van wie we denken dat hij negen jaar geleden een moord heeft gepleegd en die nu misschien opnieuw heeft toegeslagen.'

Ze kwam overeind. Dat had ze niet verwacht, dacht Neil. 'Vertel,' zei ze.

Eerst legde Neil haar de zaak-Gloria Michaels uit en daarna vertelde Rick haar over de dode vrouw uit Seattle en de vermiste vrouw uit Denver en over het feit dat hun mobieltjes waren gebruikt om Elizabeth Denison te bellen.

'Heeft mijn cliënte dat toegegeven?' vroeg de advocate.

'Ze beweert dat het obscene telefoontjes waren.'

Adele Lochner rolde met haar ogen. 'Jullie zijn echt ongelofe–'

'Ho, er is nog meer,' zei Rick. 'Ongeveer twee uur geleden is Elizabeth Denison opnieuw gebeld. Met het mobieltje dat van een derde vrouw is van wie de familie zegt dat ze vanmorgen in Omaha is verdwenen. En deze keer hebben we dat telefoontje opgenomen.'

'Jezus,' zei de advocate. Ze haalde diep adem door haar grote neus. 'Hebt u tegen mijn cliënte gezegd dat die man een moordenaar is?'

'Nog niet,' zei Rick.

'En waarom is dat? Bang voor nog een rechtszaak, inspecteur?' Ze keek hen om de beurt aan en er verscheen een zelfvoldane uitdrukking op haar gezicht. 'Jullie weten helemaal niet zeker of die beller wel iemand vermoord heeft, nietwaar?' Rick opende zijn mond, maar ze bracht haar hand omhoog. 'Het mobieltje van de vrouw uit Seattle is nooit gevonden, dus dat kan door iedereen gebruikt zijn. En hoe zit het met de vrouw uit Denver? Jullie weten niet eens zeker of ze slachtoffer van een misdrijf is geworden.'

'Dat is onzin,' zei Neil, maar Rick onderbrak hem.

'Misschien niet.'

'Wat?' vroeg Neil, terwijl Rick naar de grond bleef kijken.

'Een tijdje geleden heeft de FBI met de consulent van de praatgroep gesproken die Thelma Jacobs bezocht,' zei Rick. 'Op de dag dat ze verdween had ze te horen gekregen dat de kanker niet weg was. Ze was radeloos en liet vallen dat ze het haar zoon niet kon aandoen haar te verzorgen.'

'Ach, vreselijk,' zei Neil.

'En dus,' speculeerde de advocate, 'denkt de consulent dat ze misschien is weggelopen of zelfmoord heeft gepleegd.'

'En heeft ze dan haar eigen auto schoongeveegd?' zei Neil boos. 'En naar dezelfde vrouw getelefoneerd die ook door Lila Beckenridge is gebeld?'

De advocate liet zich niet ontmoedigen. 'Laat me eens raden: de vrouw uit Omaha wordt niet officieel vermist. U zei dat ze sinds vanmorgen verdwenen is.'

'Ze is niet op een afspraak verschenen, dat is alles,' zei Rick. 'Maar haar familie beweert dat dat niets voor haar is.' Plotseling maakte hij een verslagen indruk. Veel mensen denken dat politieagenten een maagzweer krijgen van criminelen, maar meestal wordt die door advocaten veroorzaakt.

Natuurlijk, als Neil eerlijk was verbaasde de informatie over de vrouw uit Denver hem ook. Misschien was er helemaal geen sprake van twee vermiste vrouwen. Misschien was de vrouw die kanker had weggelopen en was de andere simpelweg haar afspraak bij de kapper vergeten en had ze haar familie daarmee de stuipen op het lijf gejaagd. Misschien was het mobieltje van de vrouw uit Seattle inderdaad opgeraapt door een onbekende die toevallig naar Elizabeth Denison had gebeld. En misschien waren alle overeenkomsten tussen de moord op Gloria Michaels en die op Lila Beckenridge niet meer dan hersenspinsels.

Ja, en dan ben ik de paus! dacht hij.

'Wat vindt u van mijn zaak, de twee vermiste vrouwen buiten beschouwing gelaten?' vroeg Neil. 'Er zijn te veel gelijkenissen tussen Gloria Michaels en de danseres uit Seattle.'

'Zoals?'

Nadat hij ze had opgesomd, bleef Adele Lochner lange tijd stil. Ten slotte zei ze fel tegen Neil: 'En hebben die overeenkomsten ertoe geleid dat het OM of de FBI de zaak heropend heeft?'

Neil keek haar boos aan.

'Dat dacht ik al.' Ze pakte haar aktetas. 'Excuseert u mij, heren. Ik zou nu graag mijn cliënte willen spreken.'

Neil keek haar fronsend na, terwijl ze de verhoorkamer binnenging. Toen de deur dicht was, wendde hij zich tot Rick. 'Ze heeft de meest logische vraag niet gesteld.'

'Hè?'

'Je hebt tegen de advocate gezegd dat we een opname hebben van de laatste keer dat Elizabeth Denison is gebeld, maar ze vroeg niet wat erop stond.'

Er verscheen een rimpel tussen Ricks ogen. 'Zou ze dat misschien al weten?'

'Ik zou niet weten hoe. We houden mevrouw Denison al een tijd in de gaten, ook al toen ze nog niet was gebeld.' Er kwam een gedachte bij hem op. 'Tenzij ze de advocate al eerder over de telefoontjes had verteld.'

Rick wreef met zijn hand over zijn gezicht. 'Als dat zo is, dan wist ze al een poosje dat ze in de problemen zat. Waarom zou ze anders een advocaat inschakelen?'

Neil dacht erover na, maar hij kon niets bedenken. Er was een reden waarom Elizabeth Denison bleef liegen en Adele Lochner leek te zijn ingeseind over de telefoontjes. Maar er was ook een reden waarom Elizabeth over straat liep met gebalde vuisten, bereid om te vechten.

'Toen ik mevrouw Denison vandaag even aanraakte, vloog ze me zowat naar de keel,' zei Neil.

'Wat?'

'Ik begin te denken dat ze bang voor iets is. Je zag toch wel hoe ze trilde toen je in de verhoorkamer met haar sprak. Het lijkt wel alsof ze aan de cocaïne is of zo.'

'Waarom zegt ze dat dan niet tegen ons?'

'Misschien is ze banger voor hem dan voor ons. Misschien weet hij iets over haar wat niet bekend mag worden.'

'Of... zou ze verliefd op hem zijn?'

Het beeld van Beth Denison die een of andere anonieme moordenaar kuste, sneed als een mes door Neils ziel. Hij wist maar al te goed wat vrouwen ervoor over hadden om een man te beschermen van wie ze hielden.

Alles.

'We moeten erachter komen waarom Elizabeth Denison zo bang is voor die kerel. Kunnen we haar telefoon niet aftappen?'

Rick knipperde met zijn ogen. 'Dat heb ik niet gehoord,' zei hij, terwijl hij naar zijn kantoor liep.

'Waarom niet?'

'Waarom niet?' Rick begon sneller te lopen. 'Ondanks de Patriot Act staat de politie erg huiverig tegenover het aftappen van privélijnen.'

'Maar The Sentry niet.'

Rick stak zijn vingers in zijn oren en ging een hoek om. Hij begon te neuriën.

'The Sentry tapt de telefoon af van iedereen die ze beveiligen en checkt zowel de inkomende als de uitgaande berichten.'

'Ik kan je niet verstaan.'

'Ik heb daar nog wel wat connecties.'

'Maar ze heeft een advocaat,' zei Rick tussen het geneurie door.

'Ik zorg ervoor dat de politie het niet te weten komt.'

Toen Rick bij de deur van zijn kantoor was aangekomen, keek hij om zich heen om te zien of er iemand naar hen luisterde en bleef staan. Hij haalde zijn vingers uit zijn oren. 'Wat niet te weten komt? Zei je iets?'

'Nee, hoor.' Zo, dat was geregeld. Neil keek op zijn horloge. 'Wat ga je met Abby doen?'

Rick had zijn Rolodex met adressen al gepakt en was aan het bellen. Hij had zijn telefoon nog, maar net op de speaker gezet toen een vrouw met een rokersstem zei: 'U spreekt met Shirley Barnes van Child Protection Services.'

'Shirley. Hoe is het met mijn favoriete maatschappelijk werkster?'

'Sacowicz. Ik heb alle parkeerbonnen betaald bij die jongens van Ramez, weet je nog? Ze waren met z'n zevenen en jij bleef me maar aan mijn kop zeuren om ze bij elkaar te houden. Dat was trouwens geen simpel karweitje.'

'Daarom ben je ook onze vaste wonderdoener.'

'Dank je. Waarmee kan ik je helpen?'

'Er zit hier een moeder in voorarrest, maar niet voor lang. Ik heb iemand nodig die een tijdje op haar kind kan letten.'

'Als je de formulieren invult sturen we iemand. Je weet hoe het werkt.'

'Nou, dat heeft weinig zin, het is maar voor een paar uur, misschien nog wel korter.'

'Bedoel je dat...'

'Maggie kan op haar passen, we hoeven niet de formele procedure te volgen. Je gaat met me mee om haar op te halen, we brengen haar snel naar Maggie, wachten even en voor je het weet verschijnt haar moeder.'

'Je wilt het dus niet via de officiële weg doen, maar je wilt ook niet aangeklaagd worden voor ontvoering.'

'Dat zou ik inderdaad heel leuk vinden.'

Het bleef even stil. 'Kom maar naar beneden. En Sacowicz, je staat bij me in het krijt. Voor de zoveelste keer.'

'Oké, de volgende keer dat je de gevangenis bezoekt zal ik ervoor zorgen dat je een speciaal menu krijgt.'

9

Terwijl Adele Lochner aan de tafel ging zitten dacht Beth aan aangebrand rundvlees. Vreemd om daaraan te denken als je net gearresteerd bent, maar toch vulde haar hoofd zich met de scherpe geur van pikzwart geworden aangekoekte vleessaus onder in haar oven, aangebrand vlees en groente die in de pan in een droge klont was veranderd, met op de achtergrond het gepiep van het rookalarm. Ook Adam schoot haar weer te binnen, die voor de grap zei dat hij met een vrouw was getrouwd die huishoudelijk gehandicapt was.

Wat zou hij verrast zijn geweest door hoe ze was veranderd. De vrouw met wie Adam was getrouwd had twee studies afgerond en had ambitieuze carrièreplannen. Ze was nooit met geweld in aanraking gekomen en had nooit met gewichten getraind of aan vechtsport gedaan. Voor haar werk reisde ze veel om in schandalig duur antiek te handelen; ze bezocht museumtentoonstellingen en etentjes van advocatenkantoren. Thuis maakte ze zelden eten klaar dat niet rechtstreeks in de magnetron kon of een lange bereidingstijd had.

Maar nu braadde ze rundvlees. Ze bakte kasteelvormige verjaardagstaarten en maakte de beste chocoladekoekjes van de buurt. Haar woning was niet het chique stadsappartement waar ze altijd van had gedroomd, maar een schilderachtig huisje waarin ze zowel woonde als werkte, een zorgvuldig gebouwd glazen huis voor haar en Abby op Ashford Drive, compleet met een groot hek rond de tuin, bloembedden en een hond uit het asiel.

Er was ook een ultramoderne fitnessruimte, waar ze per week uren doorbracht om sterker te worden, in het voortdurende besef dat er ooit een tijd was geweest dat haar angst en zwakte Abby bijna fataal waren geworden.

'Luister je, Beth?' vroeg Adele Lochner, terwijl ze haar arm aanraakte.

'Nee,' gaf ze toe. 'Ik zat aan Adam en Abby te denken. Het spijt me.'

'Dat moet je tegen Abby zeggen, als je één keer per maand telefonisch met haar mag praten.'

Beth sidderde even en Adele Lochner maakte van dat moment gebruik. 'Je bent vanochtend naar me toe gekomen om te vragen wat je moest doen. Ik zeg je nu: zwijg als het graf.'

'Dat heb ik gedaan.'

'Ja, voorlopig wel, maar de autoriteiten hebben nog geen druk op je uitgeoefend.'

'Nee?'

'Zelfs geen klein beetje. Ik weet hoe die jongens van de politie te werk gaan. Als ze ervan overtuigd zijn dat jij het aanknopingspunt bent waardoor ze een misdadiger te pakken kunnen krijgen, zullen ze alles doen om informatie uit je los te krijgen.'

'Sheridan weet van de zaak-Anne Chaney. Hij zei dat de beller een paar jaar geleden misschien een moord heeft geplee–'

Adele Lochner bracht een hand omhoog. 'Dat weten ze niet.'

'Weet je het zeker?' vroeg Beth, die het dolgraag wilde geloven. 'Waarom maken ze dan jacht op Bankes, als ze niet weten wie hij is?'

'Het doet er niet toe waarom ze achter hem aan zitten.'

'Hoe bedoel je dat?'

'Ik bedoel: het enige wat ertoe doet is wat ik zeg, als je mij tenminste als advocaat wilt houden. En ik zeg je: vertel het aan niemand. Ik kan je in alle eerlijkheid zeggen dat de autoriteiten puur op grond van speculaties naar Bankes op zoek zijn; daarom hebben ze je ook nog niet echt aangepakt of je iets concreets ten laste gelegd. Zolang je ze geen aanwijzingen geeft, zal dat ook niet gebeuren. Zelfs als Bankes toch opduikt, kun je hem met een flinke hoop zwijggeld laten verdwijnen. Geen haan die ernaar kraait.' Ze keek Beth scherp aan. 'Maar als je instort, zal het hele verhaal bekend worden. En dan zullen jij en je dochter de zaak niet meer kunnen winnen en zal ik je als een baksteen laten vallen.'

Meedogenloze trut. Maar dat was juist de reden waarom Beth haar had gekozen. 'Ze hebben me aangeklaagd.'

'Dat is een rookgordijn. Ik kan ze die aanklachten binnen een uur laten intrekken. Als je wilt kan ik het politiekorps intimidatie ten laste leggen, en ik kan er ook voor zorgen dat Neil Sheridan een contactverbod krijgt opgelegd.'

'Dat kan me allemaal niets schelen. Het enige wat ik wil is zo snel mogelijk hier de deur uit lopen.'

'Prima. Maar voordat je weggaat moet je nog één ding doen.'

Adele Lochner liep naar de deur van de verhoorkamer en riep een agent in uniform bij zich. 'Mijn cliënte wil graag aangifte doen,' zei ze tegen de agent.

'Waarvan?' vroeg hij.

'Van het ontvangen van obscene telefoontjes.'

Neil liet zich niet zien tot al het papierwerk klaar leek, en toen liep hij snel naar Elizabeth Denison toe.

'Zal ik u een lift geven?' vroeg hij.

Haar ogen spuwden vuur. 'Nee, ik bel wel een taxi.'

Nadat ze nog een handtekening had gezet, gaf de receptioniste haar haar handtas, mobieltje en pistool terug. 'Waar kan ik mijn dochter afhalen?' vroeg ze aan de vrouw achter de balie.

'Dochter? Er staat hier niets over een kind.'

'Wat? Wat bedoelt u?' Haar stem begon te trillen. 'Mijn god. Waar is mijn dochter? Inspecteur Sacowicz zou haar ophalen! Waar is mijn docht–'

'Ik zal het even checken, mevrouw. Weet u zeker dat de inspecteur...'

Vol ontsteltenis wendde ze zich tot Neil. 'Waar is Abby? Waar is Abby?'

'Abby is veilig,' zei Neil, die het niet kon nalaten een hand op haar schouder te leggen. Ze beefde van angst. 'Abby is in goede handen. Ik kwam u halen om u naar haar toe te brengen.'

Er kwam een geluid over haar lippen, van opluchting en misschien zelfs dankbaarheid. 'Weet u het zeker?'

'Inspecteur Sacowicz wilde haar niet voor één nacht in beschermende hechtenis nemen, dat is alles. Hij heeft een maatschappelijk werkster om een gunst gevraagd en iets anders geregeld.'

'Wat heeft hij dan geregeld? Waar is ze?'

Neil kon een glimlach nauwelijks onderdrukken. Jezus, wat hield ze van dat meisje. En jezus, wat leek ze nu klein en kwetsbaar. Het raakte hem en dat was lange tijd niet meer gebeurd.

'Misschien wilt u even met haar praten,' zei hij, terwijl hij zijn mobieltje tevoorschijn haalde. Hij belde, vroeg naar Abby en gaf de telefoon aan Elizabeth.

'Schatje? Hoe is het met je?' vroeg ze.

Stilte.

'Ik kom je halen, lieveling, nu meteen. Ik ben er zo.' Opnieuw bleef het even stil. 'Wat?' Elizabeth maakte een aangeslagen indruk. 'Nee. Ik zie je straks. Ik hou van je, liefje.'

Met een verbijsterde blik in haar ogen gaf ze Neil het mobieltje terug.

'Is er iets aan de hand?' vroeg hij.

'Ze is boos dat ik haar al kom halen. Ze wil langer blijven.'

'Ziet u wel?' zei Neil grinnikend. 'Niets om u zorgen over te maken.' Uiteindelijk kalmeerde ze. 'Goed, we maken een deal. Vergeet die taxi; u komt met mij mee en over een halfuur hebt u haar terug.'

Ze bekeek hem sceptisch. 'En wat staat ertegenover?'

'Pardon?'

'U had het over een deal. Wat moet ík doen?'

Neil keek haar aan. Hij kon nu alles van haar vragen en ze zou het nog doen ook. Ze had alles voor haar dochter over.

'Het was een verspreking,' zei hij met een stem die hij wat onzeker vond klinken. 'Er is geen sprake van een deal. Sommige dingen zijn gewoon niet goed, dat is alles. Een moeder hoort niet van haar kind gescheiden te worden.'

Ze keek hem oprecht verrast aan.

'Kom, laten we gaan. Ik zal u onderweg niet naar die telefoontjes vragen.' Toen ze bleef aarzelen, tekende hij een denkbeeldig kruis op zijn borst. 'Anders mag u me doodschieten.'

Ze reden in een gehuurde sportieve Dodge, die veel groter was dan de gemiddelde huurauto. Beth legde haar hoofd achterover tegen de leren zitting, in een mengeling van uitputting en emotie die het bijna onmogelijk maakte helder te denken. Het duurde nog twee dagen voordat Cheryl en Jeff thuiskwamen en op Abby konden passen, en ondertussen kon Beth zowat voelen dat Bankes steeds dichterbij kwam. Ze bad tot God dat hij een paar dagen langer over de reis zou doen; ze bad eveneens dat hij, als hij hier eenmaal was, het net zo belangrijk zou vinden als zij om hun geheim niet te verraden. Misschien kon ze ervoor zorgen dat hij hen met rust zou laten. Ze had geld om hem te laten zwijgen en ze had Adele Lochner om te dreigen aangifte tegen hem te doen. Ze had een plek waar ze Abby kon verbergen. Ze had genoeg financiële middelen om desnoods te vluchten, en als hij haar zou volgen had ze altijd haar Glock nog...

'Hebt u het koud?' Sheridans stem klonk merkwaardig kalm. 'Ik kan de verwarming hoger zetten.'

Verdomme, ze begon weer te rillen alsof het twintig graden vroor. 'Nee, het gaat wel.'

Hij zette de verwarming toch hoger. Vijf minuten gingen voorbij voordat hij hem uitzette en weer iets zei. 'Bent u verliefd op hem?'

Met 'hem' doelde hij natuurlijk op Bankes. 'Had u niet gezegd dat ik u dood mocht schieten?'

'Ik heb gezegd dat ik u niet naar de telefoontjes zou vragen. Dit is... persoonlijke interesse.' Toen ze hem bleef aangapen haalde hij zijn schouders op. 'Daagt u me dan maar voor het gerecht vanwege het feit dat ik u aantrekkelijk vind.'

Zonder dat ze wist waarom begon Beths huid te tintelen. Ze sloeg haar armen voor haar borst over elkaar.

'Bent u verliefd op hem?' herhaalde hij.

'Nee.'

Hij sloeg af en trok op tot hij voor een verkeerslicht moest blijven staan. 'Dan heb ik nog een vraag. Het gaat om iets persoonlijks.'

Hij keek strak in haar kristalblauwe ogen. 'Hebt u een relatie met Evan Foster?'

Beth schudde haar hoofd. 'Nee.'

'En als ik dat aan hem zou vragen, zou hij dan hetzelfde antwoord geven?'

Ze bleef naar beneden kijken.

'Ja ja, dat dacht ik al,' zei hij, terwijl hij zijn blik weer op de weg richtte. Met zijn handen losjes op het stuur stak hij het kruispunt over. Zijn houding was zo nonchalant dat ze niet zozeer over zoiets intiems als Beths liefdesleven in gesprek leken te zijn, maar eerder over het weer. Hoewel ze emotioneel kwetsbaar was, waagde ze het even naar de zijkant van zijn gezicht te kijken. Ze had het merkwaardige gevoel dat hij, als hij zou willen, zo een greep in haar lichaam kon doen om een stukje van haar ziel te pakken. 'Dus zeven jaar nadat uw echtgenoot is verongelukt, draagt u uw trouwring nog, negeert u alle mannen en bestaat uw sociale leven uit het bezoeken van T-ballwedstrijden en ouderavonden.'

'Ik geloof niet dat u dat iets aangaat,' zei ze.

Zijn grote schouders bewogen een beetje. 'Het lijkt me zo'n lange tijd om alleen te zijn, dat is alles.'

Alleen. Ze deed haar ogen dicht toen ze hem het woord hoorde zeggen, en haar oogleden voelden zo zwaar aan dat ze wilde dat ze ze niet meer hoefde te openen. Alleen zijn was de sleutel tot overleven. Alleen zijn was de beste manier om zo'n verlies nooit meer mee te hoeven maken. Alleen zijn was nodig om de geheimen te bewaren die verder alleen Adam had gekend. *Vertel het nooit aan iemand. Vertrouw me, Beth, ik zal alles regelen...*

'Mevrouw Denison.'

Ze schrok wakker en zag dat Neil Sheridan naast het geopende portier aan de passagierskant stond. Met zijn vingers streek hij een haarstreng uit haar gezicht. 'U hebt twintig minuten geslapen,' beantwoordde hij haar onuitgesproken vraag. 'Abby is hier.'

Nog enigszins doezelig stapte Beth uit de auto. Ze waren gestopt in een leuke buurt, op een oprit die werd geflankeerd door rode en gele tulpen. 'Waar zijn we?' vroeg ze.

Sheridan legde zijn hand op haar onderrug. 'Het huis van Rick Sacowicz.'

Had de inspecteur Abby naar zijn eigen huis gebracht? Er ontbrandde een vonkje woede in haar, maar toen herinnerde ze zich het alternatief: beschermende hechtenis. En Abby die aan de telefoon zei: 'Mammie, mag ik hier nog wat langer blijven om te spelen? Alsjeblieieieft?'

Voordat ze kon besluiten of ze boos of dankbaar moest zijn, ging de voordeur open.

'Oom Neil! Oom Neil!' Drie jongens liepen langs een vrouw, renden een stenen trap af en stormden op Neil af. Hij hurkte neer in zijn jasje met stropdas, pakte de eerste jongen op om hem onstuimig te omhelzen en legde hem net op tijd over zijn schouder om de volgende aanval te pareren. Ze ravotten en lachten tot Neil er een eind aan maakte, toen woelde hij hen door hun haar en streek zijn stropdas glad. Hij liep naar de veranda. 'Bedankt dat je me vandaag hebt willen helpen, schat,' zei hij, terwijl hij de vrouw op haar sproeterige wang kuste.

'Graag gedaan.'

In Beths hoofd begon het te duizelen. *Oom Neil. De vrouw van Sacowicz. Schat.*

'Ik ben Maggie Sacowicz,' zei de vrouw, terwijl ze Beth de hand reikte. 'Komt u binnen. Abby is in de woonkamer.'

Abby vloog in Beths armen. 'Mammie, ze hebben hier een baby'tje. Ik heb geholpen bij het verschonen van haar luier. En Ritchie heeft me een heleboel moppen verteld.' Plotseling wendde ze zich tot Neil. 'Hé, wat is wit en loopt door de woestijn?'

'Eh...'

'Een kudde yoghurt!'

Neil glimlachte. 'Ja, natuurlijk,' zei hij en hij volgde de jongens naar buiten.

Abby sleepte Beth mee naar een speelkamer. De vloer lag vol met kapotte speelgoedvrachtauto's en -bulldozers, op de bank lag een honkbalknuppel en een Supermancape, en op het beeldscherm van de computer was een soort Space Invaders-spelletje te zien. In de hoek van de kamer stond een box waar een meisje van acht of negen maanden oud in zat. Ze droeg een honkbalpetje en kauwde op een poppetje dat half mens, half dier was. Ze leek als twee druppels water op haar moeder, al was ze iets bleker.

'Abby heeft voor mij voor de baby gezorgd,' zei Maggie. 'Ze heeft moedertje gespeeld.'

'Dat is typisch Abby. Ik heb geprobeerd om haar te interesseren voor balsporten en auto's, maar ze vind alleen meisjesdingen leuk.'

'We hebben in dit huis nog iemand met twee X-chromosomen nodig. De vrouwen zijn hier ruim in de minderheid, zeker nu Neil er is.'

Beth kon zich niet inhouden. 'Bent u zijn zus?'

Maggie fronste haar wenkbrauwen en schudde haar hoofd. 'Neil is getrouwd geweest met Heather, mijn zus. Dat is lang geleden.'

Beth knipperde met haar ogen. Dus meneer Lak-Aan-Iedereen had ooit van iemand gehouden? Dat kon bijna niet.

De tuindeuren gingen open en een vrouw met stekeltjeshaar kwam de kamer binnen. Ze nam juist een trek nam van een sigaret. Rond haar nek hing een chic legitimatiebewijs waar aan de onderkant de letters CPS op stonden.

'Bent u mevrouw Denison?' vroeg ze, terwijl ze recht op Beth af liep. 'Vast wel. Abby lijkt precies op u.' Ze liep naar de voordeur en gebaarde Maggie dat ze niet met haar mee hoefde te lopen. 'Ik kom er wel uit. Maggie, zeg tegen die man van je dat hij nu bij ons beiden in het krijt staat.'

Maggie grinnikte droogjes. 'Doe het zelf maar. Je ziet hem eerder dan ik.'

'Ho!' Buiten klonk een luid gejammer. De jongens hadden Neil weer overgehaald tot een potje ravotten.

'Ga maar, schat,' zei Maggie tegen Abby. 'Speel maar met ze mee.'

Abby liep naar de patio, maar bleef aan de zijkant staan toen ze de drie jongens en de grote man zag aanvallen, zich terugtrekken, over het gras rollen en nog een keer aanvallen. Toen Neil haar zag verplaatste hij het strijdgewoel langzaam maar zeker in haar richting en plotseling duwde hij de jongens allemaal opzij. Hij pakte Abby bij haar hand en trok haar de groep in, waarbij ze van verrukking een kreet slaakte. Beths adem stokte.

'Maak je geen zorgen,' zei Maggie. 'Er zal Abby niets overkomen.'

Er zal Abby niets overkomen. De woorden drongen langzaam tot haar door. Het was waar, realiseerde ze zich geschrokken. Tijdens het vechten gaf Neil Abby een flink aantal duwtjes en tilde hij haar een paar keer op, maar hij had steeds zijn arm losjes rond haar als een schild en ving haar op wanneer ze viel. Beth moest lachen toen hij Abby in de lucht gooide, opving en een paar keer ronddraaide. Ze begon de kinderen aan te moedigen toen ze hem op zijn knieën lieten zitten en hem kietelden. En ze staarde Neil aan toen ze klaar waren en hij opstond, afwezig zijn kleren fatsoeneerde en haar een brede glimlach schonk. Het raakte alle zenuwen in haar lichaam.

'Oké, genoeg voor vandaag,' zei hij, terwijl hij de kinderen als insecten van zijn mouwen plukte. 'Ik ben al een oude man; ik kan dit niet meer. Kom eens hier, Abby. Ik zal je laten zien hoe je die jongens kwijtraakt.' Hij pakte een bal uit een mand op de patio en bracht zijn arm naar achter alsof hij een professionele quarterback was. 'Wie de bal vangt, krijgt ijs als toetje.'

Terwijl de bal door de lucht vloog renden de jongens er met zijn drieën achter aan. Neil zwaaide Abby omhoog, liet haar op zijn schouders zitten en liep gebukt het huis in.

'Je bent vreselijk,' zei Maggie, terwijl de jongens op de bal doken.

'Ik vind je heel grappig!' zei Abby en ze sloeg haar armen om zijn nek.

Hij zette haar op de grond en gaf haar een tikje op haar neus. 'Ik denk dat je moeder weg wil.'

'Nee,' jammerde Abby.

'Sorry, schat, maar het wordt al laat. Meneer Sheridan brengt ons naar huis.'

Haar gezicht klaarde op en ze draaide zich naar Neil toe. 'Breng jíj ons? Joepie!'

Het liep tegen achten toen Neil Ashford Drive in reed. Abby was al na vijf minuten ingedut. Neil dacht dat haar moeder het ook niet lang meer zou volhouden; ze leek elk moment in slaap te kunnen vallen.

Hij stapte uit de auto en gespte Abby los. 'Waar is haar kamer? Ik zal haar wel naar boven dragen.' Elizabeth liep zo dicht achter hem aan dat ze tegen hem aan botste. 'In godsnaam, ik zal haar heus niet laten vallen.'

'Ik breng haar wel. Dat doe ik altijd.'

'Deze keer hoeft dat niet. Wilt u zich nuttig maken? Doe de garagedeur dan open en loop naar boven om Abby's dekens open te slaan.' Om de een of andere reden wist hij zeker dat Abby's bed opgemaakt was.

Ze sloeg Abby's jas rond haar schouders en stopte een elektronische sleutelkaart in een gleuf naast de garagedeur. De deur ging met een licht gekraak omhoog. Toen ze binnen waren werden ze met oprecht enthousiasme door Heinz begroet en nadat Beth een paar lichten aan had gedaan, leidde ze Neil door de gezellige woonkamer, langs de knusse keuken en de trap op.

Alles ging prima tot hij Abby's kamer binnenstapte, toen stokte zijn adem. Citroengele muren en overal zonnebloembehang. Speelgoed en boeken en een bed met een witte sprei erop. In een hoek hing een hangmat vol knuffelbeesten, terwijl er op het bed nog veel meer lagen. Vast haar lievelingsknuffels, dacht Neil. In gedachten zag hij hoe ze ze 's avonds instopte en 's ochtends bij zich droeg.

Zijn keel sloeg dicht.

'Meneer Sheridan?' Neil knipperde met zijn ogen. Elizabeth trok Abby's schoenen uit en fluisterde: 'Ik moet Heinz even uitlaten. Ik ben zo terug.'

Zonder lawaai te maken ging ze de slaapkamer uit en Neil legde Abby in bed. Ze werd wakker.

'Mammie is zo terug, liefje,' zei hij. 'Ze is Heinz even gaan uitlaten.'

'Wil je tegen mam zeggen dat ze best bij mij mag slapen als ze weer bang wordt?'

Neil boog zich over haar heen. 'Wat?'

'Als de dromen komen.'

Neil fronste zijn wenkbrauwen. 'Dromen?'

'Ja, de enge dromen waarvan ze moet huilen.'

Een lichte bezorgdheid maakte zich van Neil meester. 'Heeft je moeder die dromen al langer?'

'Nee, sinds kort. Maar ze kan vannacht bij mij slapen als ze wil. Ik schuif Heinz wel een stukje opzij.'

Neil kreeg een drukkend gevoel op zijn borst. 'Oké, schatje, ik zal het tegen haar zeggen.'

Toen Elizabeth terug was en een behoedzame knuffel van Abby had gekregen, bleef ze lange tijd naar haar staan kijken, waarbij haar blik het op en neer gaan van de dekens volgde. Ten slotte deed ze het licht uit en ging Neil voor de trap af.

Laat haar met rust, dacht Neil bij zichzelf, terwijl hij langs de foto's van haar man en door de hal achter haar aan liep. Het zijn háár geheimen, háár nachtmerries. Het is háár dochter.

Ze deed de voordeur voor hem open.

Ga hier weg, Neil.

'Enge dromen?' vroeg hij, terwijl hij op de veranda bleef staan. Ze trok een verbaasd gezicht. 'Abby zegt dat je bij haar mag slapen als de nachtmerries terugkomen.'

Ze verstijfde. 'O, oké. Bedankt.'

Ze had een sombere blik in haar ogen. Het licht van de veranda sierde haar gelaatstrekken en haar wimpers wierpen lange, donkere schaduwen over het litteken op haar jukbeen. Het was een flinke snee, geen gave wond. Haar huid moest lange tijd open hebben gelegen. Hij vroeg zich af of ze ook geestelijke littekens had opgelopen en of die net zo langzaam waren genezen als de wond op haar huid. Zouden dat de littekens zijn die haar 's nachts wakker hielden?

En op die gedachte volgde meteen een spontane lichamelijke reactie op het beeld van Beth Denison die in bed lag en niet in slaap kon komen.

Loop weg, Neil.

'Hoe komt het dat u niet kunt slapen, mevrouw Denison?'

Ze slaakte een zucht. 'Door de poppen. Abby heeft deze week schoolvakantie, maar ik moet gewoon doorwerken. Ik moet een aantal antieke poppen taxeren; het zijn zeldzame exemplaren, en het onderzoek is heel...'

'Ik heb het niet over overwerken. Ik bedoel de nachtmerries.'

'Gelooft u alles wat een zesjarige zegt?'

'Maar ze heeft wel gelijk, nietwaar?'

'Ik kan alles prima in mijn eentje regelen, meneer Sheridan. Ik ben sterker dan ik eruitzie.'

'Dat u alles in uw eentje wilt regelen betekent niet dat u sterk bent, maar dat u alleen bent. Waarom roept u niet de hulp van iemand in?'

'Van wie dan?' vroeg ze uitdagend, terwijl ze een wenkbrauw optrok.

'Van mevrouw Sacowicz bijvoorbeeld. Er zijn genoeg mensen die u willen bijstaan. Ik zou u desnoods aan Evan Foster toevertrouwen, als ik er niet aan zou twijfelen of u hem wel vertrouwt.'

'Maar dat doe ik.'

'Nee, dat doet u niet,' zei Neil, die plotseling het idee kreeg dat hij te dicht bij haar stond. Hij kon de geur van bessen in haar shampoo ruiken en herinnerde zich haar overspannen reactie weer toen hij haar in het restaurant had vastgepakt. 'Een man die u wil kussen, maar aan wie u uw wang aanbiedt? Een man tegen wie u liegt en zegt dat u nog even blijft om een kopje koffie te drinken? Nee, u vertrouwt Evan Foster voor geen cent.' Hij kon het niet nalaten zijn vinger op haar kin te leggen. 'Hebt u dat alleen bij hem? Of ontwijkt u de kussen van alle mannen?'

'Ach, onzin,' zei ze. 'Dat doe ik helemaal niet.'

Hij liet zijn blik naar haar lippen zakken. 'Bewijs dat maar eens.'

10

Zo begon het, met een onnozele uitdaging: ze moest bewijzen dat ze zijn kus niet zou ontwijken. Beth verroerde zich niet toen hij zijn hoofd naar haar toe boog, zijn handen op haar wangen legde en zijn lippen de hare liet raken. Zijn handpalmen waren warm en vereelt, en terwijl zijn vingers in haar haar gleden, draaide hij haar gezicht een eindje omhoog en slaagde erin haar lippen van elkaar te krijgen. Even verstijfde ze en had ze het gevoel dat hij haar geheel zou verzwelgen, maar toen begon er diep vanbinnen iets open te gaan en te groeien, iets wat op hoop leek.

En op verlangen. Het kwam zo onverwacht dat haar hart oversloeg. Ze kon niet meer helder denken. Ze was de uitputting en eenzaamheid en angst beu en hunkerde naar vertroeteling en veiligheid. Ze had het niet eens koud in Neils handen. In plaats daarvan stroomde er warmte door haar lichaam.

Plotseling besefte ze dat dit niet kon.

'Hou op,' zei ze en ze duwde hem van zich af.

Hij deed een stap achteruit en even dacht Beth dat ze door haar benen zou zakken. Ze greep naar het deurkozijn, maar miste.

Jezus, Beth, verman je.

Ze hervond haar evenwicht en bracht haar kin omhoog. 'Is dit voldoende bewijs?'

'Nauwelijks,' zei hij met een wat rauwe stem. 'Dit bewijst hoogstens dat het lang geleden is dat je zo bent gekust.'

Ja, ja.

'Beth.' Hij aarzelde, en het geluid van haar voornaam op zijn lippen veroorzaakte een apart gevoel in haar buik. 'Evan Foster. Heeft hij je ooit... pijn gedaan?'

'Nee, natuurlijk niet.'

'Oké.' Zijn stem had plotseling iets scherps. 'Ik hoopte al dat ik hem niet zou hoeven te vermoorden.'

Een belachelijke opmerking, maar Beth raakte er compleet van overstuur. Het was zo'n raar idee dat iemand over haar waakte dat ze niet wist wat ze ermee aan moest. Alsof ze zojuist een stuk gereedschap had gekregen, maar niet wist hoe ze het moest gebruiken. Ze wist alleen dat het lekker in de hand lag.

Tot ze bedacht wat de gevolgen voor Abby konden zijn.

'Je moet gaan,' zei ze.

'Waarom?'

'Omdat ze het vraagt.'

Ze keken allebei in de richting waar de stem vandaan was gekomen.

'Evan,' zei Beth, zich afvragend waar hij ineens vandaan kwam. 'Wat doe jij hier?'

Hij hield zijn blik op Neil gericht. 'Ken ik u?'

'Nee,' zei Neil en Beth merkte dat hij verder geen pogingen ondernam om zich aan Evan voor te stellen. Twee grote honden die elkaar besnuffelden. De gedachte dat zij het middelpunt kon vormen van een soort romantische driehoeksverhouding was zo bespottelijk dat ze bijna in de lach schoot.

Ze keek naar Neil, hopend dat ze niet bloosde. 'Bedankt dat u me naar huis hebt willen brengen.'

Nadat hij haar zo lang had aangekeken dat haar hartslag steeg, liet hij zijn kin zakken. 'U wordt morgenochtend gebeld over het ophalen van uw auto.'

Nadat hij de motor van de Charger iets sneller had laten lopen dan noodzakelijk, die indruk had Beth althans, reed hij weg.

Evan kwam de veranda op lopen. 'Wat is er aan de hand? Er was vanmiddag politie bij Foster's die veel vragen stelde.'

'Waarover?'

'Over Kerry Waterford, antiekhandelaren in Denver en Omaha en over jou.'

Geweldig. 'Dan weet je evenveel als ik. Ik ben ook ondervraagd, onder andere door die man van daarnet. Hoewel hij niet bij de politie zit; hij werkt met ze samen.'

Evan begon te brommen. 'Mag ik niet binnenkomen?'

Ze keek op. 'Nee, alsjeblieft Evan, vanavond niet.'

'Wanneer dan wel?'

'Ik heb je toch gezegd dat het uit is tussen ons. We hebben niet eens echt iets gehad.'

'Volgens mij heb je iets met elkaar als je met elkaar naar bed gaat. Volgens jou niet?'

'Het is voorbij, Evan. En ik heb nog veel werk te doen. Zijn er vandaag bij Foster's twee poppen gebracht? Mevrouw Chadburne zei dat ze er vandaag hadden moeten zijn.'

'Ik heb het niet gecontroleerd,' zei hij, terwijl hij zich tegen haar aan probeerde te vlijen. 'Toe nou, Beth.'

Ze duwde hem van zich af. 'Evan, hou op.'

Aanvankelijk verbaasd, maar daarna met herstelde waardigheid stapte hij naar achter. 'Bel me als je van gedachten veranderd bent.'

Stemmen. Een bons. Gestalten die ineengedoken dichterbij kwamen kruipen. Neils zintuigen schakelden razendsnel naar de alarmstand. Hij voelde de spanning stijgen en alle pezen en spieren in zijn lichaam waren klaar om toe te slaan. Hij dacht dat de leider zich links onder het bed bevond. De anderen – twee, als zijn radar zich niet vergiste – zaten gehurkt bij het voeteneind.

Hij liet ze naderen tot ze nog maar een paar centimeter van hem vandaan waren, toen stortte hij zich met een dierlijke schreeuw van het bed. Hij nam er een in een houdgreep en liet de anderen over zijn been struikelen. 'Neeeee!' krijste de leider, die zich flink verzette. De anderen bonkten op de vloer en snakten naar adem.

'Nee?' zei Neil, terwijl hij Richie op het tapijt gedrukt hield. Met zijn been probeerde hij Justin vast te klemmen. Shawn wist te ontsnappen en klom op zijn rug. 'Wat was dat voor verrassingsaanval? Ik hoorde jullie van ver komen.'

'Niet waar,' zei Justin. 'Je lag te snurken tot Rich boven op je zat.'

'Wijsneus,' zei Neil. Hij wilde Richie bij zijn broek vastpakken om hem op te tillen, maar Shawn legde zijn arm rond Neils keel om zijn evenwicht te bewaren. Hij zwaaide hem op de grond en de worsteling begon opnieuw. Als door een magneet aangetrokken stormde Maggie de logeerkamer binnen.

'En nu is het afgelopen,' zei ze. 'Als jullie elkaar willen vermoorden, doen jullie dat maar buiten.'

Ze maakten zich van elkaar los, waarbij ze het niet konden nalaten nog een paar duwtjes uit te delen.

'Kom je, oom Neil?' vroeg Justin.

'Natuurlijk, over een paar minuten,' zei hij, terwijl hij met een hand over zijn gezicht wreef. 'Mag ik misschien eerst even ontbijten?'

'Ontbijten?' zei Shawn, die door de gang achter de anderen aan liep. 'Het is twaalf uur!'

Neil trok zijn wenkbrauwen op en keek door het raam. Dat zou heel goed kunnen; het was buiten al tamelijk licht. Hij kwam met moeite overeind.

'Hoe laat was je gisteravond terug?' Rick dook op achter Maggie met een kop koffie in zijn hand. Hij gaf de koffie aan Neil.

'Ik weet het niet precies,' loog Neil. 'Laat.'

'En is er nog iets gebeurd bij Elizabeth Denison?'

Je bedoelt: ben ik zo stom geweest om haar te kussen? 'Niet dat ik heb gezien. Ze heeft de hele avond in het souterrain zitten werken.' Hij ging op de rand van het bed zitten en nipte van zijn koffie. Met schaamte herinnerde hij zich dat hij bij het huis van Elizabeth Denison had gepost. Wat had hij verwacht? Dat de moordenaar van Gloria bij haar zou aankloppen? Dat de BMW van Evan Foster de hele nacht voor haar huis zou staan? Dat ze een sexy outfit zou aantrekken en Neil zou vragen binnen te komen om de nachtmerries weg te jagen?

Jezus nog aan toe, wat had hij gedaan?

'Dat klinkt als politiepraat,' zei Maggie en ze excuseerde zich. Ze liep langs Rick zonder hem aan te raken en verdween door de deuropening.

Neil fronste een wenkbrauw. 'Heb je vannacht hier geslapen?'

'Nee, ik ben teruggegaan naar het politiebureau.' Hij keek Maggie na die de gang uit liep. 'Ze zegt toch dat ik daar liever ben dan hier.'

'Jullie twee... Jullie moeten het weer goedmaken met elkaar, man. Als jullie niet...'

'Ja, ja,' zei Rick. Uit zijn ogen sprak de pijn die zijn woorden verborgen hielden. 'Ik moet weg. Ik moet vandaag een rechtszitting bijwonen. Wat staat er bij jou op de agenda?'

'De ouders van Gloria Michaels. Ik wil met ze gaan praten.'

'Ooo,' zei Rick hoofdschuddend. 'Daar benijd ik je niet om.' Hij bleef een tijdje naar zijn schoenveters kijken. 'Luister, Neil. Er is nog iets wat je moet weten. Heather heeft gebeld.'

Even had Neil het gevoel dat zijn hart stilstond.

'Het ging niet over jou. Af en toe belt ze met Maggie. Niet vaak, hoor.'

'Hoe gaat het met haar?' vroeg Neil, bijna bang om het antwoord te horen.

‘Ze is weer getrouwd. Voor de derde keer inmiddels. Ze kan maar niet zwanger worden. Ik geloof dat ze al een paar miskramen heeft gehad. Vraag het anders maar aan Maggie.’

Neil liep naar de spiegel. Ellen Jenkins had gelijk gehad: hij zag er oud uit. Even vroeg hij zich af wat de tijd met Heather had gedaan, of ze nog steeds zo slank was, die zachte huid en sproeten nog had en of ze nog hetzelfde rode haar had als Maggie en Evie. Gezien alles wat haar was overkomen zou zij er vermoedelijk ook behoorlijk versleten uitzien, maar zo wilde hij niet aan haar denken. Vooral omdat hij voor een groot gedeelte verantwoordelijk was voor wat ze had meegemaakt.

‘Sommige dingen moet je loslaten, man,’ zei Rick.

‘En andere niet,’ zei hij, terwijl hij Rick recht in zijn ogen keek. ‘Een drukke baan mag nooit een reden zijn om in je eentje te moeten slapen, Rick. Ik weet er alles van.’

‘Ja, ja.’

Nadat Rick was weggegaan ging Neil zitten. Plotseling leek zijn wereld uit niets anders dan pijn te bestaan. Heather. Rick en Maggie. Beth Denison. De familie van Gloria Michaels. De familie van Lila Beckenridge, die van de vermiste vrouwen, en zelfs die van Anthony Russell.

Zijn broer Mitch en dertien mensen die waren omgekomen bij een explosie die Neil niet had kunnen tegenhouden. Hij had het niet eens geprobeerd.

Hij haalde zijn mobieltje tevoorschijn, toetste een flink aantal cijfers in en wachtte. De stem aan de andere kant van de lijn was van een onbekende. ‘Hallo?’

‘U spreekt met Neil Sheridan,’ zei hij. ‘Zou ik mijn broer Mitch kunnen spreken?’

11

Indianapolis, Indiana
Nog 950 kilometer

De volgende vrouw die aan de beurt was om te sterven was drie uur eerder de winkelgalerij in gelopen, alleen, en ze droeg een handtas ter grootte van een koffer bij zich. Ze was lang en elegant, had blond haar dat hoog op haar achterhoofd opgestoken was, droeg te veel make-up en had helderrode lippen als van een Kewpie-pop. Ze ging zomers gekleed, in een korte rok en hoge hakken waarin haar mooie benen goed uitkwamen. Zeg maar gerust schitterende benen.

Benen waar je een moord voor zou plegen.

Chevy leunde naar achteren in de bestuurdersstoel van zijn auto en rekte zich uit. Wachten, daar kwam het nu op aan. Dat was het probleem met winkelgalerijen: vrouwen konden er zo lang in vertoeven dat het wachten op zichzelf al een hel was.

Hoewel de tijd begon te dringen, moest hij toch voorzichtig te werk gaan. Als hij vanavond op een redelijk tijdstip klaar was, zou hij morgen thuis kunnen zijn – terug in dat afschuwelijke stadje in Oost-Pennsylvania waar hij en Jenny waren opgegroeid. Daarvandaan was het nog maar een klein eindje naar Arlington. De rillingen liepen over zijn rug als hij eraan dacht.

En dus wachtte Chevy, ook al had hij honger en was Jenny ongedurig. Mevrouw Benen was het wachten waard. Het was de juiste vrouw en ook het tijdstip en de plek waren goed.

Of slecht, vanuit een ander perspectief bezien.

In zijn spiegel zag Chevy een busje van de beveiliging aan komen rijden met op de zijkant het logo van de winkelgalerij. Hij fronste zijn voorhoofd. Het was al de tweede keer in een halfuur dat de bewaker naar hem toe kwam.

'Je hebt een probleem,' zei Jenny.

Chevy legde haar op de achterbank om haar te verbergen. 'Ik regel het wel. Hou je stil.'

Hij pakte een gouden ring uit de asbak, deed hem aan zijn ringvinger en schoof hem op zijn plaats. Hij fatsoeneerde de kraag van zijn overhemd en trok de zonneklep van de auto omlaag. In de spiegel oefende hij de minzame lach die hij op school geperfectioneerd had voor de rol van Jim in *Glazen speelgoed*.

Toen het busje, dat nauwelijks groter was dan een golfkarretje, opnieuw langsreed stapte hij uit en zwaaide naar de bewaker. 'Mag ik u iets vragen?' riep hij, en het busje kwam tot stilstand.

'Kan ik u ergens mee helpen, meneer?' vroeg de bewaker, terwijl hij zich in zijn stoel naar Chevy toe boog. Hij bracht zijn borst een eindje naar voren, alsof hij zichzelf plotseling belangrijk vond.

'Nou, dat hoop ik wel,' zei Chevy. 'Ik zit hier al een halfuur op mijn vrouw te wachten – ze werkt sinds deze week in het restaurant van de winkelgalerij –, terwijl ze al twintig minuten klaar had moeten zijn.' Hij krabde met zijn linkerhand aan zijn kin. Niets werkte zo goed om als een normale man over te komen als een trouwring.

De bewaker keek langs Chevy heen in zijn auto, maar Chevy wist dat hij enkel een sporttas, een lege plastic beker van de Burger King en een donkere jas die over iets heen lag, kon zien. 'Heeft ze niet gezegd dat ze via de publieksingang weg zou gaan?'

'Wat? Is er nog een ingang?'

De bewaker knipte met zijn vingers, ten teken dat het probleem was opgelost. 'De meeste medewerkers gebruiken de ingang om de hoek. Waarschijnlijk staat ze daar op u te wachten.'

Chevy slaagde erin een beschaamd gezicht te trekken. 'O, bedankt. Ik geloof dat ze inderdaad iets gezegd heeft over...' Plotseling zag hij vanuit zijn ooghoeken mevrouw Benen. Ze kwam de galerij uit lopen met haar enorme handtas en met drie boodschappentassen; ze liep wat langzamer dan eerder op de dag.

Hij voelde de adrenaline tot in zijn tenen.

Hij glimlachte naar de bewaker. 'Ja, ze heeft het me wel verteld. Nou, dat verklaart alles.'

'Inderdaad. U kunt hier gewoon draaien en die kant op rijden,' zei de man wijzend.

Chevy ging in zijn auto zitten en startte de motor.

'Hé,' zei de bewaker, en Chevy keek hem aan, terwijl hij tegelijkertijd zijn blik op mevrouw Benen gericht probeerde te houden. Als ze bij haar auto zou zijn voordat die klootzak van een bewaker uit het zicht was verdwenen, zou de hele dag mislukt zijn. Chevy kon niet in Indianapolis blijven: Beth wachtte op hem.

'Wat?' vroeg hij.

'Ik zie aan uw nummerplaat dat u uit Washington komt. Bent u toevallig een Seahawks-fan?'

'Nee.'

'Weet u, ze zijn de afgelopen jaren dicht bij de titel geweest; als ze de goede spelers kopen, kunnen ze –'

'Ik zei toch dat ik geen Seahawks-fan was.' Chevy voelde woede in zich opkomen en gaf een dot gas. Sodemieter toch op, dacht hij, en hij moest zijn kiezen op elkaar drukken om te verhinderen dat hij het hardop zou zeggen. De bewaker had aan zijn nummerplaat gezien dat hij uit Washington kwam en bovendien hadden ze een gesprek gevoerd dat hem later misschien weer te binnen kon schieten. 'Ik volg het American football niet zo. Maar bedankt voor de tip. Ik ga nu op zoek naar mijn vrouw.'

'Ja, oké. Succes.'

De bewaker leunde naar achteren in zijn stoel en vertrok. Chevy reed weg om mevrouw Benen te onderscheppen. Haar auto reed een meter of veertig voor hem en zocht een weg over het parkeerterrein. Chevy probeerde de weg af te snijden via twee lege parkeervakken, maar ze bleef hem voor en reed richting het verkeerslicht bij de uitgang. Hij gaf gas, maar toen er plotseling een auto uit een parkeerplaats achteruit kwam rijden, moest Chevy keihard op zijn rem trappen.

Hij sloeg met zijn handpalm op het stuur. 'Shit!' Hij sloeg nog vijf keer. 'Shit, shit, shit!'

Het zingen begon weer. Hij hoorde de stem van moeder.

'Hou je mond!'

'Chev?'

Jenny. Ze moest moeder ook gehoord hebben. Het onophoudelijke la-li-la en de onzinnige teksten die uit haar mond kwamen. *Who killed Cock Robin? I, said the Sparrow, with my bow and arrow...*

Zijn adem stokte. Hij probeerde het liedje uit zijn hoofd te krijgen en wilde Jenny helpen, maar hij had geen tijd om haar weer in de passagiersstoel te zetten. De auto waar hij bijna tegenaan was gereden manoeuvreerde zich uit de parkeerplaats. Chevy toeterde en reed achteruit.

'Hou je vast,' zei hij tegen Jenny en hij gaf gas.

Mevrouw Benen was inmiddels het verkeerslicht gepasseerd en de parkeerplaats uit gereden en had zich bij het verkeer gevoegd. Chevy draaide snel en ging achter haar aan. Terwijl andere auto's claxonneerden en een paar voetgangers opzij sprongen probeerde hij haar in te halen. Hij reed door hetzelfde verkeerslicht, dat nog op oranje stond.

Hij was net op tijd.

Neil reed naar het stadje niet ver van Harrisburg waar de familie van Gloria Michaels nog steeds woonde. Het lag op ongeveer anderhalf uur rijden van West Chester University, waaraan Gloria had gestudeerd. Ze had een kamer op de campus gehad, radio- en tv-journalistiek gestudeerd en een typisch studentenleven geleid: iets te veel gefeest, gezakt voor haar eerste tentamen en vaak op jongensjacht.

Anthony Russell, een dertigjarige monteur die haar auto een keer had gerepareerd, was een van de vriendjes die ze had gehad, en Neil dacht niet dat een van haar andere vriendjes haar vermoord kon hebben. Toen de zaak alle kenmerken van een passiemoord bleek te hebben – er was zestien keer op haar ingestoken – was er eigenlijk maar één iemand die hij daartoe in staat achtte: Russell. En die bekende uiteindelijk ook. Tot grote vreugde van zijn advocaat.

Neil duwde de herinnering weg en probeerde niet aan de plek op zijn bovenbeen te denken waar Kenzies haarspeld door zijn broekzak heen leek te branden. Had Ellen Jenkins maar gelijk gehad over de manier waarop Neil alles had aangepakt. Had hij maar niets anders gedaan dan de plaatselijke politie vertellen waar Russell was om de rest vervolgens aan hen over te laten. Maar dat was niet gebeurd. Toen Neil ter ore was gekomen dat Russell gevlucht was, was hij op de snelweg over de binnenberm gekeerd en teruggereden naar Chester County. Hij had Heather gebeld en tegen haar gezegd dat hij nog een dag of twee nodig had.

Een dag of twee was drie weken geworden. Het had wel een eeuwigheid geleken.

Hij probeerde er niet meer aan te denken en stopte bij een huis met buitenmuren van overnaadse planken. Het huis lag aan een tweebaansweg en de dichtstbijzijnde buren woonden een paar kilometer verderop. Pat Michaels deed de deur al open toen Neil nog op de oprit liep. 'Meneer Sheridan van de FBI.'

'Ik werk tegenwoordig niet meer bij de FBI, mevrouw Michaels,' corrigeerde Neil haar.

'Ik weet het, we hebben het gehoord.' Ze stapte achteruit en gebaarde hem binnen te komen, waarbij ze probeerde niet te lang naar zijn litteken te blijven kijken. De laatste keer dat hij hen had bezocht, had het er nog niet gezeten. Tom Michaels, Gloria's vader, stond wat verderop in de hal, met zijn armen voor zijn brede borst over elkaar geslagen.

'Bedankt dat u me wilt ontvangen,' zei Neil. Tom Michaels schudde hem de hand, zij het aarzelend. 'Ik ben waarschijnlijk de laatste van wie u iets verwachtte te horen.'

'Het geeft niet,' zei Pat Michaels, terwijl ze een gebaar van 'let maar niet op hem' in de richting van haar man maakte. Ze pakte Neil bij zijn arm en leidde hem de woonkamer in. Bloemetjesbank, bijpassende leunstoel, een schommelstoel en een schilderij van een kolibrie boven een oude pianino. Aan de tegenoverliggende muur hingen wat familiefoto's; op de meeste daarvan stond Gloria afgebeeld.

'Ze was een mooi meisje,' zei Neil, terwijl hij de foto's bekeek. Hij wilde iets vrolijkers ter sprake brengen en wees op een foto van een broodmagere elfjarige wildebras. Al die jaren geleden was ze vroegrijp, maar ook erg somber geweest, en na alles wat er was gebeurd was ze Neil als een held gaan beschouwen.

'Hoe gaat het met Sarah?' vroeg hij enigszins geforceerd. 'Ze is vast behoorlijk gegroeid.'

'Kijk zelf maar.'

Neil draaide zich met een verbaasde blik om. 'Sarah?'

'Ben ik niet groot geworden?'

'Zeg dat wel,' zei Neil grinnikend. Blond, weelderig, benen van hier tot Tokio. Hij wierp een vluchtige blik op haar vader, als iemand die betrapt wordt terwijl hij verlekkerd naar de koekjestrommel kijkt. Hij brak de spanning door haar broederlijk in haar neus te knijpen.

Langzaam verdween haar lach van haar gezicht. 'Laat me eens raden: u bent hier niet omdat ik inmiddels oud genoeg ben voor een afspraakje.'

'Nee, ik ben hier in verband met Gloria,' zei hij en meteen keerde de gespannen sfeer in de kamer terug.

'Ik kan het niet geloven,' zei Pat een paar minuten later. 'Het houdt maar niet op.'

'Het spijt me, mevrouw Michaels.'

'Wie heeft volgens u die vrouw in Seattle vermoord?' vroeg Sarah.

'Dat weet ik niet. Maar de kans is groot dat het dezelfde man is die Gloria heeft vermoord.'

'Zijn het identieke zaken?' vroeg mevrouw Michaels.

'Niet helemaal. Er zijn wat verschillen. De positie van de lijken, de...' Hij zweeg. Gloria's ouders hadden al genoeg bloederige beelden gezien die ze nooit meer zouden vergeten. 'Maar de overeenkomsten zijn frappant. De moordenaar heeft zelfs dezelfde Reese's Cup-koekjes gegeten.'

Tom Michaels werd bleek en ging met zijn grote hand over zijn gezicht.

'Ik wilde u alleen maar laten weten dat ik de FBI ga vragen Gloria's zaak te heropenen,' zei Neil. 'Ik wilde niet dat u het op het nieuws zou horen.'

Tom Michaels stond op. De jaren hadden op hem ingewerkt als de zwaartekracht: hij leek onder een last op zijn schouders gebukt te gaan en zijn mondhoeken hingen voortdurend omlaag. Hij zag eruit, vond Neil, als een man die een kind had verloren.

'Nee,' zei hij. 'Dat kunt u ons niet aandoen.'

'Tom,' zei zijn vrouw, 'we moeten –'

'Anthony Russell heeft mijn dochter vermoord. Het kan me niets schelen wat er in Seattle is gebeurd. Anthony Russell is de moordenaar van Gloria.'

'Misschien niet, meneer Michaels.'

Het gezicht van de man begon rood te worden; een karmozijnkleurige vlek klom vanaf de V van zijn kraag omhoog. 'Ik wil dat u mijn kleine meid met rust laat. In godsnaam, laat mijn dochter in vrede rusten.'

'Jezus, pa,' zei Sarah, 'voor Gloria maakt het nu toch niets meer uit.'

Hij werd woedend. 'Hoe durf je!' De pezen aan beide kanten van zijn keel staken duidelijk uit, zoals bij een cobra. 'Hoe durf je zoiets te zeggen over je zus.'

'Pa! Stel dat Anthony haar niet heeft vermoord.'

'Anthony is de moordenaar. Ik weet het zeker.'

Neil stond op. 'Meneer Mich–'

'Mijn huis uit!' zei Tom met een stem die trilde van de spanning. 'Laat ons gezin met rust. Wij weten door wie onze dochter is vermoord, en dat hoeft u niet opnieuw op te rakelen. Ga weg!'

Neil keek naar Gloria's moeder, maar het leek er niet op dat hij hulp van haar hoefde te verwachten. Vlak daarna pakte Sarah hem bij zijn arm. 'Kom, ik laat u wel even uit.'

Neil had het gevoel dat hij zojuist een mes in iemands borst had gestoken. Hij en Sarah liepen zwijgend naar de oprit, Neil op zijn hoede. Ze bleven naast zijn auto staan en toen ze ten slotte iets zei, verrasten haar woorden hem.

'Weet u,' zei ze met sombere stem, 'ik wilde naar Carnegie Mellon. Of naar Penn State.'

Neil zweeg. Hij wist niet waar dit gesprek heen ging.

'Pa kon er niet tegen, de gedachte dat ik ver weg aan een universiteit ging studeren. Nu zit ik in mijn laatste jaar op Bishop. Het is een hogeschool op een kilometer of zes hiervandaan. Hij duldt nog net dat ik naar college ga, zolang ik tenminste geen avondlessen volg.'

Neil slikte. Hij wist niet wat hij moest zeggen.

Sarah keek op, haar gezicht vol onzekerheid. 'Ik wil niet dat hij weer hetzelfde doormaakt als toen Gloria vermoord was. Helemaal niet zelfs. Maar...'

'Wat?'

Ze wierp een snelle blik op hun huis en ging toen iets dichter bij hem staan. 'Anthony hield helemaal niet van Reese's Cup-koekjes,' fluisterde ze.

Neil fronste zijn voorhoofd. Een vleugje ongerustheid begon zich aan hem op te dringen. 'Sarah?'

'Ik weet het, ik weet het,' zei ze, terwijl ze begon te huilen. 'Ik weet dat pa tegen u heeft gezegd dat die snoepwikkel van Anthony moest zijn. Maar dat kon helemaal niet. Gloria heeft het me zelf verteld. Het was een van de weinige dingen die ze met elkaar gemeen hadden: allebei vonden ze Reese's Cup-koekjes niet lekker.'

Neil stond versteld. Hij draaide zich om en wreef met zijn hand over zijn gezicht. 'Sarah, waarom heb je dat destijds niet gezegd?'

'Dat heb ik wel gedaan. Ik heb het aan pa verteld.'

'Je vader wist ervan? Waarom heeft híj het dan niet tegen ons gezegd?'

Sarah knipperde met haar ogen. 'U begrijpt het echt niet, hè? Hij had een hekel aan Anthony en hij is er absoluut van overtuigd dat Anthony haar heeft vermoord. Hij wilde niet dat wat een elfjarig meisje over een koekje te zeggen had, ervoor zou zorgen dat Anthony niet in de gevangenis zou belanden.'

'Zou je dat ook onder ede willen verklaren?'

‘Dat mijn vader dacht dat Anthony Russell Gloria had vermoord?’

‘Nee, dat je zeker weet dat Anthony Russell nooit een papiertje van een Reese’s Cup-koekje bij zich kan hebben gehad.’

‘Bent u gek geworden? Dan zou mijn vader me niet meer willen kennen.’

‘Dat meen je toch niet?’

‘Ja, echt. U snapt het niet. De dood van Anthony was pa’s wraak. Ú hebt daar voor hem voor gezorgd. Als hij die wraak niet had kunnen nemen, had hij niet verder gekund. Dat lukt hem nu al nauwelijks.’

Neil sloot zijn ogen.

‘Meneer Sheridan?’ Sarah raakte zijn mouw aan en keek naar hem op. Plotseling klonk ze weer als een klein meisje. ‘Moet ik bang zijn? Ik bedoel, zou de moordenaar misschien weer hierheen kunnen komen?’

Neil fronste zijn wenkbrauwen en klopte haar zachtjes op haar schouder. ‘Nee hoor,’ zei hij. ‘Er is iets anders gaande. Ik weet niet precies wat, maar daar kom ik nog wel achter. Jullie zijn hier veilig.’

En dat, dacht Neil, terwijl hij de oprit af reed, was de grootste leugen die hij sinds lange tijd aan een mooie vrouw had verteld.

Knightston, Indiana
Nog 900 kilometer

Chevy boog zich over mevrouw Benen heen en telde tot tien. Een, twee, drie... Hij wachtte op het bloed. Vier, vijf...

Er verscheen een rood druppeltje, en meteen daarna nog een, en toen welde langs de ribbels van het vlees waarin hij had gesneden een stroompje robijnrode vloeistof op. Bij tien veegde hij het bloed weg, bond het been af met een linnen servet van het motel, ging weer op zijn hurken zitten en begon opnieuw te tellen.

Een, twee, drie...

Het duurde langer dan hij had gedacht. Hij had haar gewoon eerst moeten vermoorden, zodat hij zich deze moeite en knoeiboel had kunnen besparen. Dode vrouwen bloeden niet. Maar ze schreeuwen ook niet, en Chevy had deze vrouw behoorlijk toegetakeld. Hij had nog één slachtoffer nodig voordat hij aan Beth zou toekomen.

Negen, tien. Hij veegde nog een keer.

Klaar.

Hij keek naar de foto van de vierde pop uit de serie, bekeek mevrouw Benen en besloot nog één extra snee aan te brengen. Zijn blik viel op een blauw adertje in haar knieholte, nauwelijks zichtbaar in het zilverachtige licht. Hij boog zijn hoofd, als een chirurg die overwoog hoe hij te werk moest gaan, en zette het lemmet van zijn stanleymes op haar huid.

Mevrouw Benen snakte naar adem. 'O god, nee! Niet nog een keer. Ik zal alles doen wat je wilt.'

Stomme trut. Ze déééd juist precies wat hij wilde.

Haar lichaam verstijfde toen hij voorzichtig op het mes drukte. De punt ging door haar huid heen met een zacht plofje en uit haar mond kwam een heerlijk gekreun. Terwijl de cassetterecorder snorde voelde hij het genot tot in zijn edele delen.

Rustig aan, niet te diep. Hij maakte een lange snee in de huid, als de gekartelde lijn van een landweggetje op een plattegrond. Een inkeping hier, een insnijding daar, een bocht van honderdtachtig graden vlak onder haar knie. Nog een laatste dunne snee, een laatste stroompje bloed om op te ruimen. Een laatste schreeuw in zijn oren.

Een, twee, drie... Wachten, vegen. Nog een keer tellen. Vegen. Nogmaals.

Klaar.

Hij riep over zijn schouder: 'Dat was het, Jenny, ik ben klaar.'

'W-wat?' wist mevrouw Benen uit te brengen. 'J-Jen...'

Chevy staarde haar aan, verbaasd dat ze nog bij bewustzijn was. 'Hou je mond,' zei hij. 'Ik had het niet tegen jou, maar tegen Jenny.'

'J-Jenny?' Ze draaide haar hoofd, alsof ze toch door de blinddoek heen kon kijken. 'Heelllp! Jenny, help...'

'Stop,' zei Chevy. 'Hou je mond!'

Kronkelend van de pijn schuurde ze met haar ledematen langs het touw waarmee ze vastgebonden was. Verdomme, als die wonden weer begonnen te bloeden, zou hij tot 's morgens vroeg bezig zijn om haar schoon te maken. Dan zou alles voor niets zijn geweest.

Hij rukte de blinddoek van haar hoofd, mat de plaats voor de kogel uit en liep vervolgens naar de rand van het beekje, waar Jenny alleen in het donker zat. Hij vroeg zich nu pas af of ze het misschien koud had. Haar gezicht was grimmig en bleek en door haar grote oogkassen zag ze er gekweld en bang uit. *Ze voelt niets*, zei moeder altijd, maar Chevy wist wel beter.

'Kom op, Jen,' zei hij en hij pakte haar op. 'Er is iemand die je wil zien.'

Met zijn pistool in zijn hand droeg hij Jenny naar de plek waar mevrouw Benen nog steeds in een reeks onsamenhangende klanken Jenny's naam probeerde te noemen. Hij knielde bij haar neer zodat ze Jenny kon zien. 'Dit is Jenny, trut,' gromde hij. 'Maar ze zal je niet helpen.'

Mevrouw Benen knipperde met haar ogen. Haar keel begon krampachtig te bewegen. De aanblik van Jenny's gezicht benam haar de adem en deed haar oogwit gloeien. Ontsteld hapte ze naar lucht, een laatste ademhaling die haar longen nog één keer met zuurstof vulde.

Chevy joeg een kogel door haar hoofd. De knal van het schot suisde door de lucht.

Hij stond op en hield Jenny dicht tegen zich aan. De adrenaline droop van zijn lichaam, als urine uit de blaas van de dode vrouw. Hij wachtte, terwijl de ernstige, mysterieuze stilte die altijd kwam na een moord zijn koude armen om hem heen sloeg. Hij haatte dit moment; dit was de gevarenzone, de spannende tussentijd waarin het zingen kon beginnen.

Hij wachtte, maar er was alleen stilte. Moeder was er niet. Ze kwam nooit als hij het goed had gedaan.

Hij slaakte een zucht van opluchting, legde Jenny neer en was nog een paar minuten bezig met het afvegen van de benen van de vrouw. Tot ze uiteindelijk helemaal schoon was.

Nu het mobieltje nog.

Hij doorzocht haar handtas. Make-up, een kam, een portefeuille. Hij groef verder en met zijn vingers zocht hij naar de vertrouwde vorm van de telefoon. Niets. Hij fronste zijn wenkbrauwen en stak een hand in het zijvak. Daar zat het mobieltje ook niet in.

Zijn hartslag haperde. Hij gooide de handtas van mevrouw Benen op de grond. Wat dom, nu moest hij alles opruimen of het risico lopen vingerafdrukken achter te laten. Maar een mobieltje had hij echt nodig. Hij moest met Beth praten.

Nadat hij haar kleren had gecontroleerd, kwam hij ontzet overeind. Geen telefoon. Woede greep hem bij de keel. Even later begon moeder te zingen.

12

Neil verliet het huis van de familie Michaels en vond aan dezelfde weg waaraan hun huis stond een goedkoop motel met een bar. Hij begon al vroeg te drinken. Hij dronk en probeerde niet te denken aan het feit dat hij niet alleen de verkeerde man had doodgeschoten, maar dat een elfjarig meisje en haar vader dat ook hadden geweten. Hij dronk nog wat en probeerde te vergeten dat hij zojuist de pijnlijkste wond had opengereten die een ouder kan hebben, terwijl hij geen enkele bevoegdheid had om de antwoorden op hun en zijn eigen vragen te vinden. Hij dronk nog meer en probeerde het beeld te verjagen van Mackenzie die het uitschreeuwde op de achterbank van Heathers auto, en van Heather die hem haatte met elke vezel van haar lichaam. Nog voordat hij aan Mitch zou gaan denken, stond hij alweer buiten in de koude nacht.

De volgende morgen had hij niet alleen een kater, maar ook nieuwe vastberadenheid om zich op de zaak te storten. Hij bestreed de kater met een beker koffie en een handvol aspirientjes die hij bij een benzinestation had gekocht, ging op zoek naar de plaatselijke sheriff en vroeg hem net genoeg over het onderzoek om hem ervan te overtuigen een agent in de buurt van Sarah te houden. Hij belde naar de enige FBI-agent die misschien naar hem zou luisteren, al waren ze niet bepaald als goede vrienden uit elkaar gegaan. Toen ging hij met de Charger op weg en reed flink door, klaar om terug te gaan naar Arlington en alles te doen wat nodig was om de klootzak te grazen te nemen die niet Anthony Russell heette. Voor Gloria. Voor de Russells. Voor Sarah en haar vader en moeder.

Voor zichzelf.

Toch was hij niet voorbereid op wat Rick te weten was gekomen.

Rick gaf hem twee vellen papier. De eerste was een e-mail waarin ZIE ATTACHMENT stond. En de tweede bladzijde...

Neil zette grote ogen op.

'Ongeveer twee uur geleden hebben ze haar in een bos in Indiana gevonden.'

Neils hersenen werkten even niet meer; hij kon geen wijs worden uit de foto. Een vrouw, door het hoofd geschoten, met een vlek of een streep op haar slaap. Net als Lila Beckenridge lag ze in een bepaalde houding en was haar onderlichaam naakt vanaf haar middel. Haar ogen leken ongedeerd. Maar haar benen... Zoiets had Neil nog nooit gezien.

'Het is vannacht gebeurd,' zei Rick.

Toen jij je in een bar aan het bezatten was.

'Ik weet niet wat ik moet zeggen,' zei Neil. 'Is dit het werk van onze moordenaar? Hij heeft het niet zo gedaan bij de vrouw uit Seattle. Of bij Gloria.'

'De benen zijn anders, maar de schotwond is veroorzaakt door een kogel met hetzelfde kaliber en zit op dezelfde plaats, en die streep is vast wenkbrauwpotlood, let maar op. De werkwijze is ook identiek: de vrouw is uit haar auto gesleurd en vermoord in een bos, en de auto is schoongeveegd en niet ver van de plaats delict aangetroffen. Op de route van de westkust naar... jezus, misschien wel naar hier. Het enige wat anders is zijn de benen.'

'Autopsie?' vroeg Neil. 'Er is geen bloed te zien.'

'Hij heeft haar schoongemaakt.'

Neil schrok. Toen schoot hem iets te binnen en vroeg hij: 'Heeft Elizabeth Denison een telefoontje gekregen?'

'Nee. Maar dit slachtoffer had geen mobieltje. Ik heb het telefoonbedrijf van Elizabeth Denison gevraagd of ze willen controleren of ze door iemand gebeld wordt die zich ergens tussen Indiana en hier bevindt – ook vanuit een telefooncel. Laat jij haar telefoon nog aftappen? Niet dat ik daar iets van afweet, natuurlijk,' voegde hij eraan toe.

'Ja, weliswaar niet in realtime, omdat een telefoontje eerst via mijn contactpersoon loopt, maar als ze gebeld wordt kan hij de opname binnen een paar minuten hierheen sturen.'

'Áls ze gebeld wordt. Als dat niet het geval is, heeft ze er misschien niets mee te maken. Misschien is het daadwerkelijk een of andere viezerik die haar op willekeurige tijdstippen opbelt.'

Enge dromen waarvan ze moet huilen...

Neil haalde diep adem. Hij had zuurstof nodig. 'Ik wil met haar praten.'

'Ik laat haar door iemand in de gaten houden.'

‘Nee, ik bedoel, ik wil met haar práten. Haar uitleggen wat er aan de hand is en vragen of ze er meer van weet.’

‘Waarom? Is er soms iets tussen jullie gebeurd wat je niet aan mij hebt verteld? Iets waardoor ze nu plotseling geen hekel meer aan je heeft?’

‘Ik begin het beu te worden dat jij alles steeds volgens de regels wilt doen. Het gaat erom dat we de moorden oplossen.’

‘Goed dan. Je mag met haar praten, maar alleen hier en met haar advocate erbij.’

‘Verdomme, ik heb genoeg aan een uurtje. Ze heeft een kind, een carrière en een huis waar ze aan moet denken. Ze zal heus niet vluchten.’

Rick keek hem boos aan. ‘Als ze een telefoontje uit Indiana krijgt of als uit het technisch onderzoek blijkt dat de kogel uit hetzelfde wapen afkomstig is waarmee ook Lila Beckenridge is doodgeschoten…’

‘Dan mag je haar meteen inrekenen. Ik zal je niet tegenhouden.’

‘Ik zal eens informeren waar ze nu is.’ Terwijl Rick zijn mobieltje tevoorschijn haalde, liep Neil de kamer uit om te kijken of hij zelf nog berichten had gekregen. Niets. Geen voicemail van Beth Denison waarin ze zegt: *‘Ik heb een grote fout gemaakt en ik heb je nodig.’* En ook niets van Mitch, verdomme.

Rick stapte de gang in en gaf hem zijn mobieltje. ‘Russ Billings.’

‘Met Neil Sheridan.’

‘Hé, Sheridan, je spreekt met Russ Billings. Ik heb het ook al tegen Sacowicz gezegd, maar hij wil dat je het zelf hoort. Ze is momenteel in Chester Park en kijkt naar een of andere T-balltraining voor kinderen. Maar weet je waar ze eerst heen is geweest?’

Neils nekharen gingen overeind staan. ‘Nou?’

Met iets in zijn stem wat op ontzag leek, zei Billings: ‘Keet’s.’

‘Keet’s?’

‘Dat is een schietterrein,’ zei Rick op de achtergrond. ‘Als je ergens mee wilt schieten, kan dat daar. Van kleine pistolen tot machinegeweren.’

Neil was sprakeloos. Beth Denison droeg niet alleen een pistool bij zich, ze oefende er ook mee.

Samson, Pennsylvania
Nog 180 kilometer

Het huis was nauwelijks te zien. Onkruid overwoekerde de bloembedden en de veranda was verzwolgen door struiken. Termieten deden zich te goed aan het verrotte hout van de trap en de ramen waren verduisterd, alsof ze zich schaamden voor wat er in het huis was gebeurd.

Vroeger, toen moeder nog leefde, was het huis een oase van schoonheid. Ze hield het tiptop in orde, als een mise-en-scène: bontgekleurde gordijnen, regelmatig geverfd latwerk aan de voorkant van de veranda, keurig onderhouden heesters die de tuinpaden omzoomden. En bloemen. Moeder hield van bloemen. Ze zong er de hele dag tegen.

Wat een schilderachtige, vredige plek. Het ondenkbare kon hier niet gebeuren.

Maar het gebeurde wel. Elke dag.

Voorzichtig, mama. Je doet haar pijn.

Ik doe haar geen pijn; ze voelt niets. Dat komt door haar bloed. Ze heeft slecht bloed. La-li-la. I, said the Fish –

'Kom op, Chev,' zei Jenny plotseling. 'Laten we hier weggaan. Je hebt me beloofd dat je me naar de rivier zou brengen. Bovendien vind ik dit huis doodeng.'

Inderdaad. Doodeng.

Hij pakte zijn sporttas en droeg Jenny langs het huis het bos in. Grappig genoeg had de rivier nooit zo ver weg geleken toen ze nog kinderen waren. Waarschijnlijk kwam dat doordat Chevy toen altijd verder weg wilde gaan. Hij haatte dit bos. Het enige wat belangrijk was had moeder hem bij testament nagelaten, dus had hij het huis en de bijbehorende grond voor weinig geld verkocht aan de eerste de beste geïnteresseerde koper.

Dat was Mo Hammond, een buurman. Mo beheerde een schietterrein en een jachtgebied dat hij had uitgebreid met het aangrenzende land van de familie Bankes. Hij liet er herten, fazanten en zelfs wilde kalkoenen rondlopen. Voor konijnen hoefde hij niet te zorgen. Die plantten zichzelf snel voort en hij verkocht hun pootjes in zijn magazijn: harde, fluweelachtige stompjes met scherpe nagels die aan metalen ringen hingen.

Luguber.

Het schietterrein bevond zich tegenover de grond van de familie Bankes. Er was ook een winkel met wapens die zowel gehuurd als gekocht konden worden en een veld waar je kon schijfschieten en kleiduivenschieten; de rest van het land werd gebruikt om te jagen. Het had Chevy altijd verbaasd dat jagers bereid waren vijfendertig dollar per uur te betalen om in een jagershutje te zitten wachten tot er een halftam dier langsliep, het van op een afstand van twintig passen in de nek te schieten en het te zien stuiptrekken in een snelle, stille dodendans. Wat was daar leuk aan? Chevy had ooit eens een groep dierenliefhebbers op het terrein gezien die demonstreerden tegen de hertenjacht. Op een bord dat een van hen vasthield, stond: ALS JAGEN EEN SPORT IS, MOETEN DE HERTEN DAN NIET WETEN WAT DE REGELS ZIJN?

Chevy was het daarmee eens. Zijn prooi kende de regels altijd.

Tussen de bomen met piepkleine lenteknoppen kwam Jenny's lievelingsplek in zicht: een ondiep deel van de rivier waar bevers met een dam onbewust een mooi zwembadje hadden gebouwd. Als kind was Chevy hier bijna elke dag naartoe gegaan om naar de rivier te kijken vanuit een jagershutje op vier meter hoogte dat die arrogante Mo jaren voordat het land van hem was, had gebouwd. Nu klom Chevy via de sporten van een ladder naar de jagershut omhoog en droeg Jenny met zich mee, terwijl hij jarenoude rotte bladeren en dennennaalden wegduwde waarvan de scherpe geur zijn neusgaten schroeide.

'Zo, ga maar zitten,' zei Chevy toen ze boven waren. 'Weet je nog dat we hier als kind altijd kwamen?'

'Dat herinner ik me nog heel goed. Het is hier zo vredig en stil. Ik heb het gemist toen ik weg was.'

Chevy's hart sloeg over. *Weg.* Jenny was heel lang weg geweest. Hij herinnerde zich de dag dat ze verdween als de stilstaande beelden uit een film: hoe hij als een bezetene door het huis rende, op zoek naar de baby... Hoe zijn moeder Clorox bij haar ogen aanbracht tot ze rood waren en traanden en haar neus ook begon te lopen... Hoe sheriff Goodwin haar verklaring opnam en Chevy ondervroeg, waarbij hij hem nauwelijks geloofde... Hoe iedereen uit het stadje – van de sheriff tot de dominee en de schooldecaan – het huis, de schuur en de tuin doorzocht... Hoe grootvader merkwaardig stil was en moeder heel overtuigend huilde...

Hij opende zijn ogen en keek naar Jenny, terwijl hij met zijn schouders bewoog om de spanning kwijt te raken. Hij had Jenny nu terug. Dat was het enige wat telde.

'Hé,' zei Chevy, 'heb ik je ooit verteld dat ik na je verdwijning hierheen ben gekomen om op je te wachten? Terwijl ik in deze jagershut zat, zag ik ze zoeken. Ze gebruikten helikopters en opsporingsteams in lichtoranje hesjes en de jachthonden van Mo Hammond. Ik herinner me de lichten en sirenes nog goed. Zelfs toen ze gestopt waren en gezegd hadden dat je dood was, kwam ik hier elke dag.'

'Ik was ervan overtuigd dat je me niet zou vergeten. Ik wist dat je me op een dag zou vinden.'

Chevy onderdrukte een snik.

'Hé, kom op, Chev. Het was niet jouw schuld.'

Maar dat was het wel. Niemand had hem geloofd. Moeder had het spel perfect gespeeld. De tranen, het zingen, de bloemen. Ze had iedereen voor de gek gehouden.

Uiteindelijk accepteerde Chevy, zes maanden na Jenny's verdwijning, dat zijn zusje nooit meer terug zou komen. Tien minuten later schoot hij moeder dood met haar eigen .38-pistool.

13

Beth zag hoe de T-ballploeg zich op de versnaperingen stortte. Twee moeders deelden pakjes appelsap en pindakaascrackers uit aan de kinderen, die alles giechelend opaten en ten slotte uiteengingen en naar hun ouders of oppas liepen. Beth ging naar de trainer toe om hem eraan te herinneren dat ze bij Abby's tante op bezoek gingen, zodat Abby de rest van de week niet zou kunnen komen trainen. Hij reageerde alsof het een doodzonde was.

Toen Beths mobieltje ging, stond haar hart even stil. Ze dwong zichzelf te kijken welk nummer het was.

Boise. Margaret Chadburne.

'Hallo?' zei Beth, terwijl ze een vinger in haar andere oor stak. Abby was in het klimrek aan het spelen met een meisje dat Vanessa heette; hun petjes vielen in de modder toen ze ondersteboven gingen hangen. Al ijsberend praatte Beth met mevrouw Chadburne. Ja, er was vanmorgen een pakketje bij Beth gebracht en ze had de laatste pop in goede orde ontvangen. Nee, ze had de twee andere poppen nog steeds niet gezien, maar Beth was ervan overtuigd dat ze nog wel zouden opduiken.

Abby kwam naar Beth toe gerend en pakte haar rond haar middel. Ze vielen bijna.

'Mevrouw Chadburne, ik moet ophangen,' zei ze lachend, terwijl ze Abby met een vinger op haar lippen gebaarde stil te zijn. 'Zodra ik kans heb gezien de nieuwe pop te bekijken, laat ik het u meteen weten.'

Ze had nog maar net de verbinding verbroken of Abby pakte haar bij haar arm. 'Kom mee, mammie. Je hebt me beloofd dat we de eendjes zouden voeren. Ik heb mijn crackers voor ze bewaard.' Ze hield haar pakje crackers omhoog.

Beth zuchtte; de eenden voeren deden ze altijd als ze in Chester Park waren. Ze sleepte Abby met zich mee naar de vijver. Abby klauterde over een paar stenen naar de rand van het water en schudde het pakje crackers leeg. De eenden zwommen er meteen op af.

'Hé,' zei een zware stem opeens, 'wat is groen en hangt onder een auto?'

Beth schrok en draaide zich in de richting waar de stem vandaan was gekomen. Neil Sheridan kwam naar de vijver lopen.

'Mammie, kijk eens!' riep Abby en ze klauterde terug over de stenen om hem te begroeten. Haar gezicht straalde. 'Ik weet het niet, wat is het?'

'Een spruitlaat.'

Abby trok een peinzend gezicht. 'U bent niet erg goed in moppen, meneer Sheridan.'

'Ja, dat zeggen er wel meer.'

'Zullen we de eendjes gaan voeren?'

Hij gaf haar een tikje op haar kin. 'Misschien over een paar minuten. Ik moet eerst even met je moeder praten.'

'Oké.' Ze draaide zich om en zag hoe de eenden kwamen aanzwemmen. 'Mammie, mag ik op die bank daar gaan zitten om ze te voeren?'

Beth keek het park rond. Er liep een jogger voorbij die vriendelijk naar haar zwaaide. Ze herkende hem, zwaaide terug en terwijl ze inschatte hoe ver hij van het bankje vandaan was, keek ze naar de andere mensen in het park: een paar gezinnen, twee tieners en wat kinderen die aan het frisbeeën waren.

En Neil Sheridan natuurlijk. *Abby zal niets overkomen.*

'Ga, maar,' zei ze tegen Abby. 'Maar niet te dicht bij het water komen, hè?'

Zij en Neil zagen haar gaan. Ze liepen een paar meter achter haar, als geliefden. Plotseling voelden Beths zenuwen aan als schrikdraad.

Hoe komt het dat u niet kunt slapen, mevrouw Denison?

Lieve hemel, ze had het hem bijna verteld. Als Evan niet opeens was opgedoken, had ze misschien alles op het spel gezet, alleen maar om nog een keer gekust te worden, zich nog een keer tegen zijn sterke lichaam aan te vlijen.

Ze keek naar hem op. Neil hield de vijver in de gaten, waarbij een spier in zijn wang trilde.

'Waarover wilde je met me praten?' vroeg Beth. De spanning werd haar bijna te veel.

'Keet's,' zei hij.

Beths mond viel open, maar ze vermande zich en bracht haar kin omhoog. 'Het is niet verboden om mijn scherpschutterskwaliteiten te oefenen op een legaal schietterrein.'

'Nee, maar het is wel verboden om op mensen te schieten.' Hij keek haar recht in haar ogen. 'Zelfs op obscene bellers.'

Ze werd bleek en Neil zag het. Het leek wel alsof zijn hele lichaam verstijfde.

'Jezus, dus het klopt,' zei hij, terwijl hij haar aankeek. 'Mijn god, je wacht op hem.'

'N-nee.'

'Je wilt dat hij je vindt.'

'Dat wil ik helemaal niet,' snauwde ze, 'maar hij zal me komen zoeken. Daar moet ik op voorbereid zijn.'

Hij pakte haar bij haar schouders. 'Je zit zwaar in de problemen, verdomme. Die man is een moordenaar.'

Ze werd misselijk. *O god, hij weet het. Hij weet hoe het zit met Anne Chaney.* Ze probeerde haar gezonde verstand te blijven gebruiken en herinnerde zich wat Adele Lochner had gezegd.

Ze kenden Bankes' naam niet eens – ze hadden geprobeerd om die uit Beth los te krijgen. Als ze niet wisten wie hij was, konden ze onmogelijk weten wie de moordenaar van Anne Chaney was en ook niet dat Beth er die avond bij was toen Anne stierf toen ze wilde ontsnappen.

Tenzij... *Die man is een moordenaar*. Tenzij Neil het niet over Anne Chaney had.

Beth slikte; het leek wel alsof ze zand door haar keel moest zien te krijgen. 'W-wanneer?' fluisterde ze.

'Hoe bedoel je, "wanneer"?'

'Wanneer heeft hij iemand vermoord?'

Neil keek met samengeknepen ogen en verward naar haar gezicht. Beth voelde dat het schild dat ze had opgetrokken het begon te begeven; ze wist dat een kleine barst voldoende was om tot haar door te dringen. Maar dat was nu niet meer van belang. 'Alsjeblieft,' zei ze. 'Ik moet het weten. Wanneer?'

'Woensdagavond, de avond dat hij je heeft gebeld vanuit Seatt–'

'O, mijn god.'

'En gisteravond in Indianapol–'

'Wat?' Beth deinsde achteruit. Ze wankelde en terwijl ze haar longen en hoofd weer aan het werk probeerde te krijgen, keek ze naar Abby en de eenden. 'O, nee. O, nee. O, god.'

'Beth,' zei Neil. Hij pakte haar bij haar arm pakte en keek haar scherp aan. 'De man die jou steeds belt is gevaarlijk. Waarom geloof je me niet?'

'Ik geloof je wel!'

Hij zweeg, alsof hij door die bevestiging met stomheid geslagen was.

Wacht even. Denk na. Bescherm Abby. Woensdag. Gisteravond. Niet Anne Chaney, zoveel jaar geleden. Iemand anders. Deze week. Nu.

Ze deed haar ogen dicht en voelde tranen opkomen. *O, Abby, het spijt me. Het spijt me heel erg.*

'In godsnaam, Beth, zeg me wat –'

'Hij heet Chevy Bankes! En hij zit achter mij aan.' De tranen liepen over haar wangen. 'Waarom zou hij iemand anders vermoorden? Hij heeft het op míj gemunt. En op Abby.'

'Hoe bedoel je, hij heeft het op jou gem–'

Toen slaakte Abby een gil.

14

Beth maakte zich los uit Neils handen. Hij bleef niet meer dan een meter achter haar, terwijl ze naar Abby bij de vijver renden. De groep eenden was opgevlogen in een chaos van gekwaak en fladderende vleugels. Neil moest onder het rennen zelfs vogels bij zijn hoofd wegslaan, waarbij de veren in het rond vlogen, en hij was een fractie van een seconde eerder bij Abby dan Beth.

Abby huilde. Maar er was niemand in haar buurt. Ze was veilig.

Beth gleed in haar haast bijna uit. Ze zag dat Neil Abby met een hand rond haar enkel vasthield. Haar scheenbeen bloedde.

Beth keek het park rond. De jogger die hen eerder was gepasseerd, liep op een pad op een meter of twintig van het water en kwam recht op hen af. Nee, dacht Beth en ze schudde lichtjes haar hoofd. Maar hij ging een andere kant op en liep met een wijde boog om hen heen.

'Rustig, maar, schatje,' fluisterde Neil in Abby's oor, terwijl hij tegelijkertijd naar de jogger keek. Hij hield alles in de gaten. 'Er is niets aan de hand.'

'O, Abby.' Beth stond nog steeds te trillen van angst. Ze pakte haar beet en hield haar vast tot het huilen afnam, toen bekeek ze haar been. 'Het is maar een schaafwond, liefje,' zei ze. Haar ademhaling werd steeds rustiger. 'Die is snel weer genezen.'

'Ik g-gleed uit op die steen,' stamelde Abby. Ze wees naar een kei in het zand.

Neil ging op zijn hurken zitten. 'Zal ik er een kusje op geven?'

Beth schudde haar hoofd. 'Dat werkt niet bij Abby. Met een kusje zal ze niet –'

Maar hij gaf Abby toch een kus op haar been en haar tranen verdwenen. Dat kon hij dus ook al. Beths keel sloeg zowat dicht van emotie. Het was gek en zelfs kinderachtig om te denken dat ze erop vertrouwde dat Neil al haar zorgen zou laten verdwijnen. Ze was geen kind.

Bovendien waren haar wonden oud, met een litteken bedekt en gevoelloos, niet vers en bloedend. Ze had al jaren geen pijn meer.

'Stel geen vragen en doe wat ik zeg,' zei Neil in haar oor. 'Breng Abby naar je auto.'

'Wat –'

Hij legde een vinger op haar lippen en om de een of andere reden stribbelde ze niet tegen. Ze liep achter hem aan, terwijl hij bedrieglijk spontaan naar Abby glimlachte en haar hand in de zijne nam.

Beths hartslag steeg, terwijl ze zich door het park haastten. Neil daagde Abby uit voor een wedstrijdje wie het eerst bij het parkeerterrein zou zijn. Hij zette haar op de achterbank van de SUV en maakte haar gordel vast. Beth had de indruk dat er haast achter zat. Ten slotte kon ze niet meer tegen de spanning.

'Waarom moeten we plotseling –'

Maar hij gebaarde haar stil te zijn en hield zijn mobieltje al tegen zijn oor. 'Laat Billings weer posten,' zei hij in de telefoon. Het bleef even stil. 'Oké.'

Beth stond versteld. 'Ga je me nou nog zeggen wat er aan de hand is?'

'Niet nu. Eerst moet je hier weg.' Hij had een strenge blik in zijn ogen. 'Rij meteen naar huis en blijf daar tot ik contact met je opneem.'

'Ik voer niet graag bevelen uit van –'

'Verdomme, Beth, vertrouw me. Ik zal alles regelen.'

Ik zal alles regelen. Laat het maar aan mij over.

Hij had vast de angst in haar ogen gezien. Hij pakte haar bij haar schouders en zei kalm: 'Beth, beloof me dat je naar huis gaat en daar blijft wachten, het is maar voor een tijdje.'

Even overwoog ze te protesteren, maar Neils kalmte nam haar twijfels weg. Dat, en het feit dat hij plotseling zijn lippen op haar mond zette. Zijn vingers gingen door haar haar, zijn lichaam drukte zich tegen het hare en zijn lippen leken een antwoord uit Beths keel te willen trekken.

'Nou, goed dan,' zei ze.

Samson, Pennsylvania
Nog 180 kilometer

Er rinkelde een eigenaardig belletje toen Chevy Mo Hammond's Gun Shop binnenging. Mo was een klant aan het helpen, een lange *redneck* in een flanellen overhemd die een bandana droeg. Chevy ijsbeerde door de winkel, steeds met zijn rug naar Mo toe, en bekeek de revolvers en pistolen. Vijf minuten later, toen de Bandanaman naar het schietterrein was gegaan om een uur gratis te oefenen, deed Mo de munitiekist op slot en kwam van achter de toonbank vandaan.

'Hallo, meneer,' zei hij. 'Zoekt u iets in het bijzonder?'

Chevy hield zijn gezicht niet al te opvallend naar beneden gericht, alsof hij nadacht over de Heckler & Koch P7 in de wapenkast. 'Zou kunnen. Ik heb gehoord dat ik hier moest zijn.' Hij voelde dat Mo fronsend naar hem keek, toen draaide hij zich om. 'Voor pakjes, bedoel ik, niet voor wapens.'

Nadat Mo hem even had aangestaard, viel diens mond open. 'Jezus, Chevy?'

Chevy glimlachte.

'Krijg nou wat. Chevy.' Hij reikte hem zijn vlezige hand en schudde krachtig die van Chevy. 'Krijg nou wat.'

'En hoe zit het nou, kerel, heb je pakjes voor me of niet?'

'Ja, ik heb ze, Chevy. Ze liggen allemaal hier, behalve de pakjes die ik naar je terug moest sturen naar Seattle. Ik dacht dat je de rest misschien vergeten was. Het is al een tijdje geleden.'

'Ik heb wat langer nodig gehad om een aantal zaken te regelen. Je vond het toch geen probleem, hè?'

'Nee, nee, natuurlijk niet. Loop maar even mee naar achter. Ik heb ze daar gewoon laten liggen tot ik weer van je zou horen.'

'Je hebt ze niet opengemaakt?'

'Hé, Chev, waarom zou ik dat doen? De enige keer dat ik ze ergens anders heb gelegd was een jaar of twee geleden, toen ik de winkel een nieuw verflaagje heb gegeven.' Hij deed de voordeur op het nachtslot en gebaarde Chevy hem te volgen. Ze liepen naar achter en Mo opende een bergruimte.

'Daar liggen ze, drie waren het er, hè?'

Chevy wierp een vluchtige blik op de dozen. Ze waren alle drie in bruine tape gewikkeld en hoogstpersoonlijk door Chevy aan Mo geadresseerd, volgens het poststempel op 10 april 2002. 'Inderdaad, drie.' De eerste vijf dozen waren al lang weg: drie had hij er opgestuurd vanuit Boise en twee zouden er nooit meer teruggevonden mogen worden. Chevy kreeg een lekker gevoel als hij eraan dacht.

'Verdomme, Chev, wat zie je er goed uit,' zei Mo en hij krabde op zijn hoofd. 'Hoe kan dat? Meestal zijn ze helemaal naar de kloten als ze uit de gevangenis komen. Ik heb nooit geloofd dat jij die vrouw in het bos hebt koudgemaakt. De Jager, zei men. Nou, de Chevy Bankes die ik kende hield helemaal niet van jagen. En zoals je dat zusje van jou altijd vertroetelde, daardoor wist ik dat je het niet in je had om een vrouw mee uit te nemen en haar in haar rug te schieten.'

'Je kende mij altijd beter dan wie ook, hè, Mo?' vroeg Chevy. Hij zei het zo nonchalant mogelijk, zonder dat het als een beschuldiging klonk. Toch vatte Mo het misschien als zodanig op, want hij begon zenuwachtig te bewegen.

'Wil je de pakjes nu meteen meenemen?' vroeg Mo.

'Ja, inderdaad. Ik heb ook nog wat lege dozen nodig en ik kan je vrachtwagen zeker wel een tijdje lenen, hè?'

Mo fronste zijn wenkbrauwen. 'Mijn vrachtwagen, eh...' Hij keek naar de grond en bleef als een achtjarig kind naar zijn schoenen staren. Chevy legde een hand op zijn schouder, een subtiele manier om Mo eraan te herinneren dat hij bij hem in het krijt stond.

'Ja, natuurlijk,' zei Mo. 'Maar ik wil hem wel voor zes uur terug hebben.'

Chevy keek op zijn horloge: drie uur. Naar Arlington was het ongeveer twee uur rijden.

Niet dat het van belang was of hij de vrachtwagen voor zessen terugbracht. Mo zou hem toch nooit meer gebruiken.

Neils nekharen stonden recht overeind toen hij de Suburban van Beth het park zag verlaten.

'Rick,' zei hij drie tellen later in zijn mobieltje, 'de man die steeds naar Elizabeth Denison belt, heet Chevy Bankes. Kijk eens wat je over hem kunt vinden.'

'Bankes.' Blijkbaar was Rick de naam aan het noteren.

'En ik wil dat je een nummerplaat voor me natrekt,' zei Neil.

'Is het belangrijk?'

'Dat weet ik niet, waarschijnlijk niet.' Maar hij wist wel beter. Nadat Abby was gevallen, was een jogger twee keer gepasseerd, had staan kijken en was vervolgens naar een Chevrolet Lumina gelopen, waar hij wat water had gedronken en aan iets in de kofferbak had staan prutsen. Terwijl hij de tijd doodde was hij blijven kijken. Nu was de man weg, maar zijn auto stond er nog.

'Roept u maar,' zei Rick en Neil noemde de cijfers en letters van het kenteken.

Rick gaf de informatie door en kwam toen weer aan de telefoon. 'Over een paar minuten heb ik de identiteitsgegevens en ik laat ook iemand de naam Bankes natrekken. Weet je nog meer over hem?'

'Nee, Beth heeft me alleen de naam gegeven.'

'Hoe heb je die informatie van haar losgekregen?'

'Ik heb tegen haar gezegd dat hij een moordenaar is. Dat was voldoende. Ze stortte zowat in.'

'Echt waar? Oké. Nou, ik heb net alles wat we hebben over Foster's Auctions doorgenomen.'

'En?'

'Toen Mike Foster stierf, liet hij het bedrijf na aan zijn vrouw Carol, die hun neef Evan inhuurde om het te leiden. Ze hadden zelf nooit kinderen gekregen. Evan heeft op Harvard bedrijfsmanagement gestudeerd en lijkt een betrouwbare kerel te zijn. Ik kan geen verband vinden tussen de familie Foster en de vermiste of dode vrouwen.'

'En is er een link met Gloria? Ik heb nooit onderzocht of zij op de een of andere manier iets met het antiekwereldje te maken had.'

'Elizabeth Denison studeerde nog in Seattle toen Gloria vermoord werd. Welk verband zou er tussen hen kunnen zijn?'

Dat wist Neil niet en hij wilde er voorlopig ook niet over nadenken. Hij liep over het parkeerterrein op en neer en zocht in de zee van auto's naar de jogger. Toen hij weer bij diens Lumina was gekomen, wierp hij er een vluchtige blik in. Drie fastfoodzakken, een thermosfles en een aantal bekers. Of deze man had een eetziekte, of hij had een aanzienlijke tijd in zijn auto doorgebracht.

'Ik heb ook onderzoek gedaan naar Kerry Waterford, de man wiens ladekast in de werkplaats van Elizabeth Denison staat,' zei Rick. 'Hij is de laatste twee maanden niet uit Charleston weg geweest en zijn stem is niet dezelfde als die van haar voicemailberichten.'

'Toch heeft die oplichter Beth nog op zijn lijstje staan.'

'Maar daar hebben wij niets aan. Luister, als ze bereid is te praten, zullen we haar nodig hebben. Vanwege wat er in Indiana gebeurd is zit de FBI ook op de zaak. Ze hebben een speciaal team samengesteld onder leiding van Armand Copeland. Is hij goed of niet meer dan een nerd met een laptop?'

'Ik ken hem niet, maar vergis je niet: die nerds met een laptop kunnen er wel wat van. Ik heb vanmorgen een bericht achtergelaten voor Geneviève Standlin. Ze mocht me altijd wel en wilde niet dat ik wegging bij de FBI.' Hij wist natuurlijk niet of dat van belang was. De laatste keer dat hij haar zag, had hij tegen haar gezegd dat ze zich met haar eigen verdomde zaken moest bemoeien en hem met rust moest laten.

Neil liep naar de rand van de parkeerplaats en keek of hij de jogger ergens tussen de bomen zag. Omdat de man zo plotseling verdwenen was, hield hij instinctief zijn hand op zijn pistool.

'Oké,' zei Rick, 'hier heb ik de informatie over die nummerplaat. Chevy Lumina, 2001, donkerblauw. De eigenaar heet Joshua Herring. Hij is een...'

Neil hoorde een geluid. Hij draaide zich om en greep naar zijn pistool, maar het was te laat. Alles werd zwart voor zijn ogen.

15

Hij kwam weer bij zinnen toen hij de grond raakte. Terwijl zijn mobieltje in stukken uiteenspatte op het plaveisel en zijn pistool viel, had hij nog net het vermogen om weg te rollen. Draadjes licht dansten als piepkleine, geluidloze klappertjes voor zijn ogen. Hij probeerde op te staan en greep naar de dichtstbijzijnde auto om zijn evenwicht te bewaren.

De jogger haalde nog een keer uit en Neil kwam op de motorkap van de auto terecht. Een pistool ging met een boog door de lucht in de richting van Neils hoofd. Hij pakte de man bij zijn pols en probeerde, terwijl hij zijn vlees verwrong, zijn arm om te draaien. Daarbij sprong hij van de motorkap. Neil dacht nu genoeg tijd te hebben om zijn pistool op te rapen, maar de man viel hem van achter aan; rollend en grommend als twee wolven vielen ze op de grond.

In de verte gilde een vrouw en iemand riep dat het alarmnummer gebeld moest worden. Neil probeerde het gevecht over de stoep naar het bos te verplaatsen, weg van de omstanders. Verder dacht hij alleen aan Abby en Beth; waarom had deze bruut hen gestalkt?

'Klootzak.' Hij gaf de man een kaakstoot, pakte zijn onderarm beet en sloeg die tegen een boom. De hand van de man ging open en zijn pistool plofte op de grond. Neil drukte zijn .45 in zijn heen en weer bewegende adamsappel.

'N-niet s-schieten, n-niet s-schiet–'

'Wie ben je?' snauwde Neil. In zijn nek liep een warme stroom bloed. 'En als je antwoord me niet bevalt, dienen je hersenen de komende vijf jaar als mest voor de planten op dit parkeerterrein.'

'L-legitimatie. In mijn a-achterzak.'

'Ga liggen.'

De man ging op zijn knieën zitten – Neil hielp hem een handje – en vervolgens op zijn buik liggen, waarna hij zijn handen gewillig op zijn hoofd legde. Neil greep in zijn achterzak en haalde een portefeuille tevoorschijn. Hij bekeek het rijbewijs, controleerde het volgende legitimatiebewijs en doorzocht een stapeltje kaarten: VISA, American Express, Starbuck's, Blockbuster en – godallemachtig! – het pasje van een plaatselijke bibliotheek. Hij las de naam op het rijbewijs nog een keer, dacht aan wat Rick had gezegd vlak voordat alles zwart voor zijn ogen was geworden en rolde de man op zijn rug.

'Ben je een privédetective?' vroeg Neil ongelovig. 'Die Beth Denison in de gaten houdt?'

'Ik ben Joshua Herring van Herring Investigations.' Er liep bloed uit zijn mondhoek.

'Waarom hou je Beth Denison in de gaten? Wie heeft jou ingehuurd?'

'Dat is vertrouwelijke informa–'

Neil pakte hem bij de kraag van zijn overhemd, trok hem met zich mee naar een boom en legde zijn hand ertegen. Hij hield de hand stevig vast en bracht zijn .45 zo omhoog dat het leek alsof hij met de loop van zijn pistool op de pink van de man mikte.

'Nee, nee! Oké,' stamelde de man, die lijkbleek was geworden.

'Door wie ben je ingehuurd?' herhaalde Neil.

'Door Elizabeth Denison zelf!' riep hij. 'Ik moest haar dochter in de gaten houden. Ze was bang dat haar ex-man het meisje zou komen halen.'

Het duurde even voordat Neil alles had laten bezinken en ondertussen waren er auto's met loeiende sirenes op het parkeerterrein verschenen. Hij liet zijn arm zakken en trok de man met zich mee, toen hoorde hij onmiskenbaar het geluid van voetstappen, pistolen die werden getrokken en boze stemmen.

'Stop! Politie! Laat je wapen vallen!'

Neil keek op, liet Herring los en liet zijn pistool aan het puntje van zijn vinger bungelen. 'Krijg nou wat,' zei hij.

Silver Springs, Maryland
Nog 20 kilometer

Chevy zat in Mo's vrachtwagen achter op het parkeerterrein van St. Mary's Catholic Church, net buiten het district. Zijn eigen auto had hij bij het vliegveld gezet; daar stond hij veilig, althans voor een tijdje. Hij wist niet wat er in de kerk had plaatsgevonden: een repetitie, een dienst of misschien een of andere vergadering. Wat het ook was, de bijeenkomst was al ongeveer een halfuur afgelopen. Het parkeerterrein was leeg, op drie of vier auto's na die helemaal achterin geparkeerd stonden – van bedienden, vermoedde hij, of van fanatiekelingen die altijd als laatste het gebouw verlieten. Hij rekende erop dat minstens twee van hen vrouwen zouden zijn. En dat er ten minste een alleen was.

Hij zette het volume van de cassette harder en zonk weg in de zachte, luxueuze bekleding van de bestuurdersstoel. Het doden van nietsvermoedende dieren moest meer geld opleveren dan hij had gedacht: Mo's vrachtwagen, met bouwjaar 2009, had vierwielaandrijving, een interieur van zacht leer, een dubbele cabine en een dashboard als van een cockpit.

En een geavanceerde geluidsinstallatie.

'Nee. Alsjeblieft, sto-o-o-p. Doe me alsjeblieft geen pijn...'

Zijn laatste aanwinst uit Indiana. Heerlijk.

Hij sloot zijn ogen en liet het geschreeuw van de vrouw over zich heen komen. Dit was een van zijn betere moorden geweest. Die had hem heel blij gemaakt; bij zijn volgende slachtoffer zou hij het zich niet kunnen veroorloven alle tijd te nemen, maar moest hij snel en eenvoudig te werk gaan. Geen tijd voor cassettes en zelfs geen tijd om het lijk te dumpen. Gewoon schieten, het slachtoffer aanpassen aan de pop en wegwezen.

Hij pakte het volgende verzekeringsformulier inclusief foto: *Benoit, 1866. Roomwit hoofd en borstplaat, mooi houten lijf. Nieuwe blouse, maar andere kleding origineel. In zeer goede staat. Geschatte waarde: 30.000–50.000 dollar.*

Nee, deze moord zou geen enkel probleem mogen opleveren.

Ze kwam naar buiten door de zijdeur van de kerk – Chevy koos voor haar zodra hij haar zag – en liep naar het gebouwtje ernaast dat als een soort kleuterschool dienstdeed. Ze ging naar binnen en kwam vijf minuten later weer naar buiten met een grote papieren tas. Ze liep over het parkeerterrein en kwam zijn kant op. Chevy kon zijn zenuwen nauwelijks bedwingen. Hij ging rechtop zitten en bekeek de auto's die er nog stonden: twee SUV's, een minibus en twee sedans. Als een van de grotere voertuigen van haar was...

Met tintelend bloed speurde hij de rest van het parkeerterrein af. Niemand te zien. Ze liep voorbij de eerste sedan, de eerste SUV. Ongeduldig wipte Chevy met zijn voeten. Niet de Honda, niet de Honda. Het mogen alle auto's zijn, behalve de kleine Honda...

Ze drukte op een knop in haar hand en de koplampen van de Dodge Caravan flitsten aan en weer uit. Chevy werd overspoeld door een golf van opwinding. De minibus: perfect.

'Jenny,' zei hij met gespannen stem, 'ik ben zo terug.'

Voordat hij uit de vrachtwagen stapte, nam hij zijn lijstje nog een keer door om er zeker van te zijn dat hij alles had: nieuw pistool van Mo Hammond – een kleine .22. Trouwring aan zijn vinger. O, en de blouses natuurlijk. Hij greep onder zijn stoel, waar hij een plastic tas van warenhuis J.C. Penney's had opgeborgen.

De vrouw was een meter of vijfentwintig van hem vandaan. Onopvallend liep hij in haar richting. Chevy had rossig haar en bruine hertenogen. Hij was één meter tachtig lang. Hij had ooit eens gelezen dat dat de gemiddelde lengte was van blanke Amerikaanse mannen, maar toch was hij liever wat langer geweest. Zijn onschuldige uiterlijk kwam hem goed van pas bij zijn jacht op vrouwen. Er waren in zijn leven vrouwen geweest die hem gepest hadden en sommige hadden hem ook gebruikt. Er waren er zelfs geweest die medelijden met hem hadden gekregen toen ze hoorden wat er met zijn zusje was gebeurd. Maar ze waren nooit bang voor hem en als dat wel zo was, was het al te laat.

De vrouw keek zijn kant uit, glimlachte een beetje en drukte nog een keer op haar sleutelhanger. De zijdeur van haar busje schoof open.

Chevy versnelde zijn pas. 'Hé, u hebt iets laten vallen,' riep hij, terwijl hij op haar af liep. 'O nee, toch niet, geloof ik. Neemt u me niet kwalijk.' Er verscheen een glimlach op zijn gezicht; de glimlach die vrouwen nooit aan het schrikken bracht. 'Zal ik u even helpen?'

Ze ging met de tas in haar hand bij de zijdeur van haar busje staan en wilde hem bedanken. Zodra ze haar mond opendeed, gaf hij haar een duw. Ze viel op de kuipstoelen achterin en slaakte een gil. Chevy klom achter haar aan naar binnen – of beter gezegd, boven op haar – en probeerde de deur dicht te krijgen. Hij zette de loop van zijn pistool ongeveer twee centimeter boven haar slaap – hij had geen tijd om alles heel precies af te meten.

Fwp. Niet de weergalmende knal van een .38 waarmee geschoten wordt op een berg in de Rocky Mountains of boven op een klif in Nebraska, maar alleen maar *fwp*. Languit over de stoelen liggend begon de vrouw te schokken en langzaam verdween al het leven uit haar lichaam.

Chevy klom van haar af en dook weg, ook al had de demper van zijn pistool het geluid gesmoord en waren de ramen geblindeerd. Het kon nooit kwaad om voorzichtig te blijven.

Maar er kwam niemand. Zelfs moeder niet.

Hij kwam zo ver overeind als het dak van het busje toestond, draaide de geluiddemper los en stak het pistool in zijn zak. Hij trok de vrouw omhoog en zette haar in een van de stoelen. Uit het kogelgat liep bloed over de zijkant van haar hoofd omlaag.

Hij pakte de tas met blouses en bekeek de vrouw aandachtig. Ze was niet erg lang. Hij haalde een van de roze blouses tevoorschijn en bekeek het label. Maat vierenveertig. Veel te groot. Hij pakte een ander exemplaar. Dit was maat zesendertig; nu moest het lukken.

Hij trok haar blazer uit en sneed het gebreide bovenstuk met korte mouwen weg dat ze eronder aanhad. Snijden was makkelijker dan proberen het over haar hoofd uit te trekken. Chevy slaagde erin haar armen in de mouwen van de roze blouse te schuiven en knoopte die aan de voorkant dicht. Tegen de tijd dat hij haar blazer weer over de blouse had gekregen, stond hij te zweten. Het is niet eenvoudig om lijken – ook kleine niet – achter in een klein busje te bewerken.

Maar het was gelukt. Chevy probeerde nog wat verder overeind te komen, keek naar de foto van de pop op het verzekeringsformulier en vervolgens naar de vrouw. De blouse van de foto had iets meer kant, maar de gelijkenis was goed genoeg.

Hij opende de handtas van de vrouw en zocht naar haar mobieltje. God, wat was het lang geleden dat hij Beth met een veilige telefoon had kunnen bellen!

Hij kon nauwelijks wachten om haar stem te horen als ze zich realiseerde waar hij was.

Het telefoontje kwam drie uur nadat Neil Beth in het park naar huis had gestuurd. Abby was naar een film aan het kijken. Cheryl en Jeff zouden die avond laat thuiskomen en Beth was van plan de volgende morgen vroeg te beginnen aan de vier uur durende rit naar hun huis. Ze moest alleen deze nacht nog proberen door te komen.

Vertrouw me.

Ze gaf Abby iets te eten, stak *The Aristocats* in de videorecorder en ging naar de fitnessruimte om op haar zandzakken te slaan. Nadat ze een douche had genomen, staarde ze naar de telefoon en vroeg zich af wat Neil Sheridan aan het doen was, nu hij haar diepste, duistere geheim kende.

Hij heet Chevy Bankes! Hij heeft het op mij gemunt, en op Abby...

O god. Het spijt me, Abby.

Ten slotte ging ze naar het souterrain en zocht de tweede pop van mevrouw Chadburne, de pop die ze vanmorgen had gekregen. Terwijl ze hem uitpakte, hield ze haar adem in. Deze poppen waren zeldzaam: voor zover bekend behoorden ze tot de eerste modepoppen die in Europa waren gemaakt. Andere – met name de Bru-poppen en de Simon-Halbigs – waren in de jaren zeventig van de negentiende eeuw en later vervaardigd. De Benoit-poppen stamden uit de jaren zestig van de negentiende eeuw, er waren er minder van en hun kwaliteit was ongeëvenaard. Deze pop was uit 1865 en droeg het gebruikelijke halvemaanvormige Benoit-merkteken in haar nek. Het lijf was van geitenleer en de armen en benen waren roomwit. Beth maakte de kleding voorzichtig los om de pop beter te kunnen bekijken, om te beginnen de plooirok en de petticoat, daarna het ondergoed...

Hè, verdomme, de benen waren beschadigd. Kleine haarscheurtjes liepen als een spinnenweb over het porselein, alsof er ooit iets op de pop terecht was gekomen of iemand hem had laten vallen. Ze zuchtte. Zulke schade was lastig te restaureren en zelfs de beste reparaties zouden onder UV-licht zichtbaar zijn. Maar hoe duur de restauratie ook mocht zijn, deze tegenslag kwam niet onverwacht: sommige van deze poppen, die oorspronkelijk gebruikt werden als modellen in etalages, hadden godbetert als kinderspeelgoed dienstgedaan.

Om zich te ontspannen en de tijd te doden ging ze wat zitten computeren. Het hielp, tot de telefoon ging.

Ze kreeg hartkloppingen. *Neil?*

'Hoi, schatje.'

Beth werd doodsbang. Ze probeerde haar angst te temperen met woede.

'Ik heb je gemist,' zei Chevy Bankes. 'En ik weet dat je nauwelijks kunt wachten om me te zien.'

'Ik kan nauwelijks wachten om je dóód te zien.'

Hij begon te lachen. 'Wat ben je toch een driftkop. Ik hád een uur geleden liever jou als gezelschap gehad, want de vrouw die bij me was, was nogal... saai.'

De rillingen liepen over haar rug. 'Wat bedoel je?'

'Ik bedoel dat er niet eens sprake was van een gevecht. Geen pijn, geen lijden, geen gesmeek. Ze viel simpelweg in haar eigen busje en ik heb haar doodgeschoten.'

O god, o god!

'Ik had niet eens de luxe haar te horen schreeuwen. Maar dat geeft niet. Ik kan naar het geschreeuw van de anderen luisteren tot jij aan de beurt bent.'

Beth slikte gal weg en stikte bijna. *Afgelopen woensdag in Seattle, gisteren in Indiana*... En nu weer een?

'Waar ben je mee bezig? Je haat míj,' zei ze. 'Waarom zou je iemand anders pijn doen?'

'O,' antwoordde hij, 'bedoel je dat ik jou nu geen pijn doe? Ik zou toch zweren dat ik píjn in je stem hoor!'

Beth viel op haar knieën. Als ze bij het neerkomen het geluid, *toenk*, niet had gehoord, zou ze het zich niet eens gerealiseerd hebben. 'H-hou op. Ik wil dat je verder niemand meer pijn doet.'

'Heel goed, Beth. Ik vind het heerlijk om je te horen smeken. Het is een aangename gedachte om te weten dat je eindelijk lijdt.'

Hou vol, nu niet flauwvallen. Het is te laat om iets met hem te regelen, te laat voor iets waarbij Adele Lochner kon helpen. Te laat ook om Abby te beschermen. Beth zou hem zelf moeten stoppen.

'Kom dan maar,' zei ze zachtjes. 'Kom me maar halen. Ik ben degene op wie je het gemunt hebt. Wil je dat ik smeek? Dan zal ik smeken, klootzak. Ik zal schreeuwen en gillen zoals jij dat wilt. Ik zal –'

Ze werd onderbroken door zijn zware, duivelse lach. 'Wees voorzichtig met wat je van me vraagt, popje.'

Klik.

'Neee!' De telefoon gleed uit Beths handen. In een poging haar evenwicht te bewaren kwam ze langzaam overeind, schokkend als een krankzinnige.

Hij vermoordde vrouwen. Niet zeven jaar geleden, maar nu. Vorige week. Gisteravond. Een uur geleden. Het enige waar ze ooit aan had gedacht was het bewaren van haar geheimen en het beschermen van Abby. En ondertussen had Bankes, onderweg naar haar, vrouwen om het leven gebracht.

Ze liep naar haar bureau. Met trillende hand drukte ze een toets van de telefoon in, waarna er een nummer in het schermpje verscheen: netnummer 571.

Arlington. O god!

Ze doorzocht haar handtas tot ze Neils nummer had gevonden en toetste het in. *'Het door u gebelde nummer is niet bereikbaar.'* Ze probeerde het nog een keer. *'Het door u gebelde nummer is niet bereikbaar.'*

Bankes kwam steeds dichterbij. Netnummer 571. Ze moest Abby hier weghalen.

Blijf daar tot ik contact met je opneem. Vertrouw me.

Beth veegde met haar handpalmen haar wangen droog. Ze liep de trap op, keek even bij Abby, die volledig in de film opging, en haalde vervolgens het 9mm-pistool tevoorschijn uit de geheime ruimte in de kroonlijst van haar ladekast. Ze controleerde de patroonhouder, klikte hem dicht en zorgde er vervolgens voor dat er een extra kogel in de kamer zat.

In opperste concentratie, waarbij ze zich meer door haar verstand dan door haar emoties liet leiden, pakte Beth een koffer uit een kast in de logeerkamer. Die was al ingepakt. Het enige wat ze er nog in moest stoppen waren Abby's tandenborstel, onmisbaar speelgoed en Heinz' riem en eten. Beth verzamelde de toiletspullen en een paar knuffeldieren en een kussen voor Abby, en vervolgens raapte ze een plastic egel op, Heinz' lievelingsspeeltje. Ze propte alles in de koffer.

In drie minuten laadde ze haar handtas, de hond, het speelgoed en de koffer in haar Suburban. Toen liep ze naar boven.

'Hé!' klaagde Abby toen Beth de tv uitzette.

'Hoe vaak heb je deze film al gezien?' vroeg Beth, waarbij ze met moeite een glimlach op haar gezicht wist te toveren.

'Ongeveer dertighonderdduizend keer,' antwoordde Abby giechelend.

'Dat dacht ik wel. Luister, wat zou je ervan vinden als we niet morgenochtend, maar vanavond al naar tante Cheryl en oom Jeff zouden gaan?'

'Vanavond? Nu?'

'Nu meteen. We moeten opschieten. Ga eerst nog even naar de wc; het wordt een lange rit.'

'Oké!' Abby rende snel naar het toilet en binnen twee minuten waren ze onderweg. Zodra ze de stad uit waren, belde Beth naar Cheryl.

De eerste leugens waren vreselijk moeilijk geweest, maar het liegen ging haar nu veel gemakkelijker af.

16

Neil stormde Ricks kantoor binnen. Agenten hadden zich als fruitvliegjes rond zijn bureau verzameld. Ze huiverden allemaal toen ze Neils afgeleefde gezicht zagen, maar ze waren zo geconcentreerd op wat er gaande was dat ze niets tegen hem zeiden.

'Wat is er gebeurd?' zei hij, terwijl hij zich als een bulldozer een weg door de agenten baande.

'Rustig, man.' Er verscheen een frons tussen Ricks wenkbrauwen. 'Wat ben je weer opgefokt.'

'Nee, het gaat wel.' Neil voelde achter in zijn nek, waar tien hechtingen aan zijn huid trokken. Dat had hij te danken aan Joshua Herring, de privéklootzak van Beth. 'Wat is er gebeurd?'

'Elizabeth Denison is zojuist gebeld. We hebben het gesprek nog niet gehoord. Je mobieltje stond uit, dus heeft jouw aftapper mij gebeld. Ik heb hem gevraagd de opname hierheen te sturen.' Hij zette een vinger op Neils borst. 'En jíj mag aan de baas uitleggen hoe we aan die opname zijn gekomen.'

De baas was nu wel het laatste waar Neil zich druk om maakte. Weer een telefoontje? En deze keer niet anoniem. Beth had gezegd dat de beller een man was die Chevy Bankes heette. Terwijl Neil in het ziekenhuis lag, hadden ze informatie over de man binnengekregen, maar voorlopig waren ze er nog niet achter wat het verband tussen Bankes en Beth was.

Maar een verband was er wel degelijk: hij had haar zojuist weer gebeld. En deze keer was haar telefoon afgetapt.

De telefoon op Ricks bureau ging. 'Met Sacowicz.' Hij luisterde met een gespannen gezicht. 'Blijf haar in de gaten houden. Verlies haar in godsnaam niet uit het oog. Ik stuur meer wagens.'

Hij hing op en keek naar Neil. 'Elizabeth Denison is ervandoor gegaan. Ze heeft een koffer, de hond en haar kind in haar auto gezet en rijdt nu in noordelijke richting op de I-95.'

'Wat?' Het duurde vijf tellen voordat de woorden tot Neil doorgedrongen waren. Toen dat was gebeurd, wilde hij ergens op slaan. 'Godverdomme. Ze had me beloofd dat ze thuis zou blijven.'

Hij voelde hoe de blikken van de andere agenten zich in hem boorden. Pas toen iemand het hardop zei, werd hem duidelijk wat ze dachten: 'Dus Elizabeth Denison speelt wel degelijk onder een hoedje met Bankes. Die klootzak heeft haar gebeld en nu gaat ze hem ergens ontmoeten.'

'Dat weten we niet,' zei Rick. 'Laten we de opname van het telefoontje afwachten. Billings blijft in haar buurt.'

'Alleen Billings?' vroeg Neil.

'Nee.' Rick knipte met zijn vingers naar een agent die Fernandez heette. 'Schaduw haar. Voor haar, achter haar, waar het maar kan. Zorg ervoor dat je haar of de man die ze gaat ontmoeten' – hij keek naar Neil – 'als daar tenminste sprake van is, niet uit het oog verliest. Vergeet niet dat er een klein meisje in de SUV zit. Laat deze operatie niet mislukken.'

'Begrepen,' zei Fernandez. Hij en drie anderen liepen razendsnel het kantoor uit.

'Dat zou ze nooit doen, Rick,' zei Neil. 'Ze zou niet zomaar vertrekken zonder het tegen mij te zeggen. Dat hadden we min of meer afgesproken.' Maar hij begon nu zelf te twijfelen. Misschien was het allemaal toneelspel geweest. De hartverscheurende emoties, het noemen van Bankes' naam. Het feit dat ze huilend had beloofd dat ze hem zou vertrouwen. Hun kussen.

'Duurde het telefoontje lang genoeg om achter de locatie te komen?' vroeg Neil.

Rick liep naar een kaart die aan de muur hing. 'In de tijd dat hij aan de lijn hing zijn ze erachter gekomen dat hij gebeld heeft vanuit een gebied dat in een straal van tien straten rond St. Mary's Church in Silver Springs ligt,' zei hij, terwijl hij met zijn vinger op een deel van de kaart tikte dat minder dan twintig minuten rijden van Beths huis lag. 'In een straal van vijf straten rond de kerk staan agenten die alles tegenhouden wat er verdacht uitziet.'

'Inspecteur.' Er was nog een telefoon gegaan en een vrouwelijke agent hield de hoorn voor Ricks gezicht. Hij pakte hem aan. Opnieuw bleef het even stil, toen verdween alle kleur uit zijn gezicht. 'Geef alle informatie door aan Fernandez en fax alles naar ons.' Hij hing op. 'Shit.'

'Wat is er?' vroeg Neil.

'Er is een dode vrouw in een Dodge Caravan gevonden' – hij zweeg even om de plaats op de kaart te markeren, net binnen het omcirkelde gebied – 'op het parkeerterrein van St. Mary's Church. Ze is door haar hoofd geschoten.'

Neil staarde Rick aan; hij zag eruit alsof iemand hem zojuist een mes in zijn rug had gestoken. 'Ga erheen, Jackson,' zei Rick tegen de vrouw. 'Neem iemand van beneden met je mee en begin met het uitkammen van het gebied rond de kerk. En breng FBI-agent Copeland op de hoogte. Laat niemand iets aanraken in het busje tot de FBI er is.' Hij keek naar Neil. 'Ik ga er ook een kijkje nemen. Misschien ligt er iets in het busje wat een aanwijzing kan zijn.'

'Nóg een aanwijzing, zul je bedoelen,' zei Neil met een bittere smaak in zijn mond. 'De beste aanwijzing laat je op dit moment schaduwen en rijdt in noordelijke richting op de I-95.'

'Zou kunnen.' Rick zweeg even en kauwde op zijn lip. 'Wil jij soms hier blijven en wachten tot de opname van het telefoontje binnenkomt?'

Ja, dat wilde Neil wel. Hij wilde graag het telefoongesprek horen waardoor Beth op de vlucht was geslagen, uren nadat ze hem had gekust, hem had toegestaan Abby te troosten en hem had beloofd dat ze hem zou vertrouwen. Hij wilde graag horen wat die klootzak had gezegd voor wie ze in alle haast was weggereden omdat ze Neil niet kon bereiken.

Maar liever nog wilde hij erbij zijn wanneer ze haar vonden. Hij wilde haar gezicht zien, in haar mooie, geheimzinnige ogen staren; haar terug zien kijken.

Bekijk het ook maar met die opname, dacht Neil. 'Ik ga achter Billings aan. Bel me als Bankes op de opname iets anders zegt dan: "Ik ben er eindelijk, schatje. Wil je mij en mijn Glock niet zien?"'

Er werd veel meer gezegd op de opname en Neils hart klopte in zijn keel toen hij het vijf minuten later hoorde.

'Moet je luisteren,' zei Rick, die buiten adem klonk aan de andere kant van de lijn. Ze zaten allebei in hun auto en door het gekraak van storing op de lijn konden ze elkaar maar moeilijk verstaan. 'Dit is de opname van het telefoontje van tien minuten geleden. Hou je vast.'

Neil parkeerde zijn auto tegen de stoeprand. Er klonken een paar klikken, toen was de stem van de beller te horen.

Dreigementen. Intimidatie. Een bekentenis dat hij mensen heeft vermoord. Beth die geschokt en bang klinkt. En hem vervolgens provoceert en met hem probeert te onderhandelen, doodsbenauwd.

'Jezus,' zei Neil. Zijn ademhaling ging snel en zijn hart bonsde, hoewel hij niets anders deed dan stilzitten in zijn auto. 'Laat het nog eens horen.'

Nadat Neil de opname opnieuw had gehoord, begon hij voor de tweede keer in negen jaar te bidden, voor zover hij zich kon herinneren. De eerste keer had hij dat iets meer dan een maand geleden gedaan, voor zijn broer. Het leek verdomme wel een gewoonte te worden.

Rick kwam weer aan de lijn. 'Ze is dus niet bij hem. Dat is goed nieuws, toch?'

Natuurlijk. Geweldig nieuws. Beth was doodsbang en over haar toeren, omdat een moordenaar van de andere kant van het land hierheen was gekomen om haar te vinden. Abby was bij haar, ze droeg minstens een .22 bij zich of misschien wel het 9mm-pistool waarmee ze bij Keet's had geoefend, en ze had een of ander doldriest plan bedacht waarover ze Neil niets had verteld.

'Wil je nog meer horen?' vroeg Rick. 'Elizabeth Denison rijdt nu in westelijke richting. Ze gaat helemaal niet naar Bankes toe en hij kan er geen idee van hebben waar ze heen rijdt, tenzij hij haar telefoon ook heeft afgetapt.'

'Weten wij het wel?' vroeg Neil.

'Weten wij wat wel?'

'Waar ze naartoe gaat.'

'Nee. Daarom heb ik jou gebeld. Wil je dat onze jongens haar aan de kant van de weg laten stoppen?'

'Jezus, man, ze heeft Abby bij zich.'

'Het zou makkelijk kunnen. Een auto, twee politieagenten. En dan proberen om Abby niet al te hard te laten schrikken.'

'Je wilt een radeloze moeder die doodsbang is en twee wapens bij zich heeft door één auto aan de kant laten zetten?'

'We kunnen haar eerst nog een tijdje laten rijden, zodat ze een beetje tot bedaren kan komen.'

'Ja, dat is goed,' zei Neil. 'Maar ik wil erbij zijn als ze stopt.'

'Waar ben je nu? Ik pik je wel even op.'

Na drie uur rijden zaten ze achter haar. Ze vormde voor niemand een bedreiging, behalve voor zichzelf. Ondertussen waren ze door vijf verschillende politiedistricten gereden. Nu waren ze in de bergen van Zuidwest-Virginia en Neil vroeg zich af of ze misschien van plan was naar het eiland Guam te gaan.

Ze wisten zo goed als niets over de moordenaar van de vrouw in het busje. Het slachtoffer was een vierendertigjarige onderwijzeres op een katholieke kleuterschool die een personeelsavond had bezocht. Ze was in haar eigen busje door haar hoofd geschoten. Geen houding als van een danseres, geen ontbrekende oogleden, geen rare sneeën in haar benen. Zelfs geen markering van wenkbrauwpotlood op haar slaap, en de kogel leek van een kleiner kaliber dan een .38. Het telefoontje naar Beth was de enige link tussen deze vrouw en de man die niet langer hun 'ongeïdentificeerd object' was. Hij had nu een identiteit. Hij heette Chevy Bankes.

'Denk je dat ze simpelweg op de vlucht is geslagen?' vroeg Rick. 'Dat ze gewoon net zo ver weg wil rijden tot ze denkt dat ze veilig is?'

Neil dacht even over die mogelijkheid na. 'Nee. Je hoorde haar toch tegen hem zeggen dat hij naar haar toe kon komen? Ik denk dat ze die klootzak naar haar huis wil lokken en hem dan zal proberen te vermoorden.' Hij sloot zijn ogen. 'Ik had haar kunnen helpen.'

'Beth?' vroeg Rick zachtjes. 'Of Heather?'

Neil had het gevoel alsof er een oude wond werd opengereten. 'Jezus, Rick, beiden. Ik bedoel, als ze me gewoon hadden verteld wat er aan de hand was, dan had ik misschien...'

'Ho!' zei Rick opeens, terwijl hij met samengeknepen ogen in de duisternis tuurde.

Neil zocht de weg af naar wat Rick had gezien. Twee blinkende groene schijfjes, onbeweeglijk in de verte. Misschien een bosmarmot. Met flikkerende remlichten week ze plotseling uit om eromheen te rijden.

'Ze rijdt zichzelf nog dood op deze tweebaansweg,' zei Rick. 'Of ze valt achter het stuur in slaap. Als ze niet snel stopt, veroorzaakt ze een ongeluk.'

Neil keek naar de groene cijfers die in het dashboard gloeiden: 23.45 uur. Ze waren bijna vier uur buiten hun district en hij had geen flauw idee hoe ver Beth van plan was te rijden. Hij wist wel dat ze Joost mocht weten hoelang niet fatsoenlijk had geslapen. Het was een kwestie van tijd voordat er een ramp zou gebeuren.

'Oké,' zei hij. 'We zetten haar aan de kant. Anders rijdt ze zichzelf nog tegen een boom te pletter.'

Rick knikte. Hij nam via de radio contact op met Billings, maar verbrak opeens de verbinding. 'Wacht, ze neemt een afrit.'

Beth sloeg een weggetje in waarvan de naam werd aangeduid door een oud bord waar CO. RD. 208 op stond. Neil haalde een wegenkaart tevoorschijn en gebruikte het licht van het dashboardkastje om goed te kunnen zien. 'Covington.' Hij tikte met zijn vinger op de kaart. 'Tien kilometer in noordelijke richting ligt aan de 208 een stadje dat Covington heet. Vier kilometer ervoor bevindt zich een verkeersknooppunt.'

'Wat is er in godsnaam in Covington te vinden dat ze daarheen wil?'

'Geen idee,' zei Neil, 'maar ze gaat er wel naartoe, tenzij ze verkeerd is gereden of op het knooppunt een andere weg neemt. Het is niet eenvoudig om per ongeluk in dat stadje terecht te komen.'

Ze stopte bij het knooppunt. Billings wist te melden dat er twee benzinestations en een wegrestaurant stonden. Beth parkeerde bij het restaurant.

'Billings,' zei Rick in zijn mobilofoon, 'hou de kruispunten in de gaten. Wij volgen Elizabeth het restaurant in.' Met een berustende blik wendde hij zich tot Neil. 'Toch?'

Neil knikte, maar vanbinnen voelde hij zich leeg. Dit was niet de manier waarop hij haar had willen helpen. Wat was hij toch een sufferd; hij had de hele tijd gedacht dat ze vrijwillig zijn hulp zou inroepen.

Maar dat was niet meer belangrijk. Vrijwillig of niet, ze kon nu niet meer om hem heen.

17

Arlington, Virginia
Ground Zero

Chevy was blij dat de hond weg was. Hij hield best van honden, hij had zich ooit zelfs over een zwerfhond ontfermd, maar hij wilde niet dat de hond van Beth rond het huis liep te snuffelen. Hij had niet eens geweten dat ze er een had, tot hij hem tijdens een van zijn telefoontjes op de achtergrond hoorde blaffen. Nu zag hij de bakken met eten en water in de hoek van haar keuken staan. Vast een flink beest, dacht hij toen hij de grootte van de bakken zag, en vervolgens zag hij een foto op de muur die zijn vermoeden bevestigde. Dertig tot vijfendertig kilo. Des te beter dat de hond er niet was.

Hij liep door de keuken en bekeek alles nauwkeurig om zoveel mogelijk over Beth te weten te komen. Hij wist dat ze niet thuis was; de afwezigheid van de hond en de lege plekken op de planken met speelgoed duidden erop dat ze er met haar dochter vandoor was gegaan. Zou ze de politie hebben ingelicht? Natuurlijk. Ongeveer een uur geleden was er een patrouilleauto gearriveerd die nu iets verderop in de straat stond. Twee agenten waren zelfs het huis binnengegaan en Chevy had nauwelijks tijd gehad om zich te verbergen. Hij was in het souterrain ineengehurkt in een kast gaan zitten en had gehoord dat de agenten tegen elkaar zeiden hoe spannend ze het wel niet vonden om achter een seriemoordenaar aan te zitten. Ze bespraken alle manieren om hem te pakken te krijgen.

Chevy liep de trap op en kwam langs een deur waarop aan de bovenkant de gestileerde letters *A-B-B-Y* hingen. Abby. Wat een geluk. Pas nadat hij met Beths voormalige collega's had gesproken wist hij dat ze zwanger was toen ze uit Seattle wegging. Hij had zich gevoeld als iemand die de hoofdprijs had gewonnen in zo'n spelprogramma op tv. Een beter martelwerktuig had hij zich niet kunnen wensen.

Hij wandelde op zijn gemak door de rest van de bovenverdieping. De grote slaapkamer bewaarde hij voor het laatst. Hij durfde geen licht aan te doen en zou alles wat hij aanraakte schoon moeten vegen, maar dat was de moeite waard als hij alle dingen kon vóélen die Beth had betast en vol genot haar geur kon ruiken. Ze was een mooie vrouw; dat wist hij nog van hun eerste ontmoeting. Maar er waren andere dingen van haar die hij zich beter herinnerde. Haar kracht. Haar stilzwijgen. Haar wreedheid tegenover Jenny. Na moeder was er geen enkele vrouw geweest die daar ongestraft mee weg was gekomen.

La-li-la. Who'll dig his grave? I, said the Owl...

De woede was als een tumor die binnen in hem groeide en hem deed trillen. Hij pakte het voeteneinde van het hemelbed vast, deed zijn ogen dicht en probeerde zijn razernij te onderdrukken door zichzelf te dwingen aan Jenny te denken. Uiteindelijk had moeder niet gewonnen. Ondanks al haar inspanningen had Chevy Jenny gevonden, haar verpleegd en voor haar gezorgd.

En toen had hij geleerd, eerst met Gloria Michaels, hoe hij moeder tot zwijgen kon brengen. Eén vrouw tegelijk en elke nieuwe vrouw beter dan de vorige.

Tot Beth. Zij had alles verpest.

Maar wat was de smaak van zijn wraak nu zoet. Als hij naar opnamen van hun telefoongesprekken luisterde, kon hij de pure ontzetting in haar stem horen. Haar angst was inmiddels bijna tastbaar en leefde dag en nacht en uur na uur in haar. En als ze binnenkort doorhad hoe het zat met de poppen, zou ze bij elke nieuwe pop weten wat er ging gebeuren.

Kom dan maar... Je hebt het op mij gemunt. Ik zal schreeuwen en gillen zoals jij dat wilt...

Chevy sloot zijn ogen. *O ja, dat zal zeker gebeuren.*

Op het bord van het restaurant had ooit RON AND SALLY'S DINER gestaan, maar op Rons naam zat een dun laagje verf en in het woord DINER ontbraken de klinkers. Het restaurant had een eenvoudig interieur. Het rook er naar pruttelende groenten en overgaar rundvlees en in de hal stond een display met desserts waar zelfs een volkomen gezond iemand diabetes van kon krijgen. Voor dit uur van de dag waren er tamelijk veel klanten. Het leken voornamelijk reizigers te zijn; aan de nummerplaten van de auto's op het parkeerterrein te zien waren de meesten van buiten Virginia afkomstig. Maar vermoedelijk zaten er ook een paar inwoners van Covington, die hun dagelijkse beslommeringen tegenwoordig alleen met Sally deelden.

Beth Denison en Abby zaten al aan een tafel toen Neil en Rick het restaurant binnenliepen. Tegenover hen zat een vrouw.

'Wacht. Laten we even kijken wat er gebeurt,' zei Neil, waarop Rick ongeduldig begon te vloeken.

'Denk je nu echt dat ze het licht ziet als ze met haar vriendin praat en dan naar jou toe komt zodat je haar kunt redden? Geef het toch op, Neil. Die vrouw heeft iets in haar hoofd en jij maakt daar geen deel van uit.'

'Ik heb honger,' mopperde Neil. 'Laten we kijken wat ze van plan is.'

Dertig minuten later lag Abby met haar hoofd op Beths schoot en was ze bijna in slaap gevallen. Ondanks haar onderdrukte gegeeuw leek Beth zich op haar gemak te voelen. Zij en de andere vrouw hadden een gesprek gevoerd, een kom groentesoep gegeten en met Abby bordspelletjes gedaan. Als er geen koffer naast de tafel had gestaan en Heinz niet in de SUV had gezeten, hadden ze vriendinnen kunnen zijn die 's nachts nog een hapje gingen eten.

Nadat ze de rekening hadden betaald, liepen ze naar de hal en gaf Beth Abby een stevige knuffel.

'Jezus, ze nemen afscheid van elkaar,' zei Rick. 'Wie is die vrouw in godsnaam?'

'Dat weet ik niet, maar bel Billings.'

Rick was het nummer al aan het intoetsen. 'Het kind verlaat het restaurant met een andere vrouw. Volg de auto die ze nemen, geef het kenteken door en zoek uit wie de vrouw is.'

'Ze stappen in de auto van Elizabeth Denison, inspecteur,' meldde Billings. 'Nee, wacht even. Ze halen alleen de hond eruit. De blauwe Camry, die nemen ze. Lokaal kenteken. Ik geef het door.'

En weg was Billings. De vrouw was ook weg, evenals Abby en Heinz.

Beth verdween naar het damestoilet.

Na vijf minuten wachten zei Rick: 'Waarschijnlijk heeft ze haar pistool in haar handtas. Weet je zeker dat ze Bankes wil doden?'

Neil sperde zijn ogen open. Jezus, daar had hij nog nooit aan gedacht. Zou Beth zichzelf iets aan willen doen? Hij maakte aanstalten om naar het damestoilet te gaan.

'Wacht even,' waarschuwde Rick. 'Ze is uitgeput en bang en misschien heeft ze een geladen pistool in haar hand.' Hij pakte een serveerster met blauwe oogschaduw bij haar arm en liet haar zijn politiepenning zien. 'Laat niemand het damestoilet binnengaan, juffrouw. En bazuin het niet overal rond.'

Het meisje knikte met wijd open ogen. Met hun hand bij hun pistool gingen Rick en Neil het toilet in.

Uit het wc-hokje in de hoek, waarvan de deur op slot zat, kwam jammerlijk gehuil en hartverscheurend gesnik. Rick keek even of de twee andere hokjes leeg waren en ging toen tegen de wasbakken staan, een gebaar waarmee hij duidelijk wilde zeggen: ze is helemaal voor jou, makker.

Neil hurkte neer. Hij kon zien dat Beth op de grond tegen de muur zat, met haar hoofd tussen haar knieën. Hij kwam weer overeind; onder de deur van een wc-hokje kijken in een damestoilet leek hem verkeerd, hoe de omstandigheden ook waren. Maar haar handtas lag naast haar op de grond; waarschijnlijk had ze haar pistool binnen handbereik. Of misschien had ze het al in haar hand.

Jezus, ze klonk als een vrouw die besloten had zelfmoord te plegen. 'Beth,' zei hij, waarna het gesnik abrupt ophield. 'Ik ben het, Neil.'

Het bleef stil. Doodstil.

'Ik weet dat Chevy Bankes je vanavond heeft gebeld. We hebben een opname van het telefoontje gehoord.' Neil probeerde rustig te blijven. Hij sprak met zachte en kalme stem. 'Beth, ik weet dat je een pistool bij je hebt. Zit hij in je handtas?'

Opnieuw stilte.

'Je hoeft niet meer bang te zijn,' zei Neil. 'Twee politieauto's volgen je vriendin en Abby. Wie is die vrouw, Beth?' *Noem haar naam regelmatig, laat haar weten dat je bereid bent alles voor haar te doen. Ook al is dat het laatste wat ze wil.* 'Rick Sacowicz is er ook, lieverd. Ik ben er. Ik denk dat je ons nu wel kunt vertellen wat er aan de hand is, Beth.'

'Ik w-wist niet dat hij vrouwen aan het v-vermoorden was.'

Een golf van opluchting overspoelde hem toen hij het geluid van haar stem hoorde. 'Ik weet het, we hadden het je moeten vertellen.' En dat meende hij. Die verdomde juridische procedures ook altijd. 'Beth, schuif je pistool naar me toe, schat.'

Er bewoog iets in het hokje en Neil hield zijn adem in. Een klein zwart voorwerp gleed onder de deur van het wc-hokje door. Neil fronste zijn wenkbrauwen en raapte het op. 'Je mobieltje, Beth?'

'Ik had je gebeld.'

Neil kreeg het sterke gevoel dat hij gefaald had en haar niet goed genoeg had beschermd. Hij schrok van de intensiteit van dat gevoel. 'Het spijt me, schat. Mijn telefoon is vanmiddag in het park kapot gevallen.' Hij zweeg even. 'Waar is je pistool, Beth?'

De .22 werd onder de deur van het hokje door geschoven en even later volgde een geavanceerde 9mm-Glock.

'Jezus.' Neil pakte de wapens op. Hij maakte ze leeg en stopte de patroonhouder, losse kogels en de .22 in zijn jaszak. De 9 mm propte hij op zijn rug achter zijn riem.

Nu moest hij naar Beth toe.

'Ik kom naar binnen, Beth. Doe de deur open.' Terwijl hij het zei lag zijn hand al op de deur, die hij voorzichtig openduwde. De deur was niet op slot.

Ze keek naar hem op met haar mooie donkerbruine ogen, die nu glinsterden en opgezwollen en roodomrand waren. 'Ze heet Cheryl Stallings,' zei ze, waarna het even duurde voordat hij zich realiseerde dat ze het over de vrouw had die Abby had meegenomen. 'Ze is de zus van Adam. Ze wonen in Oakdale Lane in Covington. Maar ik heb hun niets over Bankes verteld. Ik kon het niet.'

Rick liep het wc-hokje uit en toetste een paar nummers op zijn mobieltje in. Neil reikte omlaag en hielp Beth overeind. Bij de aanblik van zijn gezicht kneep ze haar ogen samen.

'Wat is er met jou gebeurd?'

'Joshua Herring, dat is er met mij gebeurd.' Hij wachtte tot zijn woorden tot haar doorgedrongen waren.

'Mijn god. Is hij... Heb je...?'

'Maak je geen zorgen, het gaat goed met hem. Maar het scheelde niet veel of hij had vertrouwelijke informatie over een cliënte aan me gegeven. Hij is echt een bikkel,' zei hij vol sarcasme. Hij keek Beth scherp aan. 'Je éx-man?'

'Ik moest hem toch iets vertellen. Ik wist niet wat ik anders moest doen.'

Neils bezorgdheid ging over in boosheid. 'Maar dat weet je nu wel. Omdat je weet wat Bankes van plan is, heb je besloten om Abby ergens onder te brengen en terug te gaan om hem persoonlijk een kogel door zijn kop te jagen, nietwaar?' Hij pakte haar armen stevig vast. 'Ik heb de hele tijd voor je klaargestaan, verdomme. Je had me alles moeten vertellen.'

'Dat kon ik niet.'

‘In godsnaam, Beth!’ Hij schudde haar door elkaar. ‘Is het nooit bij je opgekomen dat ík Abby in veiligheid kon brengen? Heb je nooit gedacht dat als je mij zou vertellen wat er aan de hand was, ík misschien voor jullie beiden kon zorgen?’

Ze stortte in; alle spanning kwam er in één keer uit. Haar lichaam leek te verschrompelen en ze barstte in tranen uit. Neil vloekte en trok het hoopje verdriet dat nog van Beth over was tegen zijn borst. Er was niets anders waarbij een man zich zo machteloos voelde.

Toen het ergste achter de rug was en ze weer wat rustiger ademhaalde, liet hij haar los en gaf haar een tikje op haar kin. ‘Vertel me de waarheid, Beth. Waren die kogels voor jou bestemd of voor hem?’

‘Abby heeft me nodig,’ was het enige wat ze zei.

Opluchting stroomde door Neils aderen. ‘Ja,’ zei hij, ‘goddank heb je Abby nog.’

Het was warm in Beths souterrain, en dat leek vreemd. Of misschien was Chevy gewoon bezweet. De kast was een zwaardere klus dan hij had gedacht: zijn houding was onhandig en het ijzerzaagje uit Beths eenvoudige gereedschapskist werkte niet goed. Maar toen hij klaar was, had hij meer dan anderhalve meter ruimte in de kast en als hij het achterste schot verwijderde kon hij in de kruipruimte onder haar veranda komen. Zijn privéonderkomen, in Beths huis nota bene. Slaapkamer met toegang tot een terras, dacht hij grinnikend.

Met behulp van niet meer dan een zaklampje ruimde hij het zaagsel zo goed mogelijk op en hij borg de dozen met poppen op die hij bij Mo Hammond had opgehaald. Hij ging de kast in en bij wijze van test ging hij op zijn rug liggen, met gebogen knieën en enigszins opgetrokken schouders. Het lag niet geweldig, maar het kon ermee door, als hij tenminste nog iets had wat hij als kussen kon gebruiken.

Op de tast liep hij langzaam door het huis, waarbij hij erop lette dat de politiepatrouille verderop in de straat hem niet zag. Hij overwoog een kussen van een bank of van een bed te nemen, maar bedacht toen dat het zou kunnen opvallen als er een ontbrak. Hij liep naar de waskamer en vond een sweater van Beth en een T-shirt dat ze er blijkbaar onder gedragen had.

Dit zou volstaan. Chevy hield de kledingstukken bij zijn neus en duizelde van genot. Ja, dit zou heel goed volstaan, dacht hij, maar toen schrok hij op van een geluid.

Een auto. Hij kwam Beths oprit op rijden.

Chevy's hart klopte in zijn keel. Erop bedacht waar hij zijn voeten neerzette haastte hij zich in de duisternis de trap weer af en probeerde niet in paniek te raken. Vlak naast de garage hoorde hij het gemompel van mannenstemmen.

Shit.

18

Neil bracht de Suburban van Beth terug naar Arlington, Rick reed om via Covington om de plaatselijke politie in te schakelen en zich bij de FBI te melden. Beth had het wat de veiligheid van Abby betreft intuïtief bij het juiste eind gehad: Covington was een vredige, kleine gemeenschap: de Stallings stonden goed aangeschreven; Jeff was een stoere beroepsmilitair, net teruggekeerd van tijdelijke dienst. De enige aanmerking die Neil op Beth had, was dat ze ook Heinz had weggestuurd.

'Je had de hond bij je moeten houden om je te beschermen,' had hij gezegd toen ze wegreden bij het restaurant.

'Heinz biedt geen bescherming. Hij zou een moordenaar smeken hem een klopje te geven.'

'Hij maakt lawaai. Dat is in elk geval iets. Nuttiger dan Joshua Herring.'

Ze fronste haar wenkbrauwen. 'Herring heeft Abby beschermd.'

'En wie beschermde jou?'

'Ikzelf. Ik doe niet anders.'

'Niet meer.'

Een belofte of een dreigement, Neil twijfelde, maar het maakte geen verschil: ze sliep al voordat het tot haar was doorgedrongen. Ze sliep de hele terugweg naar Arlington. Ze rilde en bewoog en maakte hartverscheurende geluidjes, maar ze sliep tenminste. Om halfvijf draaide Neil de oprit van haar huis in en wenkte de politieagent, die vanaf zijn patrouilleauto naar hen toe kwam. De agent draafde naar de oprit om hem op te vangen en gaf hem een hand toen Neil uitstapte.

'Sacowicz zei dat ik u kon verwachten.'

'Alles rustig?' vroeg Neil.

De agent knikte. 'Ik ben twee uur geleden aangekomen. Met Wilson, verderop in de straat. We hebben de ronde gedaan voordat we onze posities innamen. Niemand te zien.'

'Oké.' Morgen – liever gezegd: vandaag – als het opsporingsteam bijeenkwam, zouden ze een verfijnder surveillancerooster opstellen met agenten van buitenaf. Een paar mensen in de buurt zetten, misschien iemand in het huis, voor het geval Bankes zich liet zien.

Dat was tenminste wat Neil dacht dat ze zouden doen. Het was al even geleden sinds hij bij een moordonderzoek betrokken was geweest. Als de FBI het eenmaal overnam, was het niet zo zeker dat hij hier nog zou meedoen.

'De dame slaapt,' zei hij, naar de Suburban knikkend. 'Geef me vijf minuten.'

'Ik hou wel een oogje in het zeil,' zei de agent.

Neil zocht in Beths tas naar de sleutelkaart van haar garage en ging naar binnen. Hij liep regelrecht naar boven en vond een lege koffer, logischerwijs in de kast in de logeerkamer. Hij liep naar de slaapkamer van Beth. De bovenhoek van een grote toilettafel was opengebroken; het vak was net groot genoeg om iets van de omvang van een Glock te verstoppen.

'Heel gehaaid,' mompelde hij. Hij zocht in de kast en in een paar laden en nam alles mee waarvan hij dacht dat ze het nodig zou hebben. Hij vouwde de kleren zo netjes op als een man maar kan. In de badkamer aarzelde hij even bij een doosje tampons. Hij nam het mee, voor het geval dat, en zocht toen in de laden naar anticonceptiepillen of zo. Hij vond niets.

Je bent lang alleen geweest...

Neil bekeek een foto van haar man op het nachtkastje. Die riep enkele vragen op, maar hij was eerlijk genoeg om te erkennen dat die voornamelijk van persoonlijke aard waren. Adam Denison was zo te zien niet lang geweest, hooguit één meter vijfenzeventig, met de lichaamsbouw van een beroepstennisser, lichtbruine haren en iets intellectueels over zich. Abby leek niet op hem; ze was het evenbeeld van haar exotische moeder. Maar de foto's overal in het huis maakten duidelijk dat Beth haar best deed om Adam in leven te houden, en zijn ring was het enige sieraad dat Neil haar had zien dragen.

Hield ze nog steeds van een geest?

Om vijf uur in de ochtend reed hij de parkeerplaats van het hotel op.

'Alles in orde?' vroeg Neil toen Rick hem tegemoet kwam.

'Ja. Mijn mensen hebben de bewaking een uur geleden ingesteld.'

Hij maakte Beth voorzichtig wakker; hij wist niet wat hij van haar humeur moest verwachten als ze merkte dat hij haar naar een hotel had gebracht in plaats van naar huis. Hij wist niet of ze nog steeds van plan was het tegen Bankes op te nemen, maar het maakte geen verschil meer. Hij was het beu haar de leiding te laten nemen.

'Waar zijn we?' vroeg ze. Ze stapte uit en beproefde haar benen. Ze gaf hem het sportjasje dat hij in de auto om haar heen had geslagen. Hij sloeg het meteen weer om haar schouders.

'Een hotel. We laten je even van het toneel verdwijnen.'

Ze knipperde met haar ogen, maar protesteerde niet. Waarschijnlijk was ze gewoon te moe.

'En Abby?' vroeg ze.

'De politie van Covington en een paar FBI-agenten zijn de klok rond naar haar op zoek. Adams zus zal niet merken dat ze er zijn, maar als Bankes Abby vindt, springen we op zijn nek voordat hij het in de gaten heeft.'

'Oké.'

'Reken maar. Pak je tas.'

'Ik pak mijn tas. Je hoeft me niet te commanderen.'

Zo voelde Neil het niet. Ze had iemand nodig om op haar te letten, verdomme.

Beth fronste haar wenkbrauwen toen hij haar koffer uit de auto haalde. 'Die is van mij,' zei ze.

'We zijn bij je thuis langsgegaan en ik heb wat spullen meegenomen. Als ik iets over het hoofd heb gezien, haal ik het morgen wel.' Ze wilde de koffer pakken, maar Neil duwde haar hand weg. 'Ik neem hem wel.'

'Ik kan mijn koffer zelf dragen,' protesteerde ze. 'Ik doe het al –'

'Verdomme, Beth.' Met zijn ene hand pakte hij de koffer en met de andere haar elleboog. 'Je bent niet meer alleen.'

Hij bracht Beth naar een suite op de zevende verdieping van het Radcliffe Hotel. De suite bestond uit een comfortabele centrale zitkamer met aan weerszijden een slaapkamer, elk met een eigen bad. Tussen de slaapkamers was nog een zitbad en een dubbele deur rechts kwam uit in een kleine keuken.

Rick, met zijn mouwen tot de ellebogen opgerold en zijn das losgeknoopt, had mappen uitgespreid op een salontafel. Een grotere tafel werd in beslag genomen door een laptop, een printer en een faxapparaat. Neil keek niet verbaasd op van de man die erachter zat: mager, een bril, enigszins kalend en gekleed in een zwart pak, een wit overhemd en een marineblauwe streepjesdas.

De FBI was gearriveerd.

'Mevrouw Denison,' zei Rick, met een gebaar naar de apparatuur. 'Sorry voor de overlast, maar we moeten met u praten voordat u gaat slapen.'

'Ik ga niet slapen. Ik heb de hele rit al geslapen.'

Neil beheerste zich voordat hij tegen haar uitviel. En óf ze ging slapen. Een uur of tien, als hij het voor het zeggen had.

'Dit is agent Jack Brohaugh van de FBI,' stelde Rick de man met de laptop voor. 'De rest van het onderzoeksteam komt later op de ochtend bijeen in Quantico. Brohaugh is technisch specialist.'

'Computernerd,' corrigeerde Brohaugh. Hij glimlachte naar Beth en gaf Neil een hand.

'Ken je speciaal agent Geneviève Standlin?' vroeg Neil.

'Ze is onderweg,' antwoordde Brohaugh. 'Ze zei dat je een pil moest nemen, het rustig aan moest doen.'

Neil kuchte. Trut. Maar jezus, hij zou blij zijn als hij haar zag.

Rick begon met Beth. 'We weten van Anne Chaney en Bankes, maar we hebben u nodig om uit te zoeken wat hij nu doet. Waarom hij het op u gemunt heeft.'

Het laatste beetje kleur verdween uit haar wangen, maar ze knikte. Ze drentelde door de kamer alsof ze niet wist waar ze moest gaan zitten, nam toen plaats op de rand van een tweezitsbank. Brohaugh begon te typen, hoewel er nog niets was gezegd, en Rick zakte onderuit in een stoel.

'Mevrouw Denison,' begon Rick, 'wanneer belde Bankes u voor het eerst?'

'Een maand of acht geleden,' zei ze. 'Ik dacht dat hij een gewone grappenmaker was.'

'Hoe vaak heeft hij u sindsdien gebeld?'

Ze zette haar vingertoppen tegen haar slapen. 'Ik weet het niet.'

'Twee, tien, twintig keer?' drong Neil aan.

'Ik weet het niet.' Ze keek Neil aan. 'Jullie luisterden mijn telefoon af; waarom weten jullie het niet?'

'Beth, we luisterden je niet af. Het enige wat we aanvankelijk wisten, was dat het nummer van waaraf je woensdagavond werd gebeld, op naam stond van een vrouw van wie de oogleden waren afgesneden.'

'W-wat?'

Wel godver. Beth werd lijkbleek en zag er opeens uit alsof ze flauw zou vallen. Neil keek Rick aan, wiens blik zei: *goed werk, lul.*

'Mevrouw Denison...' Rick zweeg. 'Mag ik Beth zeggen? We weten van slechts drie telefoongesprekken. Dat uit Seattle dat je afgelopen woensdagavond ontving, dat uit Omaha dat we je op het bureau hebben laten horen en het gesprek dat we vandaag' – hij keek op zijn horloge – 'ik bedoel gisteravond hebben afgeluisterd. Herinner je je het eerste gesprek?'

Ze knikte. 'Het was op een maandagavond, op Labor Day. Ik weet het nog omdat ik net terugkwam van een antiekbeurs in Dallas.'

'Wat zei hij?'

'Niets. Ik heb opgehangen. Ik dacht dat het gewoon een hijger was.'

'Oké,' zei Rick. 'Maar Bankes moet een reden hebben gehad om je te bellen. Het was geen willekeurig gesprek. Denk aan mensen die je via Foster's hebt leren kennen, misschien iemand met wie je uit bent geweest...'

'Dat is het niet.' Ze keek op en de woorden leken haar de adem te benemen. 'Ik probeerde niet tegen te werken. Ik dacht dat hij gewoon naar me terug wilde komen. Het gaat hem om mij.'

Neils hart kromp ineen.

'Maar die laatste keer... gisteravond... toen hij belde zei hij dat hij...' Ze haalde diep adem. De kwelling etste lijnen in haar gezicht. 'Hij zei dat hij een vrouw had gedood in haar busje. S-stel dat dat waar is?'

'Het ís waar, lieverd,' zei Neil. 'Hij heeft een vrouw doodgeschoten, vlak voordat hij je belde.'

Ze schokte alsof ze geslagen was. Een bleekheid als van een dodenmasker kroop over haar gezicht.

'Beth,' zei Neil, 'we denken dat het de derde vrouw was die Bankes heeft vermoord, déze keer... en twee andere worden nog vermi–'

Ze stoof langs hem en trok de badkamerdeur achter zich dicht. Ze verdween zo snel dat Neil de lucht in haar kielzog voelde bewegen, haar geur opving. Hij fronste zijn wenkbrauwen en hoorde toen de onmiskenbare geluiden van hoesten en kokhalzen.

Ze gaven haar een paar minuten tijd. Niemand zei iets, tot Neil het niet langer uithield en naar de badkamer liep. De deur ging open en hij bleef staan.

'Het heeft niets te maken met mijn werk,' zei Beth met bibberige stem. 'En het heeft niets te maken met iemand met wie ik uit ben geweest.'

Neil stapte naar haar toe. 'Waarmee dan wel, Beth? Waarom wil Chevy Bankes "het je betaald zetten"?'

Ze keek hem aan en zei moeizaam: 'Omdat ik Anne Chaney heb vermoord.'

19

Stilte. Drie hartslagen lang werd het doodstil in de kamer, toen beval Sheridan haar schor: 'Zeg verder geen woord, Beth.'

'Ik bedoelde n–'

'Stop.' Hij legde haar met een gebaar het zwijgen op en zijn stem klonk zo streng dat ze met haar ogen knipperde. Zijn gezicht daagde iedereen in de kamer uit de ondervraging voort te zetten.

'Eh...' Sacowicz krabde met een verbijsterd gezicht op zijn hoofd. 'Oké, haal haar advocaat,' zei hij tegen Sheridan. En tegen Beth: 'Dit is misschien een goed moment om even te rusten, misschien even te gaan liggen of zo.'

Ze opende haar mond, maar Neil stond al naast haar en pakte haar elleboog. 'Doe maar.'

Een uur later zat Beth op de rand van een hotelbed; er droop water uit haar haren dat de rug van haar badjas doorweekte. Vroeger had ze zichzelf haast verdronken in hete douches; het was de enige manier geweest om warm te worden als de kilte kwam, die haar deed rillen in het kielzog van herinneringen. Herinneringen die ze nu deelde met de politie van Arlington, de FBI en Neil Sheridan.

Ik zal het niet verder vertellen, Adam, ik beloof het je.

'Beth.' Er werd op de deur geklopt.

Ze streek haar haren naar achteren en wilde opstaan. Ze had er de fut niet voor. 'Kom binnen.'

De deur werd op een kier geopend. 'Hai.'

Neil. Beter gezegd: voormalig speciaal agent Sheridan. Ze wist niet precies wanneer ze hem als Neil was gaan zien. Hij zag er beroerd uit, voor zo'n verrassend aantrekkelijke man... door zijn woordenwisseling met Joshua Herring, de lange rit, het lange uur dat hij had besteed aan lezen over Anne Chaney en Chevy Bankes.

Hij ging voor haar staan. 'Je kunt je haren beter afdrogen. Je rilt.'

En, verder nog nieuws? dacht ze.

'Adele Lochner is onderweg. Zeg niets meer voordat ze hier is, begrepen?'

Niets zeggen, Beth. Je zou de gevangenis in draaien.

'Het was geen opzet...'

'Niet doen.' Hij legde zijn vinger op haar lippen. 'Vertel het me straks, als je advocaat erbij is.'

De emotionele dijk dreigde te breken. Verdomme, ze zou geen advocaat nodig moeten hebben om uit te leggen wat er gebeurd was. En verdomme, ze dacht dat ze over haar schuldgevoel heen was.

Neil ging zo dicht bij haar zitten, dat zijn lichaamswarmte door haar badjas drong. 'Het was elf graden op de avond dat Anne Chaney stierf. Je had het koud.'

Beth keek hem aan. Niemand had ooit de fysieke nasleep tijdens al die jaren begrepen, maar Neil had het de afgelopen dagen telkens weer zien gebeuren. Rillingen en sidderingen en kou tot op het bot die niet wilde verdwijnen. 'Ik denk wel eens dat ik het nooit warm zal krijgen,' zei ze.

'Jawel,' zei hij en hij spreidde zijn armen uit. 'Hier en nu.'

Het kwam niet in haar op het aanbod niet te accepteren; ze vlijde zich tegen hem aan. Kracht. Warmte. Veiligheid. Zijn bescherming werd als een deken om haar heen geslagen en het was alsof alle kwaad in de wereld simpelweg zou verdwijnen.

'Verdomme,' zei Neil en hij liet haar los. Er klonken nieuwe stemmen in de kamer ernaast.

'Wat?'

'We moeten daarheen. Ik heb een agent gebeld die ik gekend heb. Het is haar stem die ik hoor.'

'O.' Beth keek naar zijn overhemd en liet haar hand eroverheen glijden. 'Ik heb je helemaal nat gemaakt.'

Hij beefde en pakte haar hand, en er lag iets fels in zijn blik. Zijn wimpers gingen omlaag en hij trok de kraag van haar badjas dicht.

'Ik... eh... ik moest me maar eens aankleden,' zei ze met haar hand aan haar kraag.

Zijn adamsappel ging één keer op en neer.

'Neil, ik...'

Hij stond op. 'Beth, alsjeblieft, zeg niets tegen me wat een advocaat me later kan laten herhalen. Wacht gewoon.'

'Ironisch, niet? Je wilt al dagenlang met me praten en nu het opeens niet kan, lijkt het me het belangrijkste ter wereld wat ik je kan vertellen.'

'Die tijd komt wel. Nu moet je eerst met de FBI praten, met de politie.'

'Wacht. En jij? Ga je weg?' vroeg ze geschrokken.

'Weg?' Heel even keek hij onthutst, toen begroef hij zijn vingers in de randen van haar badjas, trok haar naar zich toe en kuste haar met een grondigheid die luid en duidelijk was.

'Gesnapt?' vroeg hij toen hij klaar was. 'Of heb je nog meer stomme vragen?'

Beth schraapte haar keel. 'Nee. Ik geloof dat ik het snap.'

Tien minuten later trotseerde ze het gehoor in de gemeenschappelijke kamer. Inspecteur Sacowicz en de agent die Brohaugh heette, stonden over een laptop gebogen, terwijl een fax achter hen de ene bladzijde na de andere in een opvangbak spuugde. Een nieuwkomer scheurde de vellen af, las ze en gaf ze aan Neil. Haar haren waren stijlvol kort met grijze strepen en ze droeg een marineblauw broekpak en een geel met blauw sjaaltje. Zijn vriendin van de FBI, nam Beth aan, terwijl ze de kamer rondkeek. Ze meende nog iemand gehoord te hebben.

Neil zag Beth en hief zijn hand op naar de nieuwkomer. 'Laat haar met rust, Standlin. Ze moet eerst iets eten.'

'Het geeft niet,' zei Beth. 'Ik heb niet echt honger.'

'Gelul.'

De vrouw negeerde hem en stak haar hand uit naar Beth. 'Ik ben Geneviève Standlin. Ik werk bij de FBI. Als psychiater.'

Beth verstarde. Wát? Ze wendde zich tot Neil. 'Je hebt een psychiater gebeld? Ik sta niet op instorten.'

'Nou, dat is mooi,' zei Standlin, 'want ik ben niet gekomen om te voorkomen dat je instort. Ik ben hier om een profiel van Chevy Bankes te schetsen en je iets te geven waardoor je kunt slapen.'

'Hier komt je profiel: Chevy Bankes is een psychopaat,' kaatste Beth terug. 'En ik heb niets nodig om te kunnen slapen.'

'Beth,' zei Neil, 'Standlin is niet de vijand. Kom ontbij–'

'En jíj mag stoppen met commanderen.' Haar stem klonk krachtig, maar een plotselinge, overweldigende golf van paniek maakte haar duizelig. Eindelijk was ze bereid hun over de dood van Anne Chaney te vertellen en nu ging een of andere zielenknijper graven en poeren en boren, op zoek naar meer. Nou, ze zouden het niet krijgen. In elk geval niet alles.

Er kwam een baksteenrode blazer uit de middelste badkamer: Adele Lochner.

Beth liep naar haar toe. 'Je wist het,' zei ze met van emotie trillende stem. 'Je wist wat hij deed en je hebt het me niet verteld.'

Lochners ruggengraat werd vijf centimeter langer. 'Ik heb je verteld dat ze hem zochten op basis van bewijzen die puur giswerk waren, en dat waren ze ook. Het leek me niet verstandig dat je op basis daarvan een moord zou bekennen.'

'Het is geen giswerk meer, is het wel, raadsman?' zei Neil.

'Het was mijn plicht mijn cliënt te beschermen, meneer Sher–'

'Genoeg.' Inspecteur Sacowicz kwam tussenbeide. 'We staan nu allemaal aan dezelfde kant. Voor de rest deed iedereen gewoon zijn of haar plicht.' Hij wendde zich tot Beth. 'In de keuken is iets te eten. Ik zou maar een hapje nemen.'

Het hotel moest een soort ontbijtbuffet hebben geserveerd. Een beetje van alles was warm gehouden op het fornuis en verse koffie druppelde in een kan. Cafeïnevrij. 'Ik heb behoefte aan echte koffie,' klaagde Beth.

'Nadat je bent bijgeslapen,' zei Neil. 'Eerder niet.'

Tiran.

Maar god, het was heerlijk dat er iemand was die voor haar zorgde.

Toen ze klaar was met eten, verscheen Neil aan de tafel. Hij reikte haar zijn mobiele telefoon aan. 'Wil je met Abby praten?'

'O, ja.'

'Ik heb het nummer al ingetoetst, je hoeft alleen maar op OK te drukken.'

Hij verliet de keuken en na drie keer overgaan nam Cheryl op. Abby wachtte tot ze gingen ontbijten en speelde met Jeff en de peuter. Beth hoorde Heinz op de achtergrond speels blaffen. Het gesprekje van enkele minuten monterde haar op en gaf haar nieuwe energie, zette haar met beide benen op de grond na een nacht die het verre, vluchtige karakter van een droom had. Ze had nog steeds een gevoel alsof ze in zee spartelde, maar Abby's stem was als een vuurtoren. Neil Sheridan, de reddingsboot.

Beth zette het melodramatische sentiment van zich af, klapte de telefoon dicht en haalde diep adem. Tijd om de gevolgen onder ogen te zien.

Voor zover ze durfde.

20

‘Ik had afgesproken met de curator van het Westin-Cooper Museum,’ legde Beth, met opgetrokken knieën in een oorfauteuil, haar aandachtige gehoor uit. ‘Een vooraanstaande familie had het museum een antiekverzameling te koop aangeboden en de curator, Anne Chaney, wilde die aan me laten zien.’

‘Je was dus al in dienst bij Foster’s,’ stelde Sacowicz vast.

‘In deeltijd. Op kantoor kreeg ik een boodschap van Anne dat ze onze afspraak moest verzetten naar een andere avond. Ik weet nog dat ik blij was, omdat ik nu uit eten kon met Adam en een aanklager die was overgekomen uit Chicago. Hij zou bij de firma van zijn opa gaan werken, maar hij wilde de politiek in, dus een etentje met die aanklager was heel belangrijk. Maar toen belde Anne en zei dat ze toch kon. Ik stond bij haar in het krijt, dus ik zei tegen Adam dat hij zonder mij moest gaan en dat ik me voor het dessert bij hen zou voegen.’

‘Dus je collega’s bij Foster’s wisten niet dat jij en Anne Chaney elkaar die avond hadden gesproken,’ zei Neil. ‘Ze dachten dat de afspraak was afgezegd.’

‘Ja.’ Ze haalde diep adem. ‘Anne was net verhuisd naar een compound met daarachter een bos en een meer. Ik belde haar vanuit de auto en wachtte tot ik haar naar buiten zag komen. Ze had een paar lege verhuisdozen bij zich en liep naar de container aan de achterkant. Bankes moet daar geweest zijn. Toen ze niet terugkwam, liep ik achterom en ik zag ze praten. Ruziën.’

‘Waarover?’

‘Dat weet ik niet. Maar Anne deinsde voor hem terug, trok zich los. Toen sloeg Bankes haar.’

Ze zweeg en sloot haar ogen, alsof het in gedachten terugspoelen en opnieuw afdraaien van de film iets kon veranderen aan de afloop.

‘Ik riep.’ *Stom, stom.* ‘Bankes draaide zich om. Hij had een arm om

Annes hals geslagen en hij had een wapen. Als ik ook maar een vin verroerde, zei hij, zou hij ons alle twee doden. Ik... ik verstarde. Hij duwde Anne naar me toe en zei dat we moesten lopen.'

'Waarheen?'

'Het bos in, achter de huizen. Hij liep vlak achter ons, met het wapen.' De paniek sijpelde binnen, verspreidde zich in haar borst.

Oude koek. Blijf praten.

'Ik dacht steeds maar dat we ons moesten verzetten, maar Anne was hysterisch. Ze zou me niet helpen.'

'Waarom dacht je dat?'

'Ze had Bankes herkend. Hij had haar, ik weet het niet, gestalkt, denk ik.'

'Heeft Chaney je dat verteld?' vroeg de inspecteur.

'Nee, maar Bankes zei steeds weer: "Ik zei toch dat je je niet voor me zou kunnen verstoppen," en: "Eindelijk is het zover," en meer van die dingen. Hij praatte aan één stuk door tegen Anne, tergde haar.'

'Heeft Bankes al die tijd iets tegen jou gezegd?' vroeg Standlin.

'Niet echt; het ging allemaal over Anne. Ik was er toevallig bij. Ik wist niet wat ik moest doen. Ik was geen vechter toen. Ik wist niet hoe ik me moest verdedigen.'

'Dus jullie liepen vrijwillig het bos in met Bankes.'

De afkeuring in Standlins stem trof haar als een zweepslag. 'Wat kon ik anders doen? Hij was gewapend. Er hing een tas over zijn schouder die hij telkens weer verschoof, maar hij hield het wapen onafgebroken op ons gericht. Ja, ik ging vrijwillig mee. Ik dacht dat hij ons anders zou doden.'

'Wat voor tas had hij bij zich?' vroeg inspecteur Sacowicz.

'Dat weet ik niet. Canvas, geloof ik, of nylon. Gewoon een tas, voor fitness of sport. Hij zag er niet zwaar uit, maar hij... betastte hem voortdurend. Alsof er iets waardevols in zat.'

'En hij praatte tegen Anne,' zei Standlin.

'Tergde haar. Hij wilde haar horen huilen.'

'Tijdens de rechtszaak,' zei Brohaugh, 'voerde de aanklager aan dat Bankes Chaney wekenlang had gestalkt, haar zover had gekregen dat ze haar telefoonnummer veranderde, nieuwe sloten liet aanbrengen, verhuisde. Maar Chaney had een reputatie als mannengek. Bankes advocaat stelde dat een van haar ex-minnaars haar gestalkt kon hebben.'

Neil keek Beth aan. 'Heeft Bankes jou niet lastiggevallen?'

'Ik hoorde daar niet te zijn, denk ik. Hij duwde me alleen maar tegen een boom en zei dat ik moest gaan zitten.'

Niet doen. Vecht. De aanvechting baande zich een weg naar haar bewustzijn, als grote, lelijke hechtingen in de tijd, loslatend. Hulpeloosheid, zwakheid.

'Ik wist niet wat ik anders kon doen,' zei ze. 'Hij had het wapen. Ik... ik deed gewoon wat hij zei en hij treiterde Anne en' – ze slikte – 'raakte zichzelf aan. Anne huilde.'

'Wat deed jij al die tijd?' vroeg Standlin.

Ik zat tegen een boom, deed niets. Terwijl Anne huilde en hem smeekte haar geen pijn te doen.

'Denk het niet alleen, Beth,' zei Standlin. 'Zeg het hardop.'

'Ik deed niets, verdomme! Als ik het water in rende, zou ik bevriezen. Als ik vluchtte, zou hij me neerschieten. Ik dacht, misschien, als we alle twee vluchtten, maar Anne... Ze wilde niet...'

'Ze wilde niet vluchten,' maakte Standlin haar zin af.

Blijf daar niet staan, Anne, verdomme. Doe iets.

Beth schudde haar hoofd. 'Ze rolde zich op en huilde.'

Anne, stop! Je maakt het alleen maar erger.

'Je zult wel boos zijn geweest op Anne.'

Lochner protesteerde. 'Wel verdomme...'

'Doe niet zo idioot,' zei Beth. 'Ik was niet boos op Anne.' Maar terwijl ze dat zei, rolde de eerste traan over haar gezicht. Ze wist niet waarom en ze veegde hem weg met de rug van haar hand. 'Maar ze maakte het alleen maar erger. Hij wílde dat ze huilde. Hij vond het leuk om te horen. Toen zag ik hem om zich heen kijken naar zijn tas. Hij stapte weg van Anne om hem naar zich toe te trekken. Het duurde maar een seconde, maar ik dacht, misschien...' Ze slikte. 'Ik pakte zijn arm beet.'

Rennen, Anne. Weg, verdomme.

'En het wapen.'

Rennen!

'Ze rende. Eindelijk begon Anne te rennen, zoals ik gezegd had. En ik vocht met Bankes. En toen ging het wapen af...' *Plof. Plof.*

O nee, o nee, o nee...

Lochner vloekte en ergens in de kamer zei Neil: 'O, jezus.' Beth sloot haar ogen, maar de herinneringen drongen zich op, trokken aan haar, trokken haar onder.

Standlin kwam dichterbij. 'Je haalde Anne over om te vluchten, Beth? En viel Bankes aan?'

Verdorie, Beth, een gewapende man aanvallen, hoe haal je het in je hoofd? De stem van Adam, scherp van woede. Ze zette het van zich af en keek met betraande ogen de kamer rond. 'Ik probeerde alleen maar het wapen te pakken te krijgen.'

'Het is in orde, Beth,' zei de inspecteur zachtmoedig.

Maar het was niet in orde. Anne was dood.

Niets zeggen, had Adam aangedrongen, *ze zullen het niet begrijpen.* Later, had hij gezegd, als ze haar verklaring nodig had, kon ze tegen de politie zeggen dat ze er was geweest. Maar de politie had haar niet nodig gehad. Bankes werd een dag later gearresteerd en tijdens een kort proces veroordeeld. Ze hadden op zijn schoenen bewijzen gevonden dat hij op Annes compound was geweest, zijn alibi klopte niet en hij had kruitresten op zijn handen. Zonder Beths versie van het verhaal te horen, ging hij levenslang de gevangenis in.

Nu was hij vrij.

Standlin liet haar enkele uitdraaien zien. 'Er is op de plaats delict bloed gevonden dat niet van Bankes of Chaney was, en twee hulzen uit een .38 halfautomaat. Eén kogel raakte Anne Chaney in haar rug, terwijl jij met Bankes vocht. Waar is de andere gebleven?'

'Ik weet het niet.'

'Heb je O-negatief?'

Beth knikte.

'Het was jouw bloed, hè, op de plaats delict?' vroeg Standlin.

'Mijn cliënt beantwoordt geen vra–'

'Werd je geraakt, Beth?' vroeg Neil bezorgd.

'Nee. Nee. Ik weet niet waar de andere kogel is gebleven.'

'Wat gebeurde er dan nadat Anne neerging?' drong Standlin aan.

Anne ging neer. Wat een simpele, maar toch zo beeldende uitdrukking. Anne was eindelijk op de vlucht geslagen, zoals Beth haar had gezegd, en... ging gewoon neer. Dood, met één heftige verkramping van haar ruggengraat. De kogel die haar handpalm schuurde. Bankes die naast Annes lichaam viel, gillend, verwoed in zijn tas graaiend.

En toen door het lint ging.

'Daarna?' fluisterde Beth. 'Toen wilde hij dat ík gilde, vanwege Anne. Maar ik wilde niet. Ik was bang dat hij dan...' Ze betastte het litteken op haar wang. 'Hij sloeg me met het wapen.'

'Jezus,' zei Neil. Toen ze niets meer zei, keek hij haar aan. 'Ging het zo? Hij sloeg je bewusteloos?'

Niet helemaal. Niet zo dat ze niet de koude grond voelde, of niet de braakwekkende combinatie proefde van grond en bloed en gal die in haar keel drong. Niet zo dat ze niet voelde dat haar wang in brand stond, of zijn handen op haar dijen lagen. Zo bewusteloos was ze niet geweest.

Zeg het niet.

'Toen ik bijkwam, was hij verdwenen. Alleen Annes lichaam was er nog.' Ze rilde. 'Ik rende weg. Ik ging terug zoals we gekomen waren. Ik stapte in mijn auto en deed de portieren op slot. Ik reed weg.' Warmte. Helemaal tot aan de autoweg. 'Ik ging naar huis, naar ons appartement. Adam was thuis.' Boos, omdat ze zich niet had laten zien in het restaurant. 'Ik nam een douche. Ik was vies en ik bloedde.'

En ik had het koud. Ontzettend koud.

'En je hebt niemand iets verteld,' zei Standlin. Het was eerder een constatering dan een vraag.

'Natuurlijk wel. Tegen Adam.'

'En?'

'Hij zorgde voor me. Hij pakte een zwaluwstaartpleister uit een eerstehulptrommel, voor mijn wang, en hielp me in slaap te komen.'

'Hij bracht je niet naar een ziekenhuis, belde niet met de politie?' vroeg Neil ongelovig.

'Dat had hij de volgende dag willen doen, maar toen zag hij het nieuws. Iemand had Annes lichaam al na enkele uren gevonden. Tegen de middag hadden ze een verdachte opgepakt. Het was op tv en ik zag dat ze de goede hadden. Ik weet niet wat ik moet zeggen...' Ze sloeg haar ogen neer en zette zich schrap tegen het schuldgevoel dat opnieuw begon te knagen. 'We waren er net achter gekomen dat ik zwanger was. Adam was bang voor wat een proces met mij en de baby zou doen. En ze hadden me niet nodig. Bankes werd niet op borgtocht vrijgelaten. En daarna werd hij veroordeeld.'

Standlin zei: 'Dat had je allemaal tegen Sacowicz of Sheridan kunnen zeggen toen ze hem een week geleden zochten.'

'Dat had gekund. Ik wilde dat ik het gedaan had. Maar ik dacht dat Bankes het op míj voorzien had en ik wist dat ik niets kon doen om hem terug te sturen naar de gevangenis. Ik dacht dat als ik hem genoeg geld bood, hij misschien –'

'En het maakte niet uit of hij het aannam,' zei Neil met schorre stem. 'Want je kon hem nu aan. Je bent sterk.'

'Niet op reageren, Beth,' beval Lochner. 'Hij probee–'

'Stop.' Beth had het gevoel dat er een dijk brak. Ze wendde zich tot Neil. 'Je hebt gelijk. Ik dacht inderdaad dat ik Bankes zelf moest afhandelen...'

'Beth!' zei Lochner.

'En ik wilde hem vermoorden.'

Adele Lochner plofte in een stoel.

'Het systeem had hem vrijgelaten en ik dacht dat hij op mij of mijn dochter af zou komen. Als ik hem niet kon afkopen, kon ik niets anders doen dan hem doden. Maar ik heb het uiteindelijk niet gedaan. Uiteindelijk,' zei ze, Neil recht in de ogen kijkend, 'probeerde ik jou te bellen.'

21

Uiteindelijk probeerde ik jou te bellen. Het gewicht van de opmerking viel als een lading bakstenen op Neils schouders. Kijk uit met wat je wenst, zei één deel van zijn verstand. Maar zijn geweten sprak luider: ze heeft je nodig, verpest het deze keer niet.

Nogmaals tien minuten het verhaal doornemen leverde niets nieuws op. En naarmate Standlin dieper en verwoeder groef, leek ze Beth steeds verder weg te drijven.

'Zo is het genoeg,' zei Neil. 'Beth moet slapen.'

Hij dacht dat ze er dankbaar voor zou zijn. Heel even dacht hij dat ze hem zelfs niet zou tegenspreken. Toen stond ze op. 'Dus ik blijf hier, neem ik aan?'

'Je blijft hier.'

'Je zei dat je thuis wat spullen voor me kon ophalen. Wil je dat doen?'

Neil knikte. 'Uiteraard. Wat wil je hebben?'

'Er is een weduwe in Boise die me poppen stuurt. Er zijn er al twee kwijtgeraakt in de post, maar er moet vandaag een nieuwe aankomen. Ik zal een handtekening moeten zetten.' Ze zweeg even. 'En ik heb mijn infraroodcamera en mijn laptop nodig, zodat ik kan werken.'

'De politie houdt je huis in de gaten, voor het geval Bankes zich vertoont,' zei Neil. 'Ik zal ze laten tekenen voor het pakje en het ophalen.' Het zou goed zijn als Beth iets om handen had, terwijl ze hier opgesloten zat. Hij liet haar onder geen beding de deur uit gaan.

Standlin kwam naar hen toe, met een dokterstas in haar hand.

'Wat is dat?' vroeg Beth bij het zien van de naalden die uit de tas kwamen.

'Twee dingen,' zei Standlin. 'Ten eerste: we hebben bloed nodig om het te kunnen vergelijken met het niet-geïdentificeerde monster dat gevonden is op de plaats waar Anne Chaney werd vermoord. En ten tweede: ik geef je een licht kalmerend middel.'

Beth zette haar stekels op. 'Je kunt zoveel bloed krijgen als je maar wilt, maar ik heb geen kalmerend middel nodig.'

'Je zult nachtmerries krijgen. Sheridan zegt dat je die altijd krijgt.'

Neil doorstond een blik van Beth die een minder sterke man zou hebben geveld. 'Neem het, Beth. Je bent niemand van nut als je half bewusteloos rondrent.'

'Half gek, bedoel je,' zei ze honend. 'Je bent alleen maar bang dat ik instort, van je weg glij en – hoe zei je het ook alweer? – naar huis ga om hem overhoop te schieten.'

'Daar ben ik niet bang voor,' zei hij en hij besloot het volmaakt duidelijk te maken. 'Ik peins er niet over je van me weg te laten glijden.'

Chevy lag op het bed van Beth, voelde haar, rook haar, gleed weg in dromen waarin ze wanhopig gilde en jankte van pijn, hem smeekte te stoppen, terwijl ze wist dat hij dat niet zou doen, niet voordat hij elk gejammer, elke snik en elke kreet uit haar lichaam had geperst. Hij werd wakker met een enorme stijve en probeerde weer in slaap te komen, maar het zonlicht viel door de kieren in de jaloezieën. Het lukt niet.

Ochtend. En waar was Beth? Weg, dacht hij, waarschijnlijk naar een vriendin of een hotel. Misschien al in verzekerde bewaring. Het hing helemaal af van hoe snel ze had besloten haar hart uit te storten bij de politie en in hoeverre ze had besloten hun de waarheid te vertellen. Hij rolde van het bed af en sloop naar het raam, schoof de jaloezieën een fractie van een centimeter uit elkaar. Ja hoor, daar was-ie, halverwege de straat. Een grijze sedan ditmaal: een politieauto.

Ze wachtten hem dus op. Hij grinnikte even toen hij zich het gesprek tussen de twee politieagenten herinnerde dat hij afgeluisterd had toen ze de vorige avond passeerden. Ze hadden gespeculeerd over een valstrik, misschien een aas om Bankes naar Beth te lokken.

Chevy wist niet hoe waarschijnlijk dat was, maar Beth was niet naar huis gekomen. Misschien wilden ze hem inderdaad in de val lokken.

Het idee beviel hem wel; hij voelde zich er belangrijk door. Maar hij moest voorbereid zijn op een kleine wijziging in zijn plan.

Hij streek de lakens glad, vergewiste zich ervan dat alles was zoals toen hij was aangekomen. Wie heeft er in mijn bedje geslapen, dacht hij en hij merkte dat hij glimlachte. Diep voorovergebogen ging hij naar beneden, hielp zichzelf in de keuken aan een broodje – wie heeft er van mijn pap gegeten – en begon toen naar de papieren van Beth te zoeken.

De voor de hand liggende laden lagen vol geopende post en rekeningen. Hij woelde erin en vond een telefoonrekening: AT&T. Hij woelde nog wat om te zien wie haar internetprovider was: Comcast.

Mooi zo.

Naar het souterrain. Daar had Chevy de nacht doorgebracht, voor de zekerheid. Beths computer stond tussen boeken, tijdschriften en internetuitdraaien die allemaal betrekking leken te hebben op poppen. De poppen zelf had Chevy gevonden in de twee dozen waarin ze waren verzonden, maar Beth had een kaartje aan elke pols gebonden, zoals een lijkschouwer zou doen aan een teen.

Hij genoot van de ironie.

Hij ging achter Beths computer zitten en logde in. Zelfs als de politie haar telefoon aftapte – en Chevy betwijfelde of ze al zo ver waren – zouden ze internetgebruik niet zien, niet met twee verschillende providers. Het enige waar hij zich zorgen over hoefde te maken was onverwacht bezoek.

Het programma werd geladen en hij bracht een paar minuten door met de koppen lezen. De vrouwen in het westen trokken wat persaandacht, maar Chevy was nog niet de ster. Tegen de middag, als Beth gepraat had, zou hij de koppen halen.

Hij klikte op Geschiedenis en surfte naar enkele sites die ze had bezocht. Zijn huid verstrakte van een merkwaardige opwinding bij de gedachte haar sporen in cyberspace te volgen; een nieuwe Sneeuwwitjewending: wie heeft mijn internet gebruikt? Natuurlijk, hij kon haar mail niet lezen zonder wachtwoord, maar ja, dat wilde hij ook niet. Hij had alleen belangstelling voor wat ze over hem had gevonden.

Op drie kwart van de Geschiedenis vond hij een treffer: *Chevy Bankes.*

Een golf van plezier spoelde over hem heen. Chevy glimlachte toen er een reeks sites verscheen die allemaal naar hem verwezen. Criminaliteitscijfers in Seattle en datums van vrijlating uit de gevangenis. Gerechtelijke documenten. Politieverslagen. Krantenartikelen. Enkele tientallen artikelen over de niet-ontvankelijk verklaarde zaken van het openbaar ministerie in Seattle.

Hij grinnikte en overwoog een paar ervan te lezen, maar hij dwong zichzelf verder te gaan. Als de politie inderdaad van plan was een valstrik te zetten in het huis van Beth, kon hij beter niet achter haar computer worden aangetroffen. Hij stond op en gluurde door een spleet in de jaloezieën. De politieauto was niet van zijn plaats geweest.

Zich nu beter bewust van de tijd keerde hij terug naar de computer. Hij typte: *Kerry Waterford*. De website verscheen, met links naar informatie over zijn winkel, zijn privéverzameling en zijn verkopen via internet. Chevy klikte op *Speelgoed en Poppen* en ging naar foto's van poppen die leken op die op het bureau van Beth. Hij zocht een kwartier lang, tot hij er zeker van was dat hij de pop had gevonden die hij zocht: *1873 Benoit-pop, gesigneerd en gedateerd*, zei de omschrijving, maar Chevy wist wel beter. Het was geen Benoit. Het was een replica. Waterford had ruim een jaar geleden geprobeerd hem aan Margaret Chadburne te verkopen, maar Beth had het verhinderd.

En daar was-ie. Die verdomde Kerry Waterford. Nog altijd een meesteroplichter.

Chevy keek naar de prijs: zeshonderd dollar. Bezorgkosten om hem op maandagmiddag te laten afleveren tweeënveertig dollar en vijfentwintig cent.

Chevy leunde naar achteren en dacht na. Hij had tegenwoordig geld zat, maar niet het soort geld dat je via internet kon overmaken in ruil voor een pop. Hij zou een creditcard nodig hebben, een identiteitsbewijs.

Hij zou Margaret Chadburne nodig hebben.

Chevy glimlachte. Geen enkel probleem: hij en Margaret waren dik met elkaar. Margaret zou...

Hij stopte: een geluid. Hij rende naar het verst verwijderde raam. De dienstdoende agent was uitgestapt en kwam naar het huis toe. Chevy's hart sloeg over, maar toen sloeg de agent af naar een auto die zojuist was gestopt: een zwarte Charger. De bestuurder stapte uit en liep de agent tegemoet. Het was een lange man in een pak, met brede schouders en grote, doelgerichte stappen. Chevy's geest tokkelde een akkoord van herkenning, maar hij wist niet waarom en hij kon de man niet goed zien. Ze praatten twee minuten, toen liep de agent terug naar zijn auto en kwam terug met een doos. Die kende Chevy maar al te goed. Hij hield zijn adem in toen de tweede man hem achter in de Charger zette. Maar in plaats van weg te rijden, liepen ze in de richting van de oprit, de lange man met een sleutelbos in zijn hand.

Chevy ging door het lint. Jezus-jezus-jezus. Hij wilde zich verstoppen, dacht toen aan de computer, liep ernaartoe en klikte op *Uitschakelen*, vier, misschien vijf keer. Hou op, hield hij zichzelf voor. Het laatste wat je wilt is dat stomme scherm bevriezen. Wacht, wacht. Hij gluurde naar buiten. Ze liepen over de oprit.

Klik. Het scherm werd zwart.
Vechten of vluchten: zijn sluwe brein trad in werking.
Hij koos voor vluchten.

22

Neil drukte op de knop van de afstandsbediening voor de garage van Beth.

'Wauw,' zei de patrouilleagent, een nieuweling. Hij was een paar uur geleden aan zijn dienst begonnen. 'Wauw,' zei hij nogmaals.

'Ze werkt voor een antiquair,' legde Neil uit. De derde pop van Chadburne was al bezorgd, zoals Beth had verwacht. Neil besloot naar binnen te gaan en de eerste twee eveneens te halen. Beth zou het grootste deel van de dag slapen, had Standlin hem verzekerd, maar later zou ze iets om handen moeten hebben.

Geïmponeerd raakte de agent allerlei dingen aan. 'Ik heb me altijd afgevraagd waarom mensen een fortuin neertellen voor dingen die alleen maar... oud zijn. Ik bedoel, moet je die kom eens zien. Het is een kóm. Een oude, gehavende kom. Waar hébben we het over?'

'Ik zou het niet weten,' gaf Neil toe, speurend naar de poppen. Hij trok zijn neus op; het rook er vaag naar zaagsel.

'En dit.' De agent slenterde naar een mat waar een tweedelige kast op stond. Eén deel was nog gedeeltelijk bedekt en Neil herkende de verpakking, de omvang. Het was de hoge ladekast van Waterford, de kast waarmee Beth thuis was gekomen bij hun eerste ontmoeting. De kast waarover ze tegen Evan had gezegd dat hij de 'opgekalefaterde' achterwand had, wat dat ook mocht zijn.

Hij liet zijn vingers over het snijwerk van de ladekast glijden, bukte zich en snoof. Misschien was dat het: de geur van hout.

'Ik vraag me af wat dat ding waard is,' mijmerde de agent.

'Zes- misschien achtduizend dollar, maximaal,' zei Neil. 'De achterwand is opgekalefaterd.'

De knaap staarde hem aan.

Laat hem maar denken.

Neil vond de eerste twee poppen bij de computer van Beth, in hun dozen. 'Dit is wat ik zoek. Ik weet genoeg; laten we gaan. Ik moet naar een teambespreking.' Het gaf hem een goed gevoel dat hij dat kon zeggen.

'Oké,' zei de knaap, achter Neil aan lopend. 'Maar ik zou er nog geen zeshonderd voor betalen, laat staan zesduizend.'

Neil stortte zich in de ingewanden van de afdeling Gedragswetenschappen in Quantico, gekleed in een schoon pak en met een bezoekerspasje op zijn revers. De ironie van het feit dat hij een bezoeker was van de FBI ontging hem niet. Dat hij een officiële begeleider had die hem door het raamloze ondergrondse netwerk leidde, maakte hem in zekere zin tot een indringer. Anderzijds was het een soort thuiskomst.

De 'commandocentrale' van het opsporingsteam was een middelgrote vergaderzaal met een grote tafel, enkele laptops, videoschermen aan de muren waar ramen hadden moeten zijn en een stuk of zes FBI-agenten en politierechercheurs die rondliepen om te worden bijgepraat over de zaak, die snel openbaar werd. De leidinggevende agent, die Neil alleen van naam kende, was Armand Copeland, een stevige man van in de vijftig, bij wiens incidentele verschijningen in het nieuws Neil altijd aan James Earl Jones had moeten denken. Hij was conservatief en niet van de wijs te brengen, een man die zijn vrije tijd waarschijnlijk besteedde aan het doorbladeren van gedragshandboeken.

Neil vroeg zich af waarom Copeland hem had uitgenodigd: om hem bij de zaak te betrekken of om hem alle informatie te ontfutselen en hem vervolgens als burger de deur uit te schoppen? Neil onderdrukte een steek van bezorgdheid. In het hart van het onderzoek staan was niet moeilijk geweest toen Rick de leiding had; hij had vrijwel carte blanche gehad. Een FBI-team onder leiding van iemand als Armand Copeland zou waarschijnlijk minder meegaand zijn.

Probeer me er maar eens buiten te houden, dacht hij strijdlustig.

Behalve Standlin en Brohaugh waren er nog twee mannen die zich voorstelden: een agent van buitenaf die Juan Suarez heette en die bedachtzaam een reep Juicy Fruit uitpakte, en een één meter vijfennegentig lange zwarte man met de bouw van een koelkast. Neil realiseerde zich juist dat zijn naam hem was ontgaan, Harry of misschien Jerry, toen Lexi Carter binnenkwam en naar hem wuifde. Neil had een paar keer met haar man gebokst. Ze was tenger gebouwd en had donkere haren, net als Beth, wat, concludeerde Neil, waarschijnlijk de reden van haar aanwezigheid was. Een valstrik.

Copeland zette het plan uiteen: '...en Brohaugh coördineert de veldoperaties en de bijkantoren, brengt alles bij elkaar in de commandocentrale hier.'

'Is er nieuws over de twee vermiste vrouwen?' vroeg Harry-Jerry.

'We wachten nog,' antwoordde Copeland, terwijl een gebleekte blondine zich bij de groep voegde. O'Ryan, dacht Neil, die haar herkende. Sidney O'Ryan. Ze hadden eens geflirt in een lift en ze had met haar insigne gezwaaid toen hij vrijpostig werd. Hij had terug gezwaaid met het zijne.

'O'Ryan is de persvoorlichter,' legde Copeland uit en ze trok een gezicht.

'Waarom ik?' vroeg ze.

'Vanwege je neus, *querida*,' zei Suarez met zijn lichte latino-accent. 'Je bent de enige met een neus die parmantig genoeg is om een lulverhaal op te hangen en ermee weg te komen.'

Copeland: 'Dus wat is het plan?'

O'Ryan zei: 'Standlin heeft me geholpen met het opstellen van een verklaring. Ze vindt dat we die klootzak een beetje moeten vleien, hem moeten laten weten hoe slim hij is en hoeveel agenten er met hem bezig zijn.'

Copeland fronste zijn wenkbrauwen. 'Zou hij daar intrappen?'

'Ik weet het niet,' zei Standlin. 'Ik heb hem nog niet helemaal door, ik zie geen patroon. Beth Denison en Anne Chaney werden gestalkt, de anderen niet. Twee vrouwen werden in stukken gesneden, één vrouw werd in haar busje doodgeschoten en twee andere worden vermist, dus we weten niet wat hij met hen heeft gedaan.'

'Vergeet Gloria Michaels niet,' zei Rick.

'Inderdaad. Ze is een beetje anders, maar lijkt niettemin het werk van Bankes. En ze hebben alle twee aan West Chester University gestudeerd. Ze was op een studentenfeest op de avond dat ze vermoord werd.'

Suarez liet zijn kauwgom klappen en wendde zich tot Neil. 'Waarom heb je indertijd niet met hem gesproken?'

'Ik heb verdomme iedereen die op dat feest was gesproken. Bankes was er niet.'

'Goed werk,' zei Suarez honend.

'Hé, klootzak...'

'Oké,' zei Copeland, terwijl hij zijn hand opstak. 'Laat dat, mannen. Suarez, hou je mond.'

Suarez wees met zijn duim naar Neil. 'Die vent is niet eens een agent meer. Hij hoort hier niet te zijn.'

Copelands kaak verstrakte. 'Die beslissing is aan mij, niet aan jou.'

Suarez deed er met veel vertoon van onsportief gedrag het zwijgen toe en Standlin ging door. 'We moeten zijn patroon zoeken. Seriemoordenaars zijn slim, gestructureerd en hebben een duidelijke reden voor alles wat ze doen. En ze bewaren meestal iets van hun slachtoffer, zodat ze de opwinding later opnieuw kunnen beleven.'

'Trofeeën,' zei Copeland.

'Precies. Dus, heeft hij iets van die vrouwen meegenomen?'

'Hun telefoon?' vroeg Rick. 'Hij gebruikt hun telefoons.'

'Gebrúíkt ze. Een trofee is persoonlijker... een sieraad, een kledingstuk, een haarlok, een vinger zelfs.'

'Zou hij iets bij ze kunnen achterlaten in plaats van meenemen?' vroeg Harry-Jerry.

Standlin keek hem aan met een blik van: waar heb je het over?

Hij schoof Standlin over de tafel heen een rapport toe. Neil tuurde om de handtekening van de agent eronder te lezen: Harrison. 'De man van de kleuterjuf heeft haar lichaam geïdentificeerd, maar hij zei dat hij haar blouse niet kende. Zei dat ze nooit roze kant zou dragen. Dus: kan het zijn dat hij ze uitdost?'

'Ga dat na,' zei Copeland tegen Standlin. Hij wees vervolgens naar Brohaugh. 'Wat deed Bankes voordat hij hier begon?'

'Vóór de gevangenis werkte hij in hotels. Hij begon in zijn studententijd als hulpkelner en werd tegen de tijd dat hij afstudeerde assistent-manager in een wat chiquere tent in Philadelphia. In 2001 verhuisde hij naar Seattle en werd manager in een duur hotel, het Orion. Zijn collega's waren geschokt toen uitkwam dat hij Chaney had vermoord.

Nadat hij uit de gevangenis kwam, huurde Bankes een appartement en werd opnieuw aangenomen bij het Orion. Daar werkte hij tot een maand geleden, toen de staat hem zeshonderdduizend dollar toekende wegens salarisverlies en schadeloosstelling voor zijn tijd in de gevangenis. Toen verscheen hij opeens niet meer op zijn werk.'

'Hobby's? Activiteiten?' vroeg Copeland.

'Zijn buren in Seattle worden ondervraagd, maar hij viel zo te horen niet op, was gemakkelijk in de omgang. Hij heeft eens een zwerfhond opgenomen en aan iemand op zijn werk gegeven. Ook reisde hij wel eens; af en toe was hij een weekend weg.'

'Waarheen?'

Brohaugh haalde zijn schouders op.

'En zijn appartement?' vroeg Neil. 'Is iemand daar geweest?'

'Ze zijn er op dit moment. Het lijkt tamelijk normaal. Hij hield misschien van harde muziek; er stond een surroundsound-installatie en alle muren waren geïsoleerd.'

Copeland wendde zich tot Standlin: 'Hoe zit het met dat gelul over jeugdtrauma's waar je zo gek op bent?'

Ze keek wanhopig. 'Gun me even de tijd, ja? Ik ben nog bezig zijn connectie met Anne Chaney uit te zoeken.'

'Kan Denison je daar niet bij helpen?' vroeg Copeland.

'Ze heeft ons een overzicht gegeven, maar ze houdt iets achter. Ze verzwijgt iets.'

'Trek het dan uit haar. Daar ben je goed in.'

'Ik zal mijn best doen.'

En moge God Beth bijstaan, dacht Neil. Geneviève Standlin was goed in het openrijten van oude wonden om er dan in te snijden tot ze leegbloedden.

'Oké,' zei Copeland samenvattend. 'Dus we houden de dochter verborgen in Covington, bewaken Denison en geven haar volop tijd met agent Standlin tot we het hele Chaney-verhaal kennen. Laat intussen de motels rondom het district onderzoeken, nieuwe huurcontracten, tehuizen voor daklozen. Verdorie, hij heeft geld, dus check de dure hotels, autoverhuurbedrijven, alles. Laat nagaan wanneer hij voor het laatst is gesignaleerd, in wat voor auto. Harrison, verzamel alles over onopgeloste zaken waarmee hij te maken kan hebben gehad, zoek verbanden. Agent Carter, ga naar het huis van Denison, doe wat zij zou doen enzovoort.' Hij stond op: vergadering gesloten. 'Blijf het dossier voeden. Sacowicz,' zei hij tegen Rick. 'Ik ben blij dat je meedoet. Als je iets van de FBI nodig hebt om de inwoners van Arlington te beschermen, vraag het gewoon.'

'O, dat klonk goed,' zei O'Ryan. 'Ik zal ervoor zorgen dat ik je citeer.'

'Dat is je geraden. Het is de enige reden waarom ik het zei.'

O'Ryan wierp hem een glimlach toe die niet onderdeed voor die van een tv-presentatrice. Ze had inderdaad een parmantige neus.

'Eropaf dus,' zei Copeland, maar hij keek Neil aan met het onuitgesproken bevel te blijven.

Niet nodig. Neil ging nergens naartoe.

23

'Het viel me op dat je me niet vroeg wat ik van jou verlang,' zei Copeland toen de vergaderzaal was leeggestroomd.

'Ik ben er tamelijk zeker van dat ik weet wat u van me verlangt, meneer. Er is geen plaats voor me in een actief opsporingsteam.'

Copeland liep om de tafel heen en ging recht voor Neil staan. 'Ik herinner me je, Sheridan. Negenentwintig jaar oud toen je ontslag nam bij de FBI, en je werd al gevraagd voor moeilijke zaken.'

Er bewoog een spiertje in Neils kaak.

'Weet je hoe ze je achter je rug noemden?'

Neil slikte. Hij wist het. Het was de reden waarom hij terug was gegaan om Anthony Russell te vinden.

'Pitbull. Als je je eenmaal ergens in vastbijt, laat je niet meer los.'

Laat het los, Neil. Kom naar huis. Alsjeblieft. Ik heb je hier nodig. Kenzie heeft je nodig.

'En toen liet je je meeslepen door een persoonlijke tragedie, die een eind maakte aan je carrière.'

'Wilde u me iets vragen?' drong Neil aan.

'Ja, dit: er is in een FBI-team geen plaats voor burgers met persoonlijke kwesties. Je bent burger en volgens Standlin is dit puur persoonlijk.' Hij hief zijn hand op toen Neil zijn mond opende. 'Ontken het maar niet. Ze kent haar zaakjes. En ze kent jou.'

Neil had zin om Standlin te wurgen. 'Dat is oude koek, meneer.'

'Het verlies van een kind is nooit oude koek. Het bevalt me niet,' ging Copeland verder, 'dat er iemand in het team zit die niet met ons meespeelt. Maar je bent een ervaren agent en je kent de zaak-Michaels beter dan wie ook. Bovendien heb je iets met Denison. Ik zou wel gek zijn als ik je niet gebruikte.'

'Me gebruiken?' Neils hart klopte wat sneller.

'Het kan me niet schelen hoeveel gouden sterren er achter mijn naam staan. Ik wil Chevy Bankes en het kan me niet verdommen wie hem grijpt, mijn team of de plaatselijke politie.' Hij richtte zijn blik op Neil. 'Of een oud-agent die toevallig op goede voet staat met de vrouw op wie Bankes het gemunt heeft, een man die alleen werkt, en niet erkend wordt door dit kantoor.'

'Meneer?'

'Alleen en niet erkend, begrijp je?'

Neil begon het te begrijpen. En hij vond Copeland steeds aardiger.

'Blijf bij Denison, hou haar aan de praat. Hou ons op de hoogte van eventuele verbanden met Gloria Michaels. Ik stel alle mogelijke middelen ter beschikking en laat je de teamvergaderingen bijwonen. In ruil daarvoor deel je alles wat je van Denison hoort of wat je van Bankes weet met ons.'

Zeker weten: hij vond Copeland beslist aardig. Neil knikte en wilde weggaan, draaide zich toen om. 'Eén ding wat niemand is opgevallen, is de geboortedatum van Chevy Bankes,' zei hij en Copeland fronste zijn wenkbrauwen. 'Gloria Michaels werd op Bankes' eenentwintigste verjaardag vermoord.'

Copelands wenkbrauwen gingen de hoogte in. 'En dat betekent?'

Neil haalde zijn schouders op en opende de deur. 'Ik mag hangen als ik het weet.'

Toen Neil de gang binnenkwam, stond Standlin op de lift te wachten. Hij probeerde haar te negeren, maar kon het niet. 'Jezus, Standlin, wat heb je Copeland verteld?'

'Twee dingen die iedereen behalve jij al weet.'

Neil sloeg zijn armen over elkaar. Verrekte zielenknijpers.

'Ik heb hem ten eerste verteld dat je zestien jaar geleden de beste jonge FBI-agent was en dat ik er trots op was dat ik heb geholpen om je binnen te halen.'

Neil voelde zijn wangen zowaar branden.

'En ten tweede heb ik hem verteld dat je negen jaar geleden door het lint bent gegaan en niet meer terug bent gekomen.'

'Hartelijk dank.'

De liftdeur ging open en ze stapten naar binnen. 'O, en ik heb hem nog iets verteld.'

Neil wilde het niet horen, maar zijn hand blokkeerde de lift niettemin.

'Ik heb hem gezegd dat de kans dat we Chevy Bankes te pakken krijgen het grootst is als hij jou eropaf stuurt en dat, als hij dat doet, hij de beste agent weer binnen zou kunnen halen.'

Er bonsde iets in Neils borst, trots misschien, of zelfs hoop, iets wat hij niet precies kon definiëren. Maar het werd onmiddellijk gevolgd door het sombere gevoel dat hij dat wél kon. 'Ik heb de verkeerde gedood.'

Ze knikte. 'En die komt niet terug als je nu de goede oppakt. Net zomin als je je gezin terugkrijgt door met Beth en Abby op te trekken. Maar,' zei ze, terwijl ze op de liftknop drukte, 'misschien dat het jou terugbrengt.'

De rest van de dag werd gevuld met papierwerk: elk detail over Gloria Michaels, Lila Beckenridge, Thelma Jacobs. De vrouwen uit Omaha, Indianapolis, Silver Springs. Neil kon zich niet herinneren dat iemand de namen van die drie laatsten had gebruikt; ze waren de dode vertegenwoordigers van hun stad geworden.

Tegen de avond was hij bijgepraat over wat de autoriteiten in alle drie de steden wisten. Hij trof Suarez in de suite van Beth, in de chagrijnige stemming die het gevolg is van de hele dag in een hotelkamer zitten. Hij meldde dat ze zes uur had geslapen, was opgestaan – waarschijnlijk om naar het toilet te gaan – en in de drie uur daarna niets had gedaan. Neil nam de hotelbewaking door, leerde toegangscodes, dekmantels, de gezichten van de dienstdoende agenten van buiten en toen ging Suarez ervandoor.

Om halfacht wankelde Beth de keuken binnen. Ze droeg een T-shirt dat tot haar bovenbenen reikte en zag eruit als een zombie. Een mooie zombie, als zoiets bestond. Het was een verdomd goed gevormd T-shirt.

Ze zocht een telefoon.

'Ik moet Abby bellen,' zei ze. 'Ze zal dadelijk wel naar bed gaan. Ik moet Abby bellen.'

Neil zette een bord lasagne in de magnetron en zette de timer op twee minuten. Hij gaf haar zijn mobiele telefoon. 'Haar nummer is sterretje-acht. Ze was de hele ochtend bij haar tante thuis, is gaan lunchen bij McDonald's en ging daarna naar het park, waar ze een shih tzu zag, waarmee ze een uur heeft gespeeld. Mevrouw Stallings heeft boodschappen gedaan – de kruideniers, de stomerij en een openbare bibliotheek – en Abby is sindsdien in het huis van de Stallings geweest.' Hij knipoogde. 'Wil je weten wat ze gegeten heeft?'

'Arrogante zak,' zei Beth, maar ze glimlachte.

Ze trok zich terug in de badkamer en sprak tien minuten met Abby. Neil hoorde haar praten over het hondje uit het park, over Abby's nichtje en over koekjes die blijkbaar net uit de oven kwamen. Hij glimlachte toen Beth Abby maande haar tanden te poetsen en op te letten dat de achterpoort altijd dicht was. Heinz had er, als ze op bezoek waren bij de familie Stallings, kennelijk een handje van ervandoor te gaan om met andere honden in de buurt op te trekken.

Beths stem klonk schor toen ze tegen Abby zei dat ze van haar hield en het duurde twee à drie minuten voordat ze weer de keuken binnenkwam.

'Alles goed?' vroeg Neil zacht.

'Abby maakt het prima.'

'Maar jij niet,' zei hij en hij sloeg een arm om haar nek. Hij trok haar tegen zich aan en kuste haar op haar hoofd. Ze voelde breekbaar en klein aan, zo dicht tegen hem aan, en na een hele dag lezen wat Chevy Bankes met vrouwen had gedaan, werd hij overspoeld door beschermingsdrang. Bewaarder van haar geheimen en hoeder over haar veiligheid; het verlangen om beide te zijn was zo onverwacht, dat het hem trof als een baksteen. Ook het verlangen om haar geliefde te zijn stak, minder onverwacht, de kop op.

Hij beperkte zich tot de rol van Grote Trooster: 'Kom,' zei hij, 'lasagne.'

Beth verslond twee porties en hun gesprek ging over alles behalve de zaak. Meer dan eens betrapte ze zichzelf erop dat ze hem aanstaarde. God, wat was het makkelijk hem aan te staren.

'...fysiotherapie met kinderen met speciale behoeften,' zei hij. 'Ze droomt ervan alles te paard te doen, zogenaamde hippotherapie. Ze wóónt zowat in de paardenstal.' Het ging over zijn zus, die in Atlanta woonde.

'Zijn jullie maar met z'n tweeën?' vroeg Beth. Háár familie hadden ze al doorgenomen.

'Ik heb ook nog een broer, Mitch. Hij is fotoverslaggever. J.M. Sheridan.'

Haar ogen puilden uit.

'Aha, je hebt van hem gehoord.'

'Wauw, je hebt een beroemde broer. Ik ken zijn boeken. En ik ben eens naar een van zijn exposities geweest, voor een aids-stichting, van zijn foto's uit Zuid-Afrika.'

'Dat is hem. Rechtschapen wereldverbeteraar, voorvechter van de verdrukten en groot onthuller van overheidsfalen.'

'Ik neem aan dat jullie niet erg close zijn?'

'Mitch en ik hebben verschillende lijfspreuken. Hij ziet iets wat kapot is en kan het niet met rust laten; hij móét ernaartoe om het te repareren. "Verander de wereld", dat is zijn devies.'

'En het jouwe?'

'De wereld kan verrekken. Onherstelbaar kapot.'

Beth keek hem aan. 'Ik geloof je niet.'

Hij zette de borden op een stapel en pakte die op. 'Vraag het maar aan Mitch,' zei hij, terwijl hij de borden in de gootsteen zette. 'Hij is vorige maand bijna gedood in Irak doordat ik als waakhond werkte voor twee "operateurs", zonder de moeite te nemen uit te zoeken wat voor operatie het was. Het was een bomaanslag, tussen haakjes. Ze stalen een Sentry-helikopter, doodden dertien burgers en namen Mitch zwaar te grazen. Maar ja. Verrek maar.'

'O god, Neil.' Beth bestudeerde de harde lijnen van zijn gezicht. 'Ik denk niet dat je er goed aan doet je nu aan je devies te houden.'

Een fractie van een seconde van verbazing, toen trok hij één donkere wenkbrauw op. 'Jouw fout.'

Beth hoopte het, maar ze durfde het niet te zeggen. Ze had het gevoel dat hij haar zojuist iets kostbaars had gegeven. Maar het herinnerde haar ook aan alles wat hij niet had verteld. 'Maggie zei dat je getrouwd bent geweest met haar zus.'

'Heather,' zei hij en de spieren in zijn hals verstrakten. 'We zijn gescheiden.'

Beth wachtte, hield zichzelf voor dat het haar zaak niet was, maar vroeg het toch. 'Wat is er gebeurd?'

Hij kwam naar haar toe, bleef op één pas afstand staan en boorde zijn blik in de hare. 'Ze had geheimen voor me. Sloot me buiten. En toen ik er niet was, concludeerde ze dat ze het zelf aankon.'

Beth slikte. 'O.'

'O,' zei hij haar na. 'Is dat alles wat je te zeggen hebt?'

Ze deed een stap achteruit. 'Wat wil je dat ik zeg? "Jeetje, Neil, sorry dat ik het zelf probeerde te regelen"? Of: "Jeetje, Neil, ik beloof dat ik, als je je telefoon niet opneemt, rustig op je zal wachten"?'

'Het zou een begin zijn.'

Ze ademde uit. 'Luister, sorry dat ik je bang heb gemaakt door er met Abby vandoor te gaan. Het is niet zo dat ik niet voorbereid was. Ik had de wapens en ik heb verdomd vaak geoefend. Ik kan mezelf verdedi–'

Hij bewoog bliksemsnel en haar ruggengraat sloeg plotseling tegen zijn borst. Zijn onderarm lag om haar hals. Ze wilde uithalen, maar zijn andere hand wrong haar arm midden op haar rug. Pijn vlijmde door haar schouder.

'Je bent een kickbokser,' zei hij in haar oor. 'Dat is iets wat ze in boksringen doen, voor de show, net als worstelen. Het is niet echt.'

'Laat me los,' zei ze schor. Ze kon amper ademhalen.

'Twee minuten,' zei hij. 'Twee minuten zo en je bent buiten westen. Drie en je ligt geboeid in de kofferbak van mijn auto. Maar als het me om het resultaat ging, zou ik je nek kunnen breken en er in drie seconden mee klaar kunnen zijn.'

Beth hijgde en haar knieën werden slap. En even snel zetten haar longen weer uit.

'Klootzak,' zei ze, zuurstof binnenhalend. Hij liet zijn greep ver genoeg verslappen om haar weer lucht te geven, maar niet genoeg om haar los te laten. 'Laat me los,' hijgde ze.

'Bevrijd jezelf maar,' zei hij. 'Je denkt toch dat je zo sterk bent? Bevrijd jezelf dan.'

24

Denk na, denk ná. Ze was op blote voeten en hij niet, dus zijn wreef had geen zin. Hij hield haar te dicht tegen zich aan om hem in zijn kruis te kunnen schoppen, en als ze op zijn ogen of zijn oren mikte, zou hij het zien aankomen. Een schouderworp was uitgesloten; met haar linkerarm op haar rug zou hij gewoon haar schouder uit de kom trekken.

Maar zijn knieschijf... een harde hieltrap, onder vrijwel elke hoek, zou verdomd pijnlijk zijn en hem in elk geval ver genoeg terugdrijven voor een zwaaistoot naar zijn keel.

Ze haalde adem en net toen ze haar voet bewoog, schoot zijn enkel naar boven en klemde haar benen vast. Ze viel voorover op de grond.

'Ik lette erop dat ik je been niet brak,' zei hij zacht in haar oor. 'Omdat ik probeer je geen pijn te doen. Bankes zou daar lak aan hebben.'

'Bankes is niet zo lang als jij,' mompelde ze tegen het linoleum.

'Hij is wreed en koestert een ziekelijk verlangen naar wraak. Zijn waanzin zal meer resultaat hebben dan jouw karate.'

'Wat stel je dan voor?' Ze struikelde bijna toen hij haar overeind trok in niet meer tijd dan hij ervoor nodig had gehad om haar op de grond te gooien. Hij trok haar op het vloerkleed in de huiskamer en schoof de salontafel aan de kant, zette een stoel weg.

'Vergeet je training,' zei hij. 'Vecht gemeen.'

'Hoe bedoel je?'

'Ik bedoel: je hebt geleerd hoe je aan een aanvaller moet ontsnappen. Wat je moet leren is hoe je er een doodt.'

'Daar heb ik een wapen voor.'

'En dat zal in je tas zitten als je het nodig hebt.'

Minder hardhandig nu draaide hij haar in dezelfde houding waarin hij haar een ogenblik eerder had gehouden, met haar linkerarm op haar rug en zijn rechter onderarm over haar borst en keel. 'Je hebt nog steeds één hand vrij. Gebruik hem niet om me onschadelijk te maken. Gebruik hem om me te doden.'

'Ik snap het niet.'

'Steek je hand op, met de palm naar je toe, en buig je pols.' Hij bracht haar hand in positie. 'Buig je vingertoppen, zodat de muis van je hand je wapen is.'

Ze deed het.

'Ram nu de muis van je hand onder mijn neus naar boven. Als je dat hard genoeg doet, zal het bot in mijn hersens versplinteren.'

'Leuk.'

'Ja. En het zal je leven redden. Hij verwacht dat je op zijn knieschijf zult mikken.'

Beth deed het, aanvankelijk aarzelend, daarna sneller en krachtiger telkens wanneer Neil het haar liet doen. Na vijf keer hapte ze naar adem. 'Zo is het genoeg. Ik heb het te pakken.'

'Dat niet, maar het is een begin.'

Ze maakte een beweging die hem had moeten verrassen en eindigde languit op haar rug. Neil ging schrijlings op haar heupen zitten en drukte haar polsen aan weerszijden van haar hoofd tegen de grond.

'Verdomme,' zei ze hijgend. 'Je bent goed.'

'Jij ook. Maar je hebt regels geleerd en daar zal Bankes zich niet aan houden.' Hij keek naar hun houding en er verscheen een deels gekwelde, deels vrolijke uitdrukking op zijn gezicht. Hij vloekte binnensmonds en bleef doodstil zitten. 'Wat zou je nu doen?' vroeg hij. 'Zeg het maar.'

Zijn gezicht was slechts enkele centimeters van het hare verwijderd, zijn bovenlichaam drukte op haar borsten en zijn kruis schuurde over haar buik. Tot haar niet geringe verbazing merkte Beth dat ze niet bang was. De kracht en de warmte van zijn lichaam waren een bron van troost en genot, niet van angst. 'Ik laat je even begaan en bijt dan je tong af.'

Er gleed een blik van vermaaktheid over zijn gezicht. 'Nee. Dan laat je hem te ver gaan.'

'Heb jij een beter idee?'

'Ram je voorhoofd tegen mijn gezicht.'

Beth knipperde met haar ogen. 'Meen je dat?'

'Nou en of.'

'Mijn schedel zou breken.'

'De enige schedel die breekt, is die welke niet voorbereid is op de klap. Jij zult degene zijn die voorbereid is, want tegen de tijd dat een man je in deze positie heeft, denkt hij al met zijn pik. Maar kronkel in godsnaam niet,' zei hij, terwijl hij zijn ogen een minuut lang dichtkneep. 'Je wakkert het vuurtje alleen maar aan. Breek zijn neus met je hoofd en hij zal ofwel van je af rollen door de pijn of zover rechtop gaan zitten dat je je polsen kunt bevrijden. Maar je moet er zelf klaar voor zijn. Gebruik de concentratie en de controle die je bij het kickboksen hebt geleerd.'

Geïntrigeerd, zich vertroeteld en tegelijk vreemd sterk voelend, deed Beth wat hij gezegd had. Hij deed alsof hij wegrolde en toen ze weg wilde kruipen, zei hij: 'Nee. Ga door. Denk nooit dat je laatste slag de genadeslag was tot je weet dat hij echt buiten gevecht is gesteld. Zo niet, dan word je waarschijnlijk neergeschoten. Kom weer op me af.'

Het was merkwaardig inspirerend, een training zoals Beth nooit eerder had meegemaakt. Niks gillen, onschadelijk maken en wegrennen. Neils filosofie was veel eenvoudiger: doden.

Een halfuur later lag Beth op de vloer bij te komen. Neil ging naast haar liggen. 'Niet slecht,' zei hij, terwijl hij een vinger over haar arm liet glijden.

'Mooi. En dan nu over mijn wapen.'

Eén enkele donkere wenkbrauw ging de hoogte in. 'Wat is daarmee?'

'Ik wil mijn Glock terug.'

'Oké, ik ga morgenvroeg met je naar Keet's. Als je kunt bewijzen dat je ermee kunt schieten, krijg je hem terug.'

'Wie heeft jou verdomme de leiding gegeven?'

'Jij. Toen je me om hulp vroeg.'

'Ik heb je niet gevraagd me als een kind te behandelen,' mopperde ze, terwijl ze rechtop ging zitten.

Ze kwam niet ver. Neil rolde zich op haar. Het was een stormachtige kus, en heel, héél grondig. Zijn mond eiste elke ademhaling op, zijn handen waren overal en tegen de tijd dat hij stopte, had Beth het gevoel dat haar lichaam was gesmolten tot een plas trillende, rauwe sensatie.

Hij trok zich terug en Beth richtte zich verlangend half op. Hij liet een vingertop over haar lippen glijden. 'Is dat volwassen genoeg voor je?'

Ze woelde met haar vingers door het dichte haar net boven zijn nek. 'Ik weet het niet,' zei ze, terwijl ze hem omlaag trok. 'Doe het nog eens, dan zal ik ditmaal beter opletten.'

Ze besteedden de vrijdagochtend aan het aan flarden schieten van doelwitten bij Keet's. Neil maakte het haar niet makkelijk, maar innerlijk was hij tevreden. Scherpschieten was blijkbaar een van Evan Fosters hobby's geweest; ze hadden er samen heel wat tijd in gestoken.

Niet dat Neil zich daar beter door voelde.

In Quantico praatte Copeland hem bij over Bankes. 'Hij is opgegroeid in een kleine stad, Samson, een uur of twee hiervandaan, werd opgevoed door zijn moeder en zijn opa van moederszijde.'

'Geen vader?'

'Een jongen uit de naburige stad, maar opa tuigde hem af toen zijn zestien jaar oude dochter zwanger bleek te zijn. De jongen ging ervandoor en Chevy heeft hem nooit gekend. Toen Chevy twaalf was, kreeg Peggy een tweede kind, maar de vader is onbekend. Dat tweede kind werd geboren met ernstige geestelijke en lichamelijke handicaps. Ze heette Jenny. Ze verdween toen ze zestien maanden oud was.'

'Wat?'

'Van de aardbodem verdwenen.' Hij knipte met zijn vingers. 'In rook opgegaan.'

'En de moeder? Heeft iemand haar gesproken?'

'Ze heeft zelfmoord gepleegd, een halfjaar na de verdwijning van Jenny, toen Chevy veertien was. Opa was inmiddels overleden en Chevy werd in een pleeggezin geplaatst. Hij redde het prima, kreeg een studiebeurs en zo.'

'Jezus.' Neil woelde door zijn haren. 'Ik moet erheen, mensen spreken die hem gekend hebben. Misschien is hij er op zijn weg hiernaartoe doorheen gekomen.'

Copeland keek hem spottend aan. 'Ik heb er al vijf agenten opaf gestuurd. Actieve agenten, je weet wel, met een penning, die hun salaris echt verdienen. Jouw werk is hier, weet je nog?'

'Ik bereik hier geen bal.'

'Je hoort Denisons versie.'

'Wat voor versie? Wat kan ze ons in godsnaam bieden? Ze heeft Bankes' plannen met Anne Chaney verpest. Nu wil hij haar laten boeten. Dat is alles.'

'Nou, Sheridan,' zei Copeland, terwijl hij opstond. 'Hoop maar dat je het mis hebt, want als je gelijk hebt, krijgen we hem pas door als hij dat wil.'

Weer in het hotel probeerde Neil met tegenzin Beth te laten praten. Haar dwingen de dood van Chaney opnieuw te beleven stond gelijk aan een rondleiding door de hel. Hij wilde geen getuige meer zijn van die huiveringen, niet meer de angst en het schuldgevoel in haar ogen zien.

Hij wilde niet denken aan wat er verder nog kon zijn.

Beth had zich teruggetrokken in de badkamer. Hij wachtte twintig minuten voordat hij eindelijk, een tikkeltje bezorgd, op de deur klopte.

'Beth?' zei hij.

'Het is in orde. Kom maar binnen.'

Hij opende de deur en verjoeg daarmee een naargeestig blauw schijnsel uit de badkamer. Beth zal op een kleine stoel aan de toilettafel. Er lag een pop op haar schoot, haar schrijfblok was opengeslagen en ze had een potlood achter haar oor gestoken. Een UV-lamp was aangesloten op het stopcontact naast de wastafel en het snoer lag op de grond.

'Wil je de deur dichtdoen?' vroeg ze. 'Dit is het enige vertrek zonder ramen. Het moet donker genoeg zijn.'

Neil sloot de deur. De spookachtige blauwzwarte gloed keerde terug en hij had het gevoel dat hij in een ander universum was. Een mooie vrouw, een half ontklede pop en een uv-lamp, allemaal in een hotelbadkamer. Het had iets van een *film noir*, maar hij had geen idee hoe die zou aflopen.

Hij ging achter haar staan. 'Wat doe je?'

'Ik zoek naar beschadigingen. Schilfers, reparaties of haarscheurtjes zijn soms niet met het blote oog te zien, maar wel in UV-licht.'

'O.' Dat was nog eens een briljant antwoord. 'En als je iets vindt?'

'Dat hangt ervan af,' zei Beth. Ze trok de pop het vestje en de roze blouse uit en legde ze op een stapeltje kledingstukken. 'Het rare van speelgoed en poppen is dat, als dit speelgoed was, de staat waarin het verkeert weinig uit zou maken. Gewoon speelgoed, babypoppen, teddyberen, het mag allemaal kapot zijn en brengt dan toch nog veel geld op. Met modepoppen is dat anders. Daar gaat het om de staat waarin ze verkeren.'

'Je meent het.' Het liet hem koud, maar Beth werd erdoor gefascineerd. Hij boog zich voorover en keek naar haar vingers die over het ongeglazuurde porselein gleden, en hij rook bosbessen-, vlierbessen- of een andere bessenshampoo in haar haren. Ze had ze niet naar achteren gekamd en de dikke lokken hingen over haar wangen toen ze omlaag keek. Grappig: het UV-licht had op Beth hetzelfde effect als op de poppen: haar litteken viel meer op.

'En wat betekent dit voor mevrouw Chadburne?' vroeg hij.

'Geld, als deze poppen echt blijken te zijn. Bergen geld.' Ze legde de pop weg en onderzocht de naden en de stof van elk afzonderlijk kledingstuk in het UV-licht. Op zoek naar vlekken, concludeerde Neil; de Technische Recherche deed precies hetzelfde. 'Het enige wat me dwarszit is deze blouse,' zei ze, meer tegen zichzelf dan tegen Neil.

'Hoe bedoel je?'

'Ik denk niet dat die bij het oorspronkelijke kostuum hoort.' Ze schudde haar hoofd. 'Ik moet iemand spreken die meer verstand heeft van dit type poppen. Misschien zelfs met Kerry. Het is een griezel, maar hij heeft wel verstand van poppen.'

Neil keek naar de miniatuur kledingstukken en zijn nekharen gingen overeind staan. Waarschijnlijk was het niets, maar het was net als met tandpasta uit een tube: als de gedachte er eenmaal uit is, kun je hem er niet meer in krijgen. *Haar man herkende de blouse niet.*

'Lieverd,' zei hij, 'waar zijn de eerste twee poppen, de twee die je al geïnspecteerd hebt?'

'Die heb ik weer naar Foster's gestuurd toen ik ermee klaar was. Evan heeft ze opgeborgen in de kluis daar. Hoezo?'

'Zomaar een vraag,' zei hij, maar hij keek op zijn horloge: halfvijf. Als hij haast maakte, kon hij nog voor sluitingstijd bij Foster's zijn.

Hoewel het misschien niets betekende.

25

Foster's Auction was een landgoed van drie miljoen dollar, met een landhuis op een helling en een grote galerie aan de noordkant van het perceel. Geschoren gazons strekten zich uit tussen de gebouwen en maakten naar de rand toe plaats voor verscheidene hectaren natuurbos. Het huis zelf verkeerde nog in de oorspronkelijke staat, compleet met de originele schuur, de koetshuizen en de slavenverblijven. De bijgebouwen hadden nu een zakelijke functie, een onderling verbonden netwerk waarin de kantoren, opslagplaatsen, garages en de galerie waren gehuisvest.

Neil volgde de borden naar het hoofdkantoor en glipte juist naar binnen toen de receptioniste op het punt stond naar huis te gaan. Hij vroeg naar Evan Foster en wachtte, terwijl zij enkele telefoontjes pleegde. Foster was blijkbaar niet op kantoor.

'Ik denk dat hij naar de kijkdag is,' meldde een lichaamloze stem door de intercom. 'Probeer het eens in de grote galerie.'

Voor de grote galerie stonden verscheidene auto's, bijna allemaal huurauto's uit een andere staat. De deur was niet op slot en Neil liet zichzelf binnen in wat de achterkant van de nu verlaten veilingzaal was. Hij beende door de gangpaden tussen de stoelen, kwam langs een wachtkamer en beklom het podium, waar enkele mensen de veiling voorbereidden die de volgende dag en de dag daarna zou plaatsvinden. Ze overlegden, inspecteerden kavels en maakten aantekeningen in hun catalogus. Een catalogus die Beths werk was, realiseerde Neil zich in een opwelling van trots.

Evan Foster stond aan de zijkant; hij praatte in een telefoon en keek geïrriteerd. Toen hij Neil zag, hing hij op, stak het podium over en wees naar een bord in Neils hand, beschilderd met een dom uitziende hond. 'Dat is Sheffield,' zei hij. 'Een kostbaar ding om te breken.'

Neil onderdrukte de opwelling om het tegen de muur kapot te

gooien en legde het weg. Hij knikte naar de telefoon. 'Problemen met klanten?'

Evan haalde zijn schouders op. 'Antiekverslaafden zijn malloten, maar poppenliefhebbers zijn het ergst. Ze beschouwen de poppen als hun kinderen.'

'Was het de vrouw van de poppen met wie u praatte? Margaret Chadburne?'

'Ze is vanmorgen per vliegtuig aangekomen vanuit Boise.'

Neils hartslag versnelde. 'Weet u waar ze logeert?'

Evan schudde zijn hoofd. 'Waarom?'

'O, niks eigenlijk. Beth wil haar spreken, dat is alles.' Neils hersenen werkten sneller dan zijn gezonde verstand, een onmiskenbaar teken van wanhoop tijdens een onderzoek. 'Ze zou de eerste twee poppen graag nog eens zien. Ik kom ze halen.'

Evan fronste zijn wenkbrauwen en zijn gedrag veranderde van koel in ijskoud. 'Waar zijn ze? Beth en Abby?'

'Mmm, sorry,' zei Neil zonder enige spijt. 'Officiële FBI-zaak.'

'Verdomme, ik wil het weten.'

'Maakt u zich geen zorgen. Ze heeft uw wapen.'

Evan verstijfde en stak een vuist op. 'Luister, klootz–'

Neil pakte hem bij zijn revers en praatte recht in zijn gezicht. 'Geen goed idee, Foster,' gromde hij. Enkele mensen richtten zich op en keken. 'Waarom maak je geen plannen om Beth komend weekend rugdekking te geven en de poppen van mevrouw Chadburne voor me te halen?'

'Ik hoef Beth niet te dekken. Ze heeft beloofd dat ze morgen hier zou zijn voor de veiling.'

'Ze vergist zich. Ze komt niet.'

'Wat heb je verdomme met haar gedaan?'

'Jezus, Foster,' zei Neil, terwijl hij het gekreukte overhemd losliet, voordat iemand de politie belde. 'Denk je dat ik haar ergens geboeid en gekneveld heb achtergelaten? Ze is veilig en daar gaat het om. Dat zou ze niet zijn als ze hierheen kwam. Veel mensen, afleiding, auto's uit het hele land. Doe me een lol, man. Zeg dat ze thuis moet blijven.'

'Ze ís niet thuis.'

'Zeg dan dat ze bij míj moet blijven.'

Er verscheen een vragende blik op Fosters gezicht. Neil had blijkbaar iets miszegd.

‘Ga je met haar naar bed?’ vroeg Foster.

Neil stond perplex. ‘Dat gaat je niet –’

‘Toch wel.’ Hij zweeg. ‘Verdomme. We hebben iets met elkaar.’

‘Ze heeft mij iets anders verteld,’ zei Neil en hij beantwoordde Fosters dreigende blik. Arme sukkel. Geen enkele man heeft niet minstens één keer in zijn leven van de verkeerde vrouw gehouden. In een andere tijd of op een andere plek – met een andere vrouw – zou Neil misschien medelijden met hem hebben gehad. Misschien. ‘We willen dat alles bij Beth thuis normaal lijkt te verlopen,’ zei hij zacht. ‘Ga door zoals je onder normale omstandigheden zou doen. En geef me die twee poppen.’

‘Rot op, Sheridan. Ik sta niet toe dat jij er met het appeltje voor de dorst van een oude dame vandoor gaat. Beth weet hoe ze de kluis moet openen. Als ze ze wil hebben, kan ze ze komen halen.’

Er was dus niks te halen, in elk geval niet voordat hij de poppen had gezien. Neil belde Copeland en praatte hem een huiszoekingsbevel aan. Hij keerde terug naar het hotel, waar Suarez en Beth zaten te kaarten. Dat wil zeggen, Suarez. Beth ijsbeerde door de kamer en was de kaarten in haar hand blijkbaar vergeten.

‘Waar hing je verdomme uit?’ vroeg ze aan Neil.

Er verscheen een glimlach om zijn lippen. ‘Dag, schat, ik ben thuis.’

‘Sheridan,’ zei Suarez. ‘Misschien kun jíj haar laten stoppen met ijsberen. Heb je ooit geprobeerd te pokeren met een vrouw die niet stil kan zitten?’

Beth liep naar de salontafel en smeet er vijf speelkaarten op. ‘Full house,’ zei ze. ‘Ik win.’

Suarez pakte zijn colbertje en schudde zijn hoofd. ‘De mazzel, *amigo*,’ zei hij, terwijl hij de deur achter zich dichttrok.

‘Evan heeft gebeld,’ zei Beth zodra Suarez weg was. ‘Hij heeft me komend weekend nodig voor de veiling.’

‘Nee.’

‘Ik ben de enige die de collectie kent. Het is mijn catalogus, de kavel van mijn cliënt.’

‘Nee.’

‘Verdomme, je kunt me hier niet als een kind opsluiten.’

Een herinnering deed zijn lippen tintelen. ‘Ik dacht dat we al hadden vastgesteld dat ik je niet behandel als...’

'Hou op.' Ze kwam naar hem toe. 'Je sluit me hier op met een bewaker die mijn wijnglas maar blijft volschenken en probeert me een dutje te laten doen of een potje te kaarten of naar poppen te laten kijken, alles om me bezig te houden, terwijl jij en de rest van de wereld een moordenaar proberen te vangen.'

'Je bent het dóélwit, Beth. Wat moet ik anders doen? Je ginds laten rondhangen, zodat hij een vrij schootsveld heeft? Je meenemen naar de plaatsen delict?' Hij dacht dat ze in tranen zou uitbarsten en vloekte. 'O, jezus, doe dat niet.'

'Ik laat me niet buitensluiten,' zei ze met bevende stem. 'Adam deed dat ook. Hij wilde alles regelen en ik liet hem begaan en...'

'Oké,' gaf Neil toe. 'Ik zal je niet buitensluiten. Maar ik sluit je wel óp. Je blijft achter slot en grendel, of je nu wilt of niet.'

Ze wilde iets zeggen en Neil kuste haar.

Ze gaf zich er even aan over en duwde hem toen weg. 'Je kunt me afleiden zoveel je wilt, maar je moet me nog steeds vertellen wat er aan de hand is.'

Neil knikte. 'Goed dan.'

Hij ging naast haar op de bank zitten en vertelde haar alles wat ze over Bankes wisten. Zijn familie, zijn opleiding, zijn banen. Hij aarzelde toen hij aan Bankes' zusje, Jenny, toekwam, maar vertelde het haar toch.

'O, god,' zei ze, wit wegtrekkend. 'Bankes heeft haar vermoord, hè?'

'Dat weet niemand.'

'Maar dat denken ze, nietwaar?' Paniek maakte haar stem scherp. 'Hij vermoordde een hulpeloos meisje...'

'Zeg dat niet, Beth. Niet voordat we het zeker weten.' Hij wachtte tot ze hem zo te zien weer kon horen, pakte toen een papieren servet van de tafel en schetste wat ze te weten waren gekomen over zijn ouderlijk huis: de ligging van het perceel van Bankes aan de rivier de Susquehanna, die van het huis en het aangrenzende jachtrevier. 'Chevy heeft als tiener in een pleeggezin gewoond, maar toen hij eenentwintig werd, erfde hij het land van zijn moeder. Hij verkocht het nog dezelfde dag, voor een prikkie, aan de man van wie dat jachtrevier is: Mo Hammond. Agenten in Philadelphia proberen Hammond op te sporen om met hem te praten. Van alle inwoners heeft Hammond Bankes misschien het best gekend. Zijn familie en die van Bankes kenden elkaar goed.' Neil kneep even in Beths hand. 'We vinden hem wel, lieverd, dat garandeer ik je.'

Ze knikte en hij dacht dat ze hem inderdaad geloofde. Maar er lag ook een onuitgesproken vraag in haar ogen: *Voordat hij opnieuw een moord pleegt, of daarna?*

Hij legde de pen en het servet weg. 'Heb je Abby vandaag gesproken?'

'Cheryl vertelde dat ze vandaag een limonadekraam hebben opgezet... zes dollar en achttien cent hebben ze verdiend. Voornamelijk giften, denk ik.' Ze zweeg en zoog haar lippen naar binnen.

'En is Standlin geweest?'

'Dat weet je best,' zei Beth boos. 'Heb je de laatste toevoegingen aan mijn dossier niet gezien?'

'Het is een dossier over de záák, Beth, niet over jou. En ja, ik heb het gelezen. Er stond in dat je Standlin uitkafferde, dichtklapte en ervandoor ging.'

'Bij jou zou ik hetzelfde doen. Waag het niet.'

Hij glimlachte om de fonkeling in haar ogen en maakte zich tegelijkertijd zorgen om al die onverzettelijke onafhankelijkheid. Misschien moest hij haar provoceren of haar overhalen hem te vertrouwen. Misschien moest hij gewoon geduld hebben en haar op het moment en de manier van haar keuze haar hart laten uitstorten. Of misschien moest hij alles laten verrekken en haar uitkleden, haar laten voelen hoe het zou zijn om...

'Ik weet wat je denkt,' zei ze pinnig.

'O, dat denk ik niet.' Hij schraapte zijn keel.

'Jawel. Ik weet altijd wat je denkt. Je denkt dat ik nooit heb verwerkt wat Bankes heeft gedaan. Je denkt dat ik het wegstopte door ver weg te gaan en Abby te krijgen en me op mijn werk te richten. Nou, misschien heb je gelijk. Maar dat verandert niet als je me met een botte psychiater in een kamer opsluit.'

'Ze probeert alleen maar een profiel van Bankes te maken.'

'Ze weet alles over Bankes. De FBI moet inmiddels een vuistdik dossier over hem hebben. Het enige wat ze níét van hem weten, is waar hij nu is. Standlin analyseert míj. Alsof ze denkt dat ik op instorten sta, in katzwijm zal vallen.'

'Je hebt wapens gekocht, volop schietoefeningen gedaan en dingen geheimgehouden, Beth.' Hij zweeg. Hij kon nu doordrammen, maar besloot het niet te doen. Hij wilde niet over Standlin praten. Hij wilde niet over Bankes praten. Eigenlijk wilde hij zelfs niet over Abby praten.

Hij keek naar zijn handen en dacht aan het enige waar hij wél over wilde praten.

'Evan Foster denkt dat ik met je naar bed wil.' Hij zweeg even. 'Dat wil ik ook.'

Haar ademhaling stokte en ze verstijfde.

'Kalm maar, lieverd, ik bedoel niet meteen. Ik dacht: ik begin er maar over, dan kun je erover nadenken.'

'Ik heb er al over nagedacht.'

Neil slikte. 'Goed dan.' Hij dwong zichzelf op te staan, afstand te scheppen. 'Denk er dan nog wat langer over na. Laat me weten wat je besloten hebt.'

Ze had het zo zacht gezegd, dat hij niet zeker wist of hij het goed verstaan had, maar toen ze bloosde, wist hij het. Zijn lichaam reageerde met een snelheid die hem schokte. De hand van een vrouw, de mond van een vrouw, het lichaam van een vrouw... Allemaal konden ze dat met hem doen; hij had het misschien te vaak en met te veel vrouwen gedaan. Maar de woorden van een vrouw? Hij had niet geweten dat dát kon.

26

Ze droomde weer; Neil kon haar horen en de geluiden balden zich in zijn borst samen als een vuist. Gejammer, kreten die haar keel niet helemaal verlieten.

Bankes was in haar droom bij haar. Wat deed hij? Martelde hij Anne Chaney? Sloeg hij Beth met de kolf van zijn wapen? Iets ergers?

Hij kreunde en legde een onderarm over zijn ogen, zakte dieper weg in het kussen. Laat haar begaan. Het hoorde bij het genezingsproces. Verdomme, hij had zelf jarenlang van Mackenzie gedroomd... nog steeds wel eens. Ze zou nu elf zijn geweest, pianoles hebben gekregen, balletles. Misschien zou ze voetballen, naar jongens beginnen te kijken.

Hij stond op en stak zijn hoofd om de deur van Beths slaapkamer. Ze sliep, maar snikte zacht. Het deed pijn. Hij liep naar het bed.

Toen hij haar aanraakte, schokte ze zo hevig dat hij terugdeinsde. Ze lag ineengedoken in foetushouding, haar door de slaap verdoofde lichaam kon niet ontsnappen, de dromen lieten haar niet los. De waarheid overweldigde hem en hij wilde iemand vermoorden. De eerstvolgende tien personen die hij tegen het lijf liep.

Bankes.

Neil verliet de slaapkamer en belde de agent die buiten de wacht hield. 'Blijf bij haar,' zei hij. 'Ik moet iets doen.'

'Het is twee uur 's nachts.'

'Om drie uur ben ik terug.'

In de straat waar Beth woonde, belde hij Lexi Carter wakker.

'Jezus, Sheridan,' zei ze geeuwend. 'Weet je hoe laat het is? Wat doe je?'

'Roep de honden terug. Ik moet langskomen. Ik ben nu op Ashford Drive.'

Ze deed wat hij vroeg en kwam toen weer aan de telefoon, nog steeds slaapdronken. 'Wat wil je verdorie?'

'Laat me binnen. Ik kom naar de voordeur.'

Ze deed hem op het eerste gezicht aan Beth denken, in een lang poloshirt en met verwarde donkere haren. Wat uiteraard de bedoeling was. 'Je moet hier niet zijn,' klaagde ze. 'Stel dat Bankes toekijkt?'

'Dan zal hij me over twee minuten weer zien weggaan.'

Hij liep de trap op, zonder het licht aan te doen, naar de kamer van Abby. Op haar toilettafel vond hij een kam, enkele haarborstels en een heleboel linten, strikken en haarspelden. Hij pakte een elastisch ding met twee grote, plastic kralen erop en hield het tegen het licht. Er waren wat losse haren om het elastiek gedraaid.

'Tussen haakjes, de groeten van Reggie,' zei Carter in de deuropening. 'Hij stond ervan te kijken dat je weer in Quantico was, zei dat hij een revanche wilde in de ring.'

Neil glimlachte geforceerd. 'Natuurlijk.'

'Alles in orde?' vroeg ze.

Hij stopte het elastiekje in zijn zak. 'Prima. Sorry dat ik je wakker heb gemaakt. Dit is alles wat ik nodig had.'

Twintig minuten later stond Neil voor de deur van een FBI-laboratorium. Een kleine, gedrongen man in vest deed open. 'Jezus, wat ben jij oud geworden,' zei de man, terwijl hij zijn hand uitstak.

'Ik moet je om een gunst vragen, Max.'

Hij lachte. 'Dat vermoedde ik al, zoals je in het holst van de nacht rondsluipt.'

Neil overhandigde hem het elastiekje met de kralen. 'DNA. En geef de uitslag alleen aan mij, oké? O, en...'

'Ik weet het, ik weet het: er is haast bij, nietwaar?'

'Als het kan.'

'Natuurlijk,' zei Max, terwijl hij het elastiekje in een plastic zakje liet glijden. 'Ik bedoel, het is mijn carrière maar, nietwaar? Niet meer dan enkele tientallen jaren werken en mijn pensioen, de toekomst van mijn vrouw en de studie van de kind–'

'Max...'

Max grinnikte en zijn wangen slobberden als die van een buldog. 'Ik zie jullie machotypes graag kronkelen.'

Neil zat de volgende ochtend achter zijn vijfde kop koffie toen er een agent belde vanaf de gang. Neil opende de deur.

'Poppen?' vroeg hij, wijzend naar de dozen die de agent droeg.

De man overhandigde ze. 'Evan Foster was er niet gelukkig mee dat ze werden meegenomen. Copeland moest een rechter wekken om een huiszoekingsbevel te krijgen. Hij zei dat ik moest zeggen dat het maar beter de moeite waard kon zijn.'

'Daar komen we vanzelf achter,' zei Neil. Hij deed juist de deur dicht toen Beth de kamer binnenkwam. Ze had make-up aangebracht op de donkere kringen rond haar ogen, maar ze zag er nog steeds uitgeput uit. En mooi.

'Zijn dat de poppen van mevrouw Chadburne?' vroeg ze met gefronste wenkbrauwen. 'Wat moet je daarmee?'

Neil zette de twee dozen op de tafel en opende de eerste. Voorzichtig aan. Hij kon het niet gebruiken dat Margaret Chadburne of Evan Foster hem een proces aandeden voor het vernielen van poppen ter waarde van enkele tienduizenden dollars. 'Ik ben aan het denken gezet door iets wat je over de laatste pop zei,' zei hij, terwijl hij de verpakking verwijderde. Hij schoof het bubbeltjesplastic en de piepschuimbolletjes opzij en stuitte op enkele lagen zijdepapier waarin de pop als een mummie was opgesloten. Hij liet het papier vallen tot de grote, donkere ogen zichtbaar werden. 'Dit was de eerste, ja?'

'Ja. Je pakte haar op in mijn souterrain, weet je nog?'

'Je zei dat ze meer dan een half jaarsalaris waard was. Hoe dat zo?'

Er verscheen een kleine rimpel in haar voorhoofd. 'Ze is oud, ze is in goede staat en ze kan met haar ogen knipperen. Nou ja, dat is althans de bedoeling. Het mechaniekje is defect, maar het komt zelden voor bij een vroege Benoit.'

Neils hart begon sneller te kloppen. *Rustig blijven, rustig blijven.*

Hij legde de pop in de doos op de verpakking en opende de tweede. Zijn bloed begon sneller te stromen. 'Was er iets speciaals met deze tweede pop?'

'Speciaal? Nee, niet voor iets wat bijna honderdvijftig jaar oud is. Het glazuur was enigszins beschadigd, haarscheurtjes op de benen.'

Neil slikte. 'Laat eens zien.'

Beth pakte de pop en kleedde haar met slanke, geoefende vingers uit. Een met kant afgezette directoire was het laatste.

'O, jezus.' Neil stapte weg van de tafel en masseerde zijn nek. Hij had kunnen zweren dat er iets overheen was gekropen. 'Jezus,' zei hij nogmaals.

'Wat?'

'En de derde had een niet-bijpassende blouse, ja?'

'Ja. Neil...'

'Ik moet bellen.' Hij legde zijn handen om haar schouders. 'Vertrouw je me?'

Ze schudde haar hoofd, niet ontkennend, alleen maar verward, alsof door de beweging alles op zijn plaats zou vallen. 'Ja. Maar waa–'

'Doe me een plezier en pak de poppen weer in. Ik wil ze naar het laboratorium brengen.'

'Je maakt me bang, Neil.'

'Ik weet het.' Hij maakte zichzelf bang. 'Waar logeert mevrouw Chadburne? Ik moet haar spreken.'

'Geen idee. Ik heb alleen haar nummer in Boise, maar dat kan een mobiele telefoon zijn. Neil, wat is er?'

'Ik denk dat Chevy Bankes mevrouw Chadburne kent. Misschien gebruikt hij haar poppen om bij jou te komen.'

Ze staarde hem aan. 'Ik snap het niet.'

'Ik ook niet, nog niet.'

'O god, Neil, als Bankes haar kent...'

Hij legde een vinger op haar lippen. 'Nou doe je het weer, Beth, overhaaste conclusies trekken. Als ze elkaar kennen, is dat omdat Bankes haar nodig heeft. Hij zal haar niets doen.'

Tenminste – dacht Neil, zonder het hardop te zeggen – nog niet.

Chevy lag te woelen, zoekend naar een makkelijke houding. Verdomd eikenhout. Zelfs met een opgevouwen, doorgestikte pakdeken en de trui van Beth onder zijn hoofd was het nog zo keihard dat het net zo goed versteend roodhout had kunnen zijn.

Hij sloot zijn ogen, hoewel die snakten naar licht, en luisterde met gespitste oren naar de plaatsvervangster in Beths huis. Hij kon haar goed horen als ze in de huiskamer of in de keuken was en minder goed als ze naar de slaapkamers boven ging. Hij was er zeker van dat ze nu helemaal boven was. Er was een kraan opengedraaid, een paar minuten geleden. Ze zou wel onder de douche staan.

Dat kon Chevy ook wel gebruiken. Misschien moest hij zich bij haar voegen. Zou dat geen prachtige wending zijn? Van 'wie heeft er in mijn kast geslapen?' tot voor de douchecabine staan, met een mes, terwijl de *Psycho*-muziek aanzwelt... *krie, krie, krie.*

Hij glimlachte en haalde toen diep adem. Nog niet. Hij moest op de pop van Waterford wachten en daarna de plaatsvervangster in haar slaap overvallen. Ze was een ervaren FBI-agent, op haar hoede, en alleen maar hier om Chevy in de val te lokken. Verdomme, ze douchte waarschijnlijk met een 10mm.

Maar hij kon ze gerust even pesten. Voor het geval ze dachten dat hij verdwenen was. Ze wisten nu hoe hij heette; zijn identiteit was bekend. Hij hoefde geen vreemde telefoons meer te gebruiken. Wat maakte het uit als hij de zijne gebruikte?

Hij stak zijn hand uit naar de benedenhoek van de kast, voelde de colafles die hij onder handbereik hield en strekte zijn arm wat verder, pakte de telefoon.

Niet veel, alleen even pesten. Iets om ze te laten weten dat hij nog leefde. En slechts één schreeuw van hen verwijderd was.

Neil liet de poppen achter bij een laboratoriumtechnicus, die er digitale foto's van maakte. Vijf minuten later had hij twintig bij vijfentwintig centimeter grote kleurenafdrukken in zijn aktetas. Hij ging naar de commandocentrale twee verdiepingen lager, waar Copeland, Standlin en Brohaugh naar een laptop stonden te kijken.

'Wat is er gebeurd?' vroeg Neil. Copeland zag er vermoeid uit.

'Er is zojuist weer naar het huis van Denison gebeld.'

'Nee,' zei Neil. 'O god.'

'Te kort om te traceren.'

'Laat eens horen.'

Brohaugh sloeg enkele toetsen aan. Bankes' stem klonk door de luidsprekers.

'Be-heth. Waar ben je?' Plagend, zangerig. Hij praatte meteen door, zonder te wachten tot ze opnam, en er tintelde iets in Neils ruggengraat. *'Je denkt dat ik je niet te pakken zal krijgen. Weet je niet dat de politie je niet kan beschermen? En de FBI evenmin. Ik ben te goed. En ik ben vlakbij. Ik kan je elk gewenst moment bijna aanraken. Ik kan je stem in mijn oren horen...'* Kiestoon. Neils hart racete als een renpaard.

'Het gesprek is gevoerd met een mobiele telefoon die Bankes een maand geleden in Seattle heeft gekocht,' zei Brohaugh voordat Neil zijn gedachten goed genoeg had geordend om het te vragen. 'Het is het eerste gesprek dat ermee is gevoerd. En,' zei hij, nadat hij Copeland had aangekeken, 'het gebruikte de zendmast in de wijk waar Denison woont.'

Neils maag kromp ineen.

'De politie van Arlington belt nu aan bij alle huizen binnen het bereik van die zendmast,' zei Copeland. 'Misschien hebben we geluk en vinden we iemand die hem gezien heeft.'

Dus Bankes was hier, vlak bij het huis van Beth, in elk geval voor de duur van het gesprek. Hij kon zijn langsgereden, gebeld hebben en zijn doorgereden.

'Sheridan,' zei Copeland, 'het net rond Denisons huis is zo fijnmazig, hij kan er onmogelijk zijn binnengedrongen.'

Neil merkte dat Copeland hem strak aankeek, probeerde hem aan te moedigen, alsof hij verwachtte dat Neil zou ontploffen. Zo keken ze allemaal.

Rustig nu, blijf kalm. Hij kon niet door het lint gaan, niet als hij wilde dat Copeland hem op de hoogte hield. Hij moest geconcentreerd blijven: de poppen.

'Jullie willen toch dat ik vertel wat ik van Beth hoor?' vroeg Neil. Hij haalde drie paar foto's uit zijn aktetas. Drie paar ogen volgden ze. 'Dit is Lila Beckenridge, die in Seattle werd vermoord,' zei hij, terwijl hij de foto met een magneet op het bord bevestigde. 'Haar oogleden waren afgesneden.' Hij hing een foto van de eerste pop onder die van Beckenridge. 'Dit is de eerste van een stel antieke poppen die Beth heeft getaxeerd. Aangekomen vanuit Boise, waar de eigenares woont, per luchtpost, afgelopen vrijdag. Deze pop was in perfecte staat, op de ogen na, die dicht horen te gaan als ze wordt neergelegd. Dat doen ze niet.'

Copeland fronste zijn wenkbrauwen en sloeg zijn armen over elkaar.

Neil hing de tweede foto op. 'Marsha Lane, Indianapolis.' Haar benen vertoonden kleine, niet-bloedende snijwonden die als een spinnenweb over haar grijzige vlees slingerden. Iedereen van het team had de foto's gezien, maar Neil voelde dat ze ineenkrompen toen hij deze ophing. 'En dit,' zei Neil, terwijl hij de foto van de pop met de gecraqueleerde benen pakte, 'is de tweede pop die bij Beth werd bezorgd.' Hij zweeg en liet hen kijken.

'Goeie god,' fluisterde Copeland.

'En nu,' zei Neil, terwijl hij een derde set foto's tevoorschijn haalde, 'onze kleuterjuf, vermoord in haar busje en gekleed in een blouse die haar man niet kende.' Hij hing er de foto van de derde pop onder. 'De blouse van deze pop hoort niet bij het oorspronkelijke kostuum. Hij is nieuw, vergeleken met de rest van de kleding.'

Het werd stil in het vertrek en ten slotte zei Brohaugh: 'Stik.'

'Weet Beth dit?' vroeg Standlin.

'Tot op zekere hoogte.'

'En de twee vermiste vrouwen?' vroeg Copeland.

'De weduwe van wie die poppen zijn, Margaret Chadburne, heeft altijd beweerd dat de posterijen twee van de poppen die ze verstuurd heeft, zijn kwijtgeraakt. Beth verwachtte ze afgelopen week. En,' ging hij verder, 'mevrouw Chadburne is hier. Gisteravond aangekomen.'

Een fluistering passeerde Standlins lippen. 'Hij vermoordt haar,' zei ze. 'Zodra hij merkt dat we haar gebruiken, vermoordt hij haar.'

'Of ze is medeplichtig,' zei Brohaugh. 'Misschien betaalt hij haar om de poppen af te leveren.'

Copeland staarde naar de foto's. 'We zullen haar lichaam in een container vinden, hè?'

'Verwacht Denison nog meer poppen?' vroeg Standlin.

'Ja, maar ze weet niet hoeveel.'

'We moeten uitzoeken wat voor poppen Chadburne heeft,' zei Standlin. 'Als we weten op welke poppen Bankes de hand kan leggen, kunnen we misschien voorspellen wat hij van plan is, naar een patroon zoeken.'

'Eerst moeten we Chadburne zien te vinden,' zei Neil. 'We hebben een nummer, maar dat is van een mobiele telefoon in Boise. Ze neemt niet op.'

'Ik check de hotels,' zei Brohaugh, 'de autoverhuurders.'

'En het postkantoor. Zoek die vermiste pakjes,' zei Copeland. 'Misschien leiden de poppen die erin zitten ons naar de vermiste vrouwen.'

Er ging een telefoon en iedereen keek naar zijn riem. Copeland nam op.

Een minuut later hing hij op en wreef over zijn schedel. 'Dat was het kantoor in Philadelphia. Een sheriff heeft zojuist een vermiste wapeneigenaar in Samson, Pennsylvania gemeld. Het is Amos Hammond, die man die het land van Chevy Bankes heeft gekocht.'

Neil staarde voor zich uit. Evenals de anderen, alsof hun gezamenlijke hersenstelsels waren gecrasht en opnieuw gestart moesten worden. Niemand zei iets toen Rick binnenkwam.

'Wat is er?' vroeg hij onthutst.

Neil pakte Ricks arm beet en liep naar de deur. 'Autotochtje.'

27

Samson in Pennsylvania was niet veel meer dan een wegverbreding. De hoofdstraat had twee verkeerslichten die drie huizenblokken van elkaar stonden, een bazaar, een vettige snackbar en een vervallen gebouw met het woord ANTI K op het dak geschilderd. Het enige benzinestation in het dorp, Grover's, was gesloten, maar een tweede, ongeveer anderhalve kilometer noordelijker, eveneens Grover's geheten, stond op het kruispunt van twee autowegen. Grover was kennelijk verhuisd naar een plek waar enig verkeer was.

De schietbaan annex jachtrevier van Mo Hammond lag zes kilometer ten noorden van het gehucht. Er stond een plaatsvervangend sheriff bij de ingang toen Neil arriveerde, zich afvragend hoe hij zich met Ricks penning naar binnen kon lullen. Hij was verbaasd toen de hulpsheriff zei: 'Sheridan?'

'Ja,' zei Neil en hij toonde zijn rijbewijs.

'Speciaal agent Copeland belde dat ik u door moest laten.'

Een-nul voor Copeland.

Ze reden honderd meter het bos in voordat de winkel van Hammond zichtbaar werd. Het was een cederhouten gebouw van één verdieping, dat als een rechthoek was begonnen en er na een reeks slecht geplande verbouwingen uitzag alsof een kind het van vier met een blokkendoos had gebouwd. Er stonden een grijze sedan met een federaal kenteken en twee voertuigen van het bureau van de sheriff voor het gebouw, naast een roestige Honda met een bumpersticker met de tekst: STEUN DE NRA: SCHIET DE KLOOTZAK DOOD. Aan de westkant van het gebouw lag een slijmerige vijver en aan de oostkant waren enkele hectaren bos gerooid voor schietbanen voor pistool en geweer. Boven de doelwitten zweefde een stel gieren, alsof ze hoopten dat er af en toe iets sappigers zou worden geraakt dan de roos.

Neil haalde diep adem en van de spanning balde hij zijn rechterhand tot een vuist. Bankes was hier geweest, hij vóélde het gewoon. Mo Hammond was niet toevallig verdwenen.

Hij en Rick gingen de winkel binnen.

'Nee, nee, neeee!' jammerde een vrouw ergens achterin. 'Dat kun je niet maken. Laat me gaan!'

Neil schrok op, maar een man zei: 'Het is in orde; de sheriff is ginds.' Hij kwam achter een wapenvitrine vandaan, een zwarte man met reusachtige brillenglazen. 'Christian Waite,' zei hij, terwijl hij zijn hand uitstak, 'van het kantoor in Philadelphia.'

Ze stelden zich aan elkaar voor, terwijl het gejammer in de achterkamer steeds luider werd. 'Wat gebeurt daar?' vroeg Neil.

'De vrouw van Mo Hammond. Sheriff Grimes praat met haar.'

De achterkamer rook naar lichaamsgeur en wapenolie; een grote man, die Grimes moest zijn, stond wat ter zijde. Twee hulpsheriffs hielden een vrouw van honderdvijftig kilo vast aan haar armen. Ze droeg een katoenen jurk zonder mouwen, haar oksels waren een paar weken geleden voor het laatst geschoren en haar haren gestileerd door zo'n twaalf uur slaap. Haar ogen richtten zich op Neil.

'Hebt u hem gevonden? Waar is hij? Kan ik hem nu zien?' En, als postscriptum: 'Wie bent u?'

'Mevrouw Hammond,' begon Rick en Neil deed een stap terug. Laat Rick het maar afhandelen, dacht hij.

Neil stelde zich voor aan de sheriff en fluisterde: 'We moeten haar hier weg zien te krijgen. Dit zou een plaats delict kunnen zijn.'

'Daarom houden mijn mannen haar ook vast,' zei Grimes. 'Toen ze binnenkwam, rende ze als een gek in het rond.'

'Wat denkt ze dat er gebeurd is? Is ze bang dat Bankes hem te grazen heeft genomen?'

'Mo zou mazzel hebben als het zo was gegaan.'

'Hoezo?'

'Dat mens kwam binnen met een Remington .306, om Mo overhoop te schieten.'

28

Rick kreeg het verhaal uit Hammonds vrouw: Mo was twee dagen geleden voor het laatst gezien, met aftershave en een schoon overhemd, wat, zei ze, alleen maar bewees dat hij op weg was naar 'een slet met gespreide benen'. Neil luisterde vijf minuten en zocht toen sheriff Grimes op.

'Er is gebeld door een speciaal agent uit Quantico,' zei Grimes briesend. 'Hij zei dat we niets mochten aanraken omdat hij een team stuurde om de plaats delict te onderzoeken. Alsof we dat niet wisten.'

Neil maakte een verontschuldigend gebaar; hij kende het klappen van de zweep. 'Deze zaak kent heel wat plaatsen delict en van sommige ervan was een puinhoop gemaakt voordat de FBI iemand kon sturen. Hij is een tikkeltje nerveus.'

'Tja,' zei Grimes en zijn blik daalde af naar Neils litteken. Hij vroeg zich vast af in welk team Neil speelde: de kantoorpikken of de echte misdaadbestrijders.

'Drugsdealer, een jaar of negen geleden.' Neil liet een vinger over het littekenweefsel glijden. 'Mikte net slecht genoeg om langs mijn wang te schampen in plaats van mijn kop eraf te schieten.'

'Mazzel,' zei de sheriff en het was meteen afgelopen met het gesnuif. 'Kom, dan leid ik u rond. Ginds heeft Mo zijn legale spullen...'

De winkel was keurig in orde, de vitrines waren allemaal voorzien van veiligheidsglas en de kasten opgeruimd. Er waren een badkamer, een sober kantoor en een opslagruimte met nog meer wapens en munitie, oude dozen met administratie, een stokoude Dell-computer en een kantoorstoel met twee kapotte wieltjes. 'Wat heeft hier gestaan?' vroeg Neil bij het zien van een stofvrije rechthoek op de vloer.

'Ik zou het niet weten. Ik kan het Andy vragen, de man met wie Mo samenwerkt. Ik heb een hulpsheriff op pad gestuurd om hem op te halen. Misschien weet hij met welk sletje Mo het deed.'

Ze gingen naar buiten en liepen om het gebouw heen, zoekend naar voetafdrukken en bandensporen. 'Het heeft veel geregend de laatste paar dagen,' verklaarde Grimes.

'Zo te zien een paar sporen van gisteren of vandaag,' zei Neil. Hij wees naar de modderige berm van de oprit, waar enkele voertuigen naast het grind hadden gereden. 'Kunt u wat afdrukken laten maken?'

Grimes' hoofd ging op en neer; hij hoorde nu bij het team. 'Uiteraard.'

'Dus,' zei Neil, met zijn handen op zijn heupen, terwijl hij het terrein rondkeek, 'nu Mo verdwenen is, is hier recentelijk niet geschoten?'

'Toch wel. Ik geloof dat Andy gisteren heeft geopend. Hij werkt meestal op vrijdag.'

Neil keek naar de gieren. 'Wat gebeurt er met de prooi?'

'Hè?'

'Er wordt hier toch op dieren geschoten? Wat gebeurt daarmee?'

'O, daar is Mo heel strikt in: wie het dier doodt, neemt het mee. Er worden geen karkassen achtergelaten.'

Neil luisterde, maar zijn gedachten snelden vooruit. Hij stak de schietbanen schuin over.

'Wat is er?' vroeg de sheriff.

'Gieren.'

'Gieren?' Grimes keek op. 'O, nou ja, die zijn er altijd. Er is altijd wel een klootzak die ingewanden achterlaat.'

'Bij de doelwitten?'

Een korte aarzeling. 'Nou, nee. Mo plaatst elke paar weken nieuwe doelwitten; het zou een slechte plek zijn om ingewanden achter te laten.'

Zo dacht Neil er ook over.

Grimes bleef staan. 'U denkt toch niet...' Hij maakte zijn zin niet af, maar zette er de pas in om Neil bij te houden.

Ze liepen over de schietbanen naar de rood met witte doelen die op hooibalen waren bevestigd. Sommige ervan waren vrijwel ongeschonden, andere aan flarden geschoten. De hooibalen hadden veel te lijden gehad en de aarden wal erachter was bezaaid met duizenden kleine gaten.

Neil keek omhoog. De gieren zweefden recht boven hem, hoger nu, maar niet verspreid. Tien meter verderop werd hij overvallen door de stank. Hij opende zijn mond en zorgde ervoor dat hij niet door zijn neus ademde.

'De klootzak,' zei Grimes en hij sloeg zijn jack voor zijn mond. 'De klootzak.'

Neil bereikte de rand van de doelwitten en stak zijn hand op om Grimes tegen te houden; hij was tenslotte met Mo bevriend geweest. Neil liep om de hooibalen heen, vloekte en sloot zijn ogen.

Hij keerde terug naar Grimes. 'Ik heb hem gevonden,' zei hij.

De Technische Recherche nam het over. Mo Hammond was van dichtbij drie keer neergeschoten met zo te zien een .22 en – na zijn dood – nog talloze keren met diverse geweren. Meer informatie zou pas enkele uren later aan het licht komen, nadat de plaats delict centimeter voor centimeter was onderzocht. Neil bleef het eerste uur in de buurt, balde zijn vuisten, wipte op de ballen van zijn voeten op en neer, en belde toen Copeland.

'Kun je me toestemming geven om Bankes' huis binnen te gaan?'

Copeland klonk vermoeid. 'Natuurlijk, maar we hebben het al uitgekamd. Er was zo te zien in geen jaren iemand geweest.'

'Hebben je mensen het overhoop gehaald?'

'Nee. We hebben alles gelaten zoals het was, voor het geval hij terug zou komen. Er is nog steeds iemand die een oogje in het zeil houdt.'

'Ik zou er graag een kijkje gaan nemen, met Rick.'

'Ga je gang.'

Om de een of andere reden verwachtte Neil een vervallen, spookachtig victoriaans huis op een heuvel of het equivalent van het Bates Hotel uit *Psycho*. Maar nee. Bankes was opgegroeid in een schilderachtig huis van twee verdiepingen in een bos, waarschijnlijk kort na de grote crisis gebouwd. Het had een brede veranda aan de voorkant, sierlijsten onder de dakranden en restanten van bloembedden langs de paden. De tuin was overwoekerd, maar moest, bedacht Neil verrast, indertijd heel mooi zijn geweest.

Binnen idem dito: nu verwaarloosd, maar ooit een thuis. Mo had de meeste meubels en alles wat een paar dollar opbracht verkocht, maar de schimmen van een gezinsleven waren achtergebleven. In de eetkeuken stond een metalen tafel met een kapotte poot en er hingen nog gordijnen voor de ramen van de woonkamer. Kasten en laden waren leeg, op een grote keukenla na, die enkele restanten van het afval van een leven bevatte: een paar oude kassabonnen, een reserveknoop, een paar munten, drie roestige paperclips. Neil vouwde de kassabonnen open. Een ervan was van benzine bij Grover's; de inkt was verbleekt en hij kon de prijs amper lezen – 15,8 dollarcent per liter, in 1976. O, die goeie ouwe tijd. Een andere was van een pak luiers in een goedkoop warenhuis.

Hij legde de kassabonnen weer in de la en zocht verder. De enige badkamer was op de begane grond en de drie slaapkamers – twee boven en een beneden – waren leeg, op enkele meubels na die te gammel waren geweest om te verkopen. De helft van het souterrain was ingericht als extra slaapkamer. Er lag een vloerkleed, met deukjes op de plek waar ooit een tweepersoonsbed had gestaan, en tegen de muur stond een kapot nachtkastje. De kamer van opa, dacht Neil, maar hij wist niet precies waarom.

Rick kwam binnen toen Neil de la van het nachtkastje opende. Er lag een oude bijbel in.

'Iets gevonden?' vroeg Rick.

'Niet echt,' zei Neil, terwijl hij de bijbel oppakte.

Rick slaakte een diepe zucht. 'Als Bankes hierheen had willen komen, had hij dat allang gedaan. Toen hij Mo vermoordde misschien. Hij zal nu niet meer terugkomen.'

'Tenzij hij Beth hierheen wil brengen.'

Rick schudde zijn hoofd. 'Hij weet vast dat we het huis in de gaten houden.'

Neil bladerde door de bijbel. De eerste bladzijde ontbrak: uitgescheurd. Hij fronste zijn wenkbrauwen en probeerde zich te herinneren wat er op de eerste bladzijde van een bijbel staat... een inschrift of een opdracht misschien? De naam van de eigenaar?

Zijn telefoon ging. 'Sheridan,' zei hij, terwijl hij de bijbel weglegde.

'Hallo, met Waite.' De agent uit Philadelphia met de grote bril. 'Waar ben je?'

'Nog steeds in Samson, in het huis waar Bankes heeft gewoond. Eigendom van Hammond, vermoed ik.'

'Mooi. Sheriff Grimes heeft me net op een spoor gezet – een vent die Chevy lang geleden heeft gekend. Wil je komen?'

'Zeg maar waar.'

'Waar' was een verpleeghuis vijftien kilometer buiten Samson, aan de weg naar het zuiden, naar Arlington.

'Het is Ray Goodwin, de man die sheriff was toen Bankes' zusje verdween,' zei Waite, terwijl hij hem voorging door een brede, steriele gang. In de laatste kamer rechts zat Ray Goodwin in een rolstoel. Hij trommelde met zijn knoestige vingers op de armleuningen. Vroeger moest hij een beer van een vent geweest zijn, nu vermagerd doordat hij aan zijn rolstoel was gekluisterd. Zijn wangen waren slap, zijn huid blauw geaderd.

'Onderschat hem niet,' fluisterde Waite met een knipoog naar de oude man. 'Hij lust je rauw.'

Neil glimlachte. Inderdaad, de ogen van de oude sheriff waren scherp als punaises. 'Sheriff Goodwin,' zei Neil en hij gaf hem een hand. Hij verbaasde zich over de kracht erin.

'Van de FBI?' vroeg Goodwin zonder op een antwoord te wachten. 'Je ziet eruit als iemand van de FBI.'

'Niet meer, meneer,' zei Neil, 'maar ik adviseer het opsporingsteam. Dit is inspecteur Rick Sacowicz van de recherche van Arlington.' Einde inleiding. 'U was sheriff toen Chevy Bankes een kind was?'

'Zijn zusje verdween op 14 oktober 1991. Ik werd om halfdrie gebeld. Op een zaterdag. Ik was de tuin aan het opruimen, aan het klaarmaken voor een receptie de week daarop vanwege de bruiloft van mijn dochter.'

Neil keek naar Rick, toen naar Waite, die glimlachte: 'Ik zei het toch.'

'Wat kunt u ons vertellen over Chevy?'

'Ik kan vertellen dat hij uit een verdomd raar gezin kwam.'

'We zijn net in het huis geweest. Het leek me tamelijk normaal.'

'Dat is het nou juist. Alles leek in orde. Een alleenstaande moeder die voor haar zoon en haar baby zorgt, en een tijdlang ook voor haar vader. Op een dag verdwijnt de baby, terwijl ze met Chevy in het bos is. Mama fluistert in mijn oor dat ze denkt dat Chevy de baby pijn heeft gedaan; Chevy zegt steeds weer dat zijn moeder Jenny haatte.'

'Ze wezen naar elkaar?' vroeg Neil.

'Zoals ik al zei: raar.'

'En de opa?' vroeg Rick.

Goodwin schudde zijn hoofd. 'Een gemene ouwe klootzak zo lang ik me kan herinneren. Geen wonder dat hij Chevy's vader afschrikte, en elke andere jongen die twee keer naar Peggy keek.' Hij zweeg en zijn ogen zochten naar een herinnering. 'Weet u, er gingen geruchten dat

Peggy al eens eerder zwanger was geweest, dat Chevy haar tweede kind was.'

Neil fronste zijn wenkbrauwen. Dat had hij nog niet eerder gehoord.

'Het was maar een gerucht. De familie Bankes was nogal op zichzelf, bijna kluizenaars. Er deden geruchten de ronde.'

Een derde Bankes-kind, ouder dan Chevy. De vluchtige gedachte die in Neil was opgekomen toen hij in de familiebijbel keek, keerde terug: dát is wat er meestal op de eerste pagina van een familiebijbel staat. Geboorte- en sterfdata.

Huh.

'Hoe dan ook,' ging Goodwin verder, terugkomend op de vraag van Rick, 'de oude man was heel lang ziek – kanker, geloof ik – en hij stierf kort na de geboorte van Jenny. Peggy draaide daarna een beetje door, zei dat Jenny haar problemen van opa had geërfd. Maar ze had weinig op met dokters. Ik denk eerlijk gezegd dat Chevy degene was die de boel sindsdien bij elkaar hield, tot zijn moeder er een eind aan maakte.'

'Heeft iemand ooit vermoed dat de dood van Peggy geen zelfmoord was?'

'U bedoelt: kan een jongen van veertien haar ongestraft hebben vermoord? Chevy was er slim genoeg voor. Er was een schooldecaan die erop zinspeelde. Maar alles' – hij schudde zijn hoofd – 'wees op zelfmoord.'

'Schooldecaan? Zouden we hem nog kunnen spreken, of haar?' vroeg Rick.

'Haar. Ze heette'– hij krabde aan een wenkbrauw – 'een of andere bloem, Rose of Daisy of zoiets. Nee, Iris. Dat is het. Iris Rhodes. Maar ze is zendeling geworden op de Filipijnen of zo, heeft over de hele wereld gereisd. Ik heb een jaar of vijftien geleden geprobeerd haar te bereiken, toen haar nicht omkwam bij een verkeersongeval, maar het is me niet gelukt.'

Doodlopend spoor, dacht Neil. Maar hij wilde het toch natrekken.

'Maar het maakt niets uit,' ging Goodwin verder. 'Chevy zou haar nooit in vertrouwen hebben genomen. Hij mocht haar niet.'

'Waarom niet?'

'Voordat Jenny verdween, had Iris Jeugdzorg gebeld om een kijkje bij het gezin te nemen. Ze beweerde dat de baby niet goed werd verzorgd.'

'Is Jeugdzorg er ooit geweest?'

'Ja. Jenny maakte het prima. Ik bedoel, ze was te vroeg geboren en ze was een schriel ding en misschien niet zo snel gegroeid als de meeste baby's. Maar er was voor de autoriteiten geen enkele aanleiding om haar uit huis te plaatsen.'

Neil keek Rick aan. Er moest een dossier bestaan over dat onderzoek. 'Het was dus een raar gezin, maar niets wat op misbruik of geweld wees.'

Goodwin haalde diep adem, beheerst, alsof hij het probeerde te doen zonder te hoesten. 'Luister, geloof het of niet, maar Chevy Bankes was een beste knul. Goede leerling, stille jongen. Hij was er kapot van toen Jenny verdween.'

'Wat denkt u dat er met haar is gebeurd?'

Goodwin zoog op zijn tanden. 'Een van de duizenden van wie we het nooit zullen weten.'

'Oké,' zei Neil, maar zijn frustratie knaagde aan hem. 'Nog één ding: weet u waarom Bankes het na al die jaren op Mo Hammond gemunt zou kunnen hebben?'

De ogen van de sheriff werden heel even kleiner. Het was voldoende. 'Is er iets met Mo?'

'Eh, we hebben hem vanmorgen op zijn schietbaan gevonden, doodgeschoten.'

'O god.' Goodwin wreef over zijn gezicht en keek ten slotte op. 'Als Mo Hammond dood is, zou ik denk ik iemand anders zoeken dan Chevy.'

'Wie bijvoorbeeld?'

'Mo's vrouw ooit ontmoet?'

29

Copeland stelde de bespreking van het opsporingsteam uit tot Rick en Neil terug waren. Toen ze binnenkwamen, rook het vertrek naar oude hamburgers en patat.

'Dat werd tijd,' zei Copeland. 'Heb je ze?'

Neil gaf hem de familiebijbel van Bankes en een kassabon. Na het gesprek met Goodwin had hij in een intuïtieve opwelling Copeland gebeld en was ze gaan halen.

Copeland opende de bijbel. 'Vertel, maar,' zei hij met een knikje naar de aanwezigen. Alle leden van het opsporingsteam hadden zich verzameld, behalve Juan Suarez en Lexi Carter. Maar deze avond zat iedereen stilletjes op zijn stoel. Er werden geen grappen gemaakt.

Ook Neil ging zitten. 'De sheriff die de verdwijning van Jenny onderzocht heeft, vertelde dat er ooit geruchten gingen dat Chevy misschien een oudere broer of zus had. De eerste bladzijde van de familiebijbel ontbreekt. Het lijkt me dat het lab de daaropvolgende bladzijden eens moet bekijken op sporen van iets wat op de ontbrekende bladzijde kan zijn geschreven.'

'En de kassabon?' vroeg Copeland, terwijl hij hem bestudeerde.

'Die lag in de keukenla. Voor luiers. De inkt is verbleekt, zodat ik de datum niet kan lezen. Maar hij was samen met een benzinebon uit 1976 opgevouwen. De datum was me bijgebleven omdat benzine toen maar 15,8 cent per liter kostte.'

Harrison fronste zijn wenkbrauwen. 'Hm, 1976 is...'

'...twee jaar voordat Chevy werd geboren,' vulde Neil aan. 'Dus als de bon voor de luiers uit dezelfde tijd dateert...' Hij zweeg en haalde zijn schouders op.

'Nog nieuws over Chadburne?' vroeg Rick.

'Nog niet,' zei Copeland. 'Ze rijdt geen auto en heeft geen rijbewijs. We zoeken in Boise naar een vriendin of een familielid dat misschien een foto van haar heeft. En ik laat een paar mensen nagaan of er poppen zijn verkocht aan haar man. Maar ik heb niet veel hoop: de collectie die ze nu verkoopt, kan jaren op zolder hebben gelegen. Wat Hammond betreft, we hebben zijn vrouw uitgesloten; ze is woensdag, de dag waarop hij stierf, de hele dag bij een buurvrouw geweest.'

Neil knikte; het was geen verrassing. Hoe charmant Hammonds vrouw ook was, iedereen wist dat Chevy hem had vermoord. 'Wat ontbrak er in zijn winkel?'

'Een hagelgeweer en een .22. En,' ging Copeland verder, 'er was een la opengebroken, het slot geforceerd. We weten niet wat erin zat.'

'Geluiddempers,' giste Harrison. 'Daarom heeft niemand in de kerk een schot gehoord.'

Neil sloot zijn ogen. Vuurwapens met geluiddempers. Dat zou alles veranderen.

'Pak een dossier,' zei Copeland, terwijl hij een map naar Neil schoof en een andere naar Rick. 'Harrison heeft de notaris opgespoord die het testament van Peggy Bankes heeft opgesteld. Chevy erfde niet alleen de grond en het huis. Zijn moeder had er een codicil aan toegevoegd, waarin ze Chevy iets naliet wat bij de oever van de rivier was begraven. Hij kreeg het toen hij eenentwintig werd.'

'Dat is de dag waarop hij Gloria vermoordde,' zei Neil, terwijl hij rechtop ging zitten. 'Wat was het?'

'Dat weten we niet,' antwoordde Copeland, 'maar er gaat morgen een team kijken bij de rivier. Het is lang geleden...' Hij boog zich naar voren en legde zijn handen op tafel. 'Wat ik wil weten is: waarom nu? Bankes is al meer dan een jaar uit de gevangenis. Wat deed hem besluiten Hammond nu eindelijk te vermoorden? Als hij en Hammond een geheim hadden, bijvoorbeeld dat Hammond iets wist van Chevy uit zijn jeugd – misschien over de verdwijning van zijn zusje – waarom heeft hij dan al die tijd gewacht voordat hij Hammond doodde?'

'Omdat de verdwijning van Hammond niet iets uit Bankes' jeugd is,' zei Neil, terwijl hij de foto's bestudeerde die hij uren geleden had opgehangen. 'Het gaat over nu. Hammond is op een of andere manier de link tussen de voorbereidingen die Bankes de afgelopen maanden heeft getroffen en het begin van dit alles.'

'Het begin van wat?' vroeg Brohaugh.

'Van de *chivy*,' zei Standlin, alsof Neils theorie klopte als een bus. Iedereen keek haar aan. '*Chivy* betekent jacht of achtervolging. Zijn naam is eraan ontleend. Verslaggevers in Seattle gebruikten het als kapstok voor hun artikelen en noemden hem "De Jager". Maar het gaat hem om de jacht, niet om het doden.' Ze zag dat Copeland knikte, stond op en schoof haar eigen stapel papier over de tafel om rond te delen. 'We hebben nog twee onopgeloste zaken gevonden waarbij vrouwen werden gestalkt en daarna verdwenen. Ik heb hun familie gesproken en de autoriteiten die de zaken hebben behandeld.'

Neil ging rechtop zitten. 'Wat?'

'Ze vonden plaats ná Gloria Michaels, maar voordat Bankes naar Seattle verhuisde. Jij was er niet, Sheridan. En Anthony Russell was dood. De lichamen zijn nooit gevonden en er was dan ook geen reden ze in verband te brengen met de moord op Michaels.'

'De klootzak.'

'Ze hebben die zaken onderzocht tijdens het proces tegen Bankes in Seattle, maar het schot in Chaneys rug leek niet het werk van een serieverkrachter. De aanklager concentreerde zich op een moord bij wijze van executie, door een man die ze De Jager noemden.'

Neil staarde voor zich uit. Nog twee na Gloria Michaels? Nadat hij Anthony Russell van de moord op haar had beschuldigd en het land had verlaten, zijn familie, alles? 'Wie zijn de anderen?'

'Nina Ellstrom. Ze woonde in New Jersey. Haar ouders vertelden dat ze doodsbang was voordat ze verdween. Wekenlang had ze soortgelijke telefoontjes gekregen als Beth Denison: "Ben je al bang?" "Laat me je stem horen."'

'Maar in Jersey.'

'Ze ging twee keer per jaar naar Philadelphia voor een congres van zakenvrouwen. Ze logeerde in Bankes' hotel.'

'O, god.'

'En Paige Wheeler, een celliste. Ze speelde in een strijkkwartet en ging naar West Chester om een vervolgstudie te doen aan het conservatorium.'

'En ze logeerde in het hotel waar Bankes werkte?' vroeg Rick.

Standlin knikte; Neil had het gevoel dat hij was overvallen.

'Tien,' zei Brohaugh. 'Als we Mo Hammond en de twee momenteel vermiste vrouwen meerekenen, plus de twee die jaren geleden verdwenen zijn, komen we uit op tien mensen.'

'Bankes' zusje niet meegerekend,' zei Rick, 'en misschien zijn moeder.'

'Zijn moeder?' vroeg Copeland.

'De sheriff die we zojuist hebben gesproken, zei dat het zelfmoord leek, maar dat Chevy slim genoeg was om daarmee weg te komen. De baby is verdwenen, dus daar is niets te vinden, maar we zouden de moeder en de opa kunnen opgraven. Kan de moeite waard zijn.'

Copeland knikte en maakte een aantekening toen een vrouw met korte, krullende haren de deur op een kier opende. Ze liet een vel papier zien. 'Dit komt net binnen van agent Wright in Seattle, meneer. Hij zegt dat een werknemer van het Orion Hotel zich herinnert dat een van Bankes' reizen naar San Francisco was, op 4 juli, Onafhankelijkheidsdag. Uit een van de onderzoekjes blijkt dat er in datzelfde weekend een antiekbeurs was in San Francisco.'

Neils wenkbrauwen gingen de hoogte in.

'We weten al dat hij enkele keren voor een lang weekend de stad verliet,' zei Harrison. 'Denk je dat het altijd San Franciso was?'

Neil schrok op. *Ik ga nog altijd naar bepaalde antiekbeurzen, meestal voor een lang weekend tijdens officiële feestdagen.* Dat had Beth hem verteld toen ze elkaar voor het eerst ontmoetten. 'Het waren antiekbeurzen.'

De stilte gonsde door de kamer gedurende de vijf seconden die ervoor nodig waren om het door te laten dringen. Toen zei Rick zacht: 'Jezus,' en Copeland legde zijn pen neer.

'Daar heeft hij Chadburne ontmoet,' zei Copeland.

Neil was zich bewust van zijn hartslag. Hij stak zijn hand in zijn zak, toetste het nummer van Beth in en probeerde zijn stem rustig te laten klinken. 'Kun je terugdenken tot afgelopen juli, tot een antiekbeurs in San Francisco?' Hij las de bladzijde die ze zojuist hadden ontvangen. 'In het Hilton Northwest...'

'Jazeker,' zei Beth. 'Die beurs wordt gesponsord door Randolph Early. Hij geeft altijd een groot feest op Onafhankelijkheidsdag.'

'Ben je er vorig jaar geweest?'

'Nee. Ik wilde wel, maar Abby kreeg griep. Hannah is in mijn plaats gegaan.'

Goed genoeg. Bankes had op geen enkele manier kunnen weten dat Beth zou afzeggen. 'Zijn er andere grote veilingen of beurzen tijdens feestdagen waarvan iemand wist dat je er naartoe zou gaan?'

'Op bijna elke officiële feestdag is ergens iets te doen. Er gaat altijd iemand van Foster's naartoe.'

'Beth, waar was de grootste bijeenkomst van antiekhandelaars op de laatste Memorial Day?'

Ze hoefde maar een seconde na te denken. 'In Chicago. Herbert Goshe organiseert elk jaar een veiling van vroeg-Amerikaanse meubels in het congrescentrum. Op Onafhankelijkheidsdag is er een beurs in San Francisco en op Labor Day,' ging ze ongevraagd verder, 'is er een victoriaanse expositie in Dallas.'

'Ben je daar geweest?'

'Ja. Met Hannah. O nee, niet in Dallas,' verbeterde ze zichzelf. 'Daar was ik alleen met Evan. Hannah ging niet mee.'

'Was Margaret Chadburne daar ook?'

'Daar hebben we elkaar leren kennen,' zei ze, steeds behoedzamer. 'In Dallas.'

En die maandagavond, op Labor Day, was ze voor het eerst gebeld door Bankes. Neil probeerde het bonzen in zijn borst onder controle te krijgen. 'Bestaat er een of andere registratie van die evenementen of zijn ze voor iedereen toegankelijk?'

'Ze zijn voor iedereen toegankelijk, maar er zijn altijd mailinglijsten, aankoopbewijzen en zo. Wat is er aan de hand, Neil?'

'Wacht even, lieverd. Ga niet naar bed, dan praat ik je straks bij. Alles is in orde.' Hij hing op en keek Copeland aan. 'Ze is niet naar San Francisco gegaan, maar was dat tot het laatste moment wel van plan. Op Memorial Day en op Labor Day, toen Bankes een lang weekend had, was ze op veilingen in Chicago en Dallas.'

'Oké,' zei Copeland en hij keek al naar Brohaugh. 'Controleer het vervoer van Seattle naar die steden in de weekends. Ik weet dat hij geen vliegtickets heeft achtergelaten, maar controleer het toch maar... treinen, bussen, zelfs meldingen van autodiefstallen of lifters in die perioden. Maak een lijst van iedereen die op die veilingen is geweest. En zoek naar de naam Margaret Chadburne.'

Rick stond op. 'Als hij Beth al zo lang observeert, wat is hij dan te weten gekomen?'

'Alles,' zei Standlin. 'Haar interesses, wie haar vrienden zijn, waar ze het kwetsbaarst is.'

'Abby.' Neils hart werd een klomp ijs.

'Nee,' zei Standlin, 'hij kan onmogelijk weten waar ze is. En als hij het zou weten, zou hij haar nog niets doen: dan zou het te snel voorbij zijn. Hij zal haar dochter voor het laatst bewaren.'

Het ijs werd dikker. Neil voelde zich als een speler die tijdens een wedstrijd het veld op komt, zonder het spel, de spelregels of de tegenstander te kennen. De tegenstander was onzichtbaar.

Er schoot hem iets te binnen. 'Wil Bankes de eer voor wat er gebeurt?'

'Veel seriemoordenaars koesteren het idee dat ze slimmer zijn dan de autoriteiten,' zei Standlin. 'Ze zien zichzelf graag op tv.'

'Als we O'Ryan dan eens een persbericht lieten uitgeven, dat we gebeld zijn door de stalker?'

'De Jager,' zei Standlin en ze knipte met haar vingers. 'Noem hem "De Jager". Hij zal boos zijn dat we hem – alweer – het verkeerde etiket hebben opgeplakt. Hij zal ons duidelijk willen maken waartoe hij in staat is.'

'Geweldig,' zei Neil ongeduldig. 'Laat Bankes op het nieuws horen dat iemand anders de verantwoordelijkheid voor een van de moorden heeft opgeëist.'

'Hij is te slim om daar in te trappen,' zei Harrison, naar het puntje van zijn stoel schuivend. 'We moeten doen alsof het gelekt is, alsof we het niet bekend hadden willen maken.'

'Sla O'Ryan dan over,' stelde Rick voor. 'Lek het naar een tv-verslaggever en laat merken dat de FBI in het rond rent om het lek te dichten.'

Copeland sloot zijn ogen. Hij haalde zich natuurlijk de ruzie met de persvoorlichters voor ogen.

'Laat mij het doen,' zei Neil, 'dan komt het niet van binnenuit.'

Copeland wreef over zijn kin, zichtbaar ongelukkig. 'Oké, jij en Standlin regelen het. Maar daarna ga je terug naar Denison. Vraag of ze zich kan herinneren dat ze Bankes – of Chadburne – op andere veilingen tegen het lijf is gelopen. Kunnen we het zo regelen dat al haar telefoons – thuis, werk en mobiel – worden doorgeschakeld naar een toestel van ons, dat we dan aan Denison geven, zodat ze altijd zelf kan opnemen?'

Brohaugh zei: 'Het kan misschien een uur duren, afhankelijk van wie er nu bij de telefoonmaatschappij aanwezig is.'

'Wacht,' protesteerde Neil. 'Ik dacht dat agent Carter die telefoontjes opving. Ik wil niet dat Beth opnieuw met die klootzak moet praten.'

Copeland wierp hem een blik toe die bedoeld was om volwassen mannen in hun schoenen te laten wegzakken. 'Jammer dan. En nu je het er toch over hebt: leer haar hoe ze hem lang genoeg aan de lijn moet houden om het gesprek te kunnen natrekken. Inderdaad, Sheridan,' zei hij, Neils gedachten lezend, 'dat betekent dat je haar over agent Carter zult moeten vertellen.'

Neil vloekte. Hij had het met Standlin besproken en ze hadden geconcludeerd dat het beter was Beth daar niet mee te belasten.

Standlin haalde haar schouders op. Geen keus nu.

30

Chevy hoorde stemmen. Niet in zijn hoofd, maar uit de tv. Hij kon ze amper verstaan; het journaal van elf uur: *'Hoewel de FBI eerder heeft ontkend dat een man die zichzelf De Jager noemt de verantwoordelijkheid heeft opgeëist voor de moord op een vrouw in haar busje, wordt die informatie nu bevestigd door nieuwe meldingen. Onderzoeksjournalist Carla Short van Channel 3 heeft vernomen dat FBI-functionarissen wanhopig op zoek zijn naar een lek...'*

Welke beller, welke contactpersoon?

'Tegelijkertijd zijn de autoriteiten op zoek naar een weduwe die mogelijk met Bankes is gesignaleerd...'

Chevy verdrong het. *Een man die zichzelf De Jager noemt...* Hij vloekte. Iemand had de FBI gebeld en zich voor De Jager uitgegeven. De FBI probeerde het te verbergen, maar iemand anders ging met de eer strijken. *Willekeurige moorden.*

Paniek steeg op uit de kern van zijn wezen. 'Luister niet naar ze, Jenny,' zei hij. 'Ze waren niet willekeurig. En het was verdomme niet een of andere jager. Het was je broer.'

Hij probeerde na te denken en kreeg kramp in zijn been. De stem van de ene verslaggever na de andere stroomde boven hem voorbij als een ponsband. *'Een beller eist de verantwoordelijkheid op... Chevy Bankes, koelbloedig jager uit Seattle... De FBI vergelijkt de golf van recente moorden met andere zaken van tien jaar geleden... Willekeurige moorden...'*

Moeder begon te neuriën.

Bek dicht, kutwijf. Je weet wie die vrouwen heeft gedood.

Hij had zijn cassettebandjes nodig. Hij kon amper nadenken, met de stem van zijn moeder die zich tussen die van de verslaggevers mengde.

Chevy sloot zijn ogen. Denk aan de kreten: de kreten zouden moeder de mond snoeren. Denk aan hun stemmen. Gloria Michaels, Nina Ellstrom, Paige Wheeler, zelfs het begin van Anne Chaney... Maar wat hij ook probeerde, het enige wat hij tussen de stemmen van de tv-presentatoren door hoorde, was het zingen van moeder, en de enige vrouw die hij zag als hij zijn ogen sloot, was Beth. Stille Beth. Wrede Beth.

Stom dat hij haar die avond in leven had gelaten, maar hij had niet helder nagedacht. Chaney was weg, Jenny was gewond en Denison, de koppige trut, wilde moeder niet het zwijgen opleggen. Ze had daar op de open plek gestaan, terwijl het bloed van Anne Chaney een paar meter verderop dampte in het donker, en had met haar tanden geknarst, zwijgend als een lijk. Ze had geen kik gegeven, niet toen Chevy haar sloeg, haar wang openhaalde, of haar benen spreidde... Geen kik.

Maar Jenny was er, en ze had zijn hulp nodig. En moeder, steeds luider. *Who'll dig his grave? I, said the Owl...*

De tv werd uitgezet en de monotone stem van de reporter zweeg. Chevy sloot zijn ogen.

Anonieme beller eist de eer op voor de moorden... Een oudere vrouw...

Nou, het was tijd om orde op zaken te stellen, meer niet. Slecht nieuws voor Margaret Chadburne; ze had geen nut meer.

Om halftwaalf hoorde Beth Neil in de gang, net toen het journaal was afgelopen. Ze streek met haar handen over de kaarten op de salontafel en veegde ze op een stapel. Patience is een afschuwelijk spel, iets wat je alleen speelt als je eenzaam bent, of bezorgd of moe, of als je je verveelt. Of al die dingen tegelijk.

'Hoi,' zei hij, terwijl hij binnenkwam. Hij liep naar de tafel, pakte haar beker en rook eraan. 'Drank?'

'Ik probeer gewoon wakker te blijven om te horen wat er vanavond in Quantico is gebeurd.'

'Nee, dat probeerde je niet. Je probeerde te voorkomen dat je vannacht diep genoeg of lang genoeg zou slapen om nachtmerries te krijgen.' Haar wangen brandden en Neil zei: 'Beth, ik slaap in de kamer hiernaast. Je denkt toch niet dat ik je niet de halve nacht hoor rondlopen en de andere helft in je slaap hoor huilen?'

Hij gooide zijn jas over een stoel: klaar. Geen geknuffel, geen gedoe over de nachtmerries, alleen maar de nuchtere constatering dat Beth emotionele bagage had. Het ontwapende haar, gaf haar bijna het gevoel dat die bagage hem niet kon schelen.

'Ik heb het nieuws gezien,' zei Beth. Hij kwam naast haar zitten. 'Heeft er echt iemand gebeld?'

'Nee, we willen Bankes in die waan brengen. Hij heeft vandaag opnieuw gebeld. Uit de buurt van je huis.'

'Echt?'

'Luister, Beth, er zijn een paar dingen die je moet weten.'

Neil hield woord en praatte haar bij over een reeks dingen waarmee het onderzoeksteam zich had beziggehouden, elk ding schokkender dan het vorige: de moord op Mo Hammond, de ontdekking van nog twee slachtoffers van jaren geleden, de overeenkomst tussen de vermoorde vrouwen en de poppen van Chadburne. Beths maag brandde toen ze terugdacht aan het onderzoek van de oogleden van de eerste pop en nu aan die arme vrouw in Seattle. De gedachte dat de messteken in de benen van een vrouw overeenkwamen met de barsten in de tweede pop maakte haar zonder meer misselijk.

Neil had nog iets: Bankes had antiekbeurzen bezocht.

'Lieve hemel,' zei ze.

'Hij begon mevrouw Chadburne maanden geleden te bewerken. En jou te stalken.'

Ze sloeg haar armen om zich heen en probeerde een rilling van afkeer te onderdrukken.

Neil zei: 'Kun je je iets, wat dan ook, herinneren wat Chadburne je ooit heeft verteld over de poppenverzameling van haar man? Iets wat ons zou vertellen wat Bankes er nog meer mee van plan is?'

Beth schudde haar hoofd en ze voelde dat ze kippenvel kreeg. Margaret Chadburne was een mysterie. Ze vroeg steeds weer naar Abby en Beth en was geïnteresseerd in de antiekhandel, maar vertelde weinig over zichzelf.

'Goed,' zei Neil en hij ging verzitten. 'Luister, nog één ding. We hebben een agent in je huis gezet die zich voordoet als jou.'

Beth hapte naar adem. 'Jullie hebben wát?'

'Ze is een beroeps, lieverd. Ze heet Lexi Carter. In de hele straat staan mensen om haar te bewaken, om uit te kijken naar Bankes.'

'En die Lexi Carter moet in mijn huis afwachten of ze wordt aangevallen?'

Hij vloekte, waaruit Beth begreep dat ze de spijker op zijn kop had geslagen, en gaf haar toen een telefoon. 'Al jouw nummers zijn naar dit toestel doorgeschakeld. Zeg niets waardoor hij zou kunnen denken dat je niet daar bent. En je moet hem aan de praat houden, zodat we zijn locatie kunnen opsporen.'

‘Vragen hoe zijn dag is geweest, smerige praatjes verkopen?’

Er bewoog een spiertje in Neils kaak. ‘Volgens Standlin moet je je in de maling laten nemen. Doen alsof je bang bent.’

‘Nou, dat zal denk ik geen probleem zijn,’ zei ze, heen en weer lopend.

‘Toch wel, want je kunt nu niet meer door het lint gaan en ophangen. Je moet hem bespelen. Huilen, jammeren. Standlin denkt dat hij aan de telefoon zal blijven als hij hoort dat je doodsbang bent.’

‘Je bedoelt: maak niet dezelfde vergissing als zeven jaar geleden.’

Dat snoerde hem de mond. ‘Godver,’ zei hij en met twee stappen overbrugde hij de afstand tussen hen. Hij pakte haar schouders beet. ‘Standlin kan verrekken, hoor je me? Zeg geen woord tegen hem, alleen: “Loop naar de hel, klootzak.”’

Beth schrok van Neils ommekeer: het maakte niet uit wat Standlin of wie ook wilde, als Beth besloot dat ze het niet wilde. Ze keek naar de gekwelde rimpels in zijn gezicht en dacht dat hij op ditzelfde moment tot alles bereid zou zijn om te verhinderen dat ze gekwetst werd. Zelfs het risico wilde nemen dat ze Bankes niet zouden vinden. ‘Waarom?’ vroeg ze zacht.

‘Waarom wat?’

‘Waarom is het zo belangrijk voor je om mijn draken te bevechten?’ Ze zweeg even. ‘Vanwege je vrouw?’

‘Jezus, Beth.’ Hij liet zijn handen zakken. ‘Hoe kom je daarbij?’

Dus denk er nog even over na. Laat me je beslissing weten. ‘Ik heb nagedacht, meer niet. Zoals je vroeg.’

‘Over mijn vrouw?’

‘Over ons. Over het feit dat we alle twee een verleden hebben. Jij kent het mijne...’

‘Alles?’

Ai. Ze stak haar kin naar voren. ‘Veel meer dan ik van het jouwe weet.’

Beth wachtte, keek toe hoe hij het in gedachten verwerkte, probeerde te beslissen hoeveel hij zou zeggen. Heel even was het bijna komisch, het schoolvoorbeeld van het mannelijke dilemma: hoever ga je om een vrouw in bed te krijgen? Maar toen het moment voorbij was en ze besefte dat Neil, ondanks de eerlijkheid die hij van haar eiste, zijn hart niet zou uitstorten, schrok ze ervan hoe diep het haar kwetste.

‘Goed dan,’ zei ze en ze wilde naar de slaapkamer lopen.

'Ik had een dochter,' zei Neil.

Beth bleef staan. 'O jezus.' Ze draaide zich om en staarde hem aan, maar Neil scheen het niet te merken. Haar blik vestigde zich op een stukje lint en plastic in zijn handen: een haarspeld met een lavendelkleurige strik. Die had betere tijden gekend.

'Ze heette Mackenzie. Ze was bijna drie.'

'O nee,' fluisterde ze. 'Wat is er gebeurd?'

Hij liep naar een bank en ging zitten, betastte de speld. 'Ik werkte bij de FBI aan een ontvoeringszaak. Het ging om een studente, Gloria Michaels. Ze was Bankes' eerste slachtoffer.'

Beth bleef zwijgen.

'Ik was een maand van huis vanwege die Gloria. In die tijd verscheen er een oude vriend van Heather, Brad. Hij was net weg bij zijn vrouw.' Hij zuchtte. 'Ik zweer bij God dat er niets seksueels gaande was; ik weet dat het niet zo was. Maar Heather was verpleegster en Brad was verslaafd. Crack, speed, heroïne. Heather zei er niets over.'

'Ze wist dat je je zorgen zou maken, meer niet.'

'Ze wist dat ik die klootzak verrot zou slaan.' Hij haalde diep adem. 'Ik arresteerde een zekere Anthony Russell wegens de moord op Gloria – de verkeerde, maar dat wist ik toen niet. Ik was op weg naar huis toen hij ontsnapte. Heather zei dat ze me nodig had, maar ze zei niet waarom. Ik zei dat ze het zelf moest regelen tot ik klaar was met Russell.'

'Heb je hem gevonden?'

'Bijna drie weken later, ja. Maar toen was Brad al te ver heen. Delirium, black-outs, hallucinaties. Op een avond nam Heather wat medicijnen mee uit het ziekenhuis en ging naar hem toe. Ze dacht dat ze hem kon helpen. Kenzie zat in haar autostoeltje te slapen.' Er bewoog een spier in zijn kaak. 'Brad onderhandelde net met een dealer toen Heather aankwam. De dealer werd hysterisch, begon te schieten.'

Beth kon amper ademhalen. Tranen stroomden uit haar ogen.

'Kenzie is nooit meer wakker geworden. Een verdwaalde kogel ging dwars door haar borst.' Een ogenblik lang zei hij niets meer, balde slechts zijn hand tot een vuist en opende die weer. Beth had dat eerder gezien wanneer hem iets dwarszat. Ze schoof op haar knieën over de grond naar hem toe en pakte zijn hand.

Haar aanraking leek hem terug te brengen. Hij spreidde zijn hand. 'Ik sloeg er dwars mee door een muur toen ze het me vertelden,' legde hij uit. 'Hij wordt nu bij elkaar gehouden door stalen platen en schroeven.'

'Heb je hem gevonden? Die drugsdealer?'

'Ja.' Het woord was een ijssplinter. Hij wees naar het litteken op zijn gezicht. 'Toen heb ik dit opgelopen.'

'Is hij... dood?'

'Nee. Ik was niet alleen. Die verdomde Geneviève Standlin had ervoor gezorgd dat er een stel federale agenten meeging.' De onderliggende tekst was duidelijk: als Neil wél alleen geweest was, zou de uitkomst anders zijn geweest. 'Hij moet nog drie jaar zitten. Dan komt hij vrij.'

'O, Neil. En Heather en...?'

'Brad? Brad pleegde zelfmoord. En Heather... Ze heeft het me nooit vergeven dat ik er niet was. Een paar jaar later ging ze ervandoor.'

'En jij?'

'Ik ook. Colombia. Bosnië. Irak. Overal waar ze een geweer zonder geweten nodig hadden. De wereld kon verrekken. Dat werkte, tot mijn broer bijna stierf.' Hij ontmoette haar blik. 'En ik jou leerde kennen.'

'Ik wilde je niet in mijn problemen betrekken,' zei ze oprecht.

'Ja, daar was je tamelijk duidelijk over. Maar alles aan jou deed me iets. Je bent mooi, geheimzinnig, onafhankelijk. De moeder van een meisje dat misschien in iets...' Het duurde even voordat hij zich vermand had. 'Ik kon niet zomaar weggaan.'

Dus daarom wilde hij haar draken verslaan. Om zijn eigen draken te verslaan.

Beth legde haar wang op zijn knie en ze zwegen. Een van zijn handen streelde haar haren, de andere speelde met Mackenzies haarspeld. Zijn aanraking had niets seksueels, maar het moment was zo intiem, dat Beth zich nauwelijks kon herinneren hoe haar wereld zonder hem was. Net als met Abby. Geen moeder ter wereld weet tien minuten na de bevalling nog hoe het was om kinderloos te zijn. Het nieuwe leven kwam en vulde een zo enorme leemte, dat het onmogelijk was je de wereld zonder voor te stellen.

Hoe leeg moest de wereld zijn als dat leven verdween?

Ze klom op de bank, vouwde haar benen onder haar lichaam en pakte zijn hand. 'Vertel me over Mackenzie,' zei ze zacht.

En hij vertelde.

31

Om kwart over één hoorde Neil dat Beth uit haar bed kwam. Er verscheen licht onder haar deur en toen kwam ze naar buiten, gekleed in een tot haar bovenbenen reikend T-shirt met Winnie the Pooh erop. Hij vloekte. Hoe kon een vrouw er verdorie sexy uitzien met een pot honing op haar borsten?

'Kon je niet slapen?'

Ze schrok toen ze zijn stem hoorde. Hij raapte de kaarten op die op de salontafel lagen.

'Ik denk het niet. En jij?'

Hij schudde de kaarten en ze dwarrelden neer. 'Ik kon me niet ontspannen.'

'Denk je nog steeds aan Mackenzie?'

'Nee,' zei hij verbaasd. 'Nee, voor het eerst in negen jaar voelt Mackenzie aan als het geschenk dat ze was, niet als een pijnlijke geest. Bedankt.'

Haar lippen welfden zich tot een glimlach. 'Ik zal meer willen horen.'

'Dat komt wel. Maar niet nu. Nu,' zei hij, terwijl hij zijn blik op de welving van Pooh liet rusten, 'heb ik andere dingen aan mijn hoofd.' Hij wachtte op de blos op haar wangen, schudde opnieuw de kaarten en hield de stok op. 'Jij deelt?'

Ze fronste haar wenkbrauwen. 'Wil je met me kaarten?'

'Verdomme, nee,' zei hij eerlijk, 'maar het is een begin. Pokeren?'

'Ik weet niet... Ik ben alleen maar opgestaan om –'

'Je bent opgestaan omdat je niet kunt slapen. Speel een potje mee, Beth; blijf bij me.' Het voorstel was zo beladen met implicaties dat Neils borst zich spande. Ze wist nu wie hij was: een man die tekortgeschoten was tegenover zijn vrouw en zijn dochter. Als ze hem nog steeds wilde, was er misschien nog hoop voor hem.

En hij begreep haar emotionele bagage. Max had gebeld. De uitslag van Abby's haarspeld was binnengekomen: preliminair DNA.

Neil begroef de withete woede die de kop op dreigde te steken en klopte naast zich op de bank. Ze ging zitten, terwijl hij deelde.

'Inzet?' vroeg hij.

'Je moet een spel kiezen voordat je inzet,' zei ze.

'Wat heeft Suarez je geleerd?'

Ze was beledigd. 'Waarom denk je dat hij míj iets heeft geleerd? Ik ben een doorgewinterd pokeraar.'

'Oké, Doc Holiday. Jij kiest het spel, ik noem de inzet.'

'Mooi,' zei ze. *'Five card draw.'*

'Mooi,' zei hij. 'Kussen.'

'Wat?'

'Je weet wel, als je je lippen tuit en ze tegen...'

'Ik weet wat het is. Het is de inzet die ik niet snap.'

Neil spreidde zijn kaarten uit en leunde naar achteren. 'Doodeenvoudig. Als ik win, mag ik je kussen.'

'En als ik win?'

'Dan mag jij mij kussen.'

Ze lachte warempel. *Goed zo, Beth. Gewoon kussen, niets angstaanjagends.* 'Hoeveel kaarten wil je hebben?'

Ze slikte en de spieren in het kuiltje in haar hals, waar haar hartslag klopte, trokken zich samen. Daar zou hij zijn eerste kus plaatsen.

'Twee,' zei ze.

Hij schoof haar twee kaarten toe en legde er zelf drie weg. Twee achten en een koning. Five card draw was een goede keus; elk spel duurde maar een minuut of zo. Volop winnaars en verliezers, volop kussen. 'Wat heb jij?' vroeg hij.

'Niet veel soeps.' Ze legde haar kaarten op tafel. 'Twee vijven.'

Hij onderdrukte een glimlach. 'Beter dan de mijne. Jij wint.'

Ze keek hem aan toen hij zich naar voren boog en met een vinger op zijn wang tikte. Ze kuste hem. Hij had het gevoel dat hij werd gebrandmerkt.

Hij gaf de kaarten aan haar en zij deelde. Stilte.

'Twee,' zei hij en hij nam de nieuwe kaarten.

Zij pakte er maar één en grinnikte.

'Dit is vast ook weer voor jou,' zei Neil en hij probeerde teleurgesteld te klinken. 'Ik heb een handvol rotzooi.'

Ze legde drie tienen op tafel en keek hem weifelend aan. Maar ze boog zich naar voren en kuste zijn andere wang, talmend ditmaal. Hij ging verzitten.

Hij raapte de kaarten op, deelde. Verloor. Als ze vroeg wat hij weggooide, was hij de klos. Ditmaal gooide hij drie harten weg om een volmaakte flush te verpesten. Hij liet haar winnen met *three of a kind*.

Ze wierp hem een argwanende blik toe. 'Je verliest opzettelijk.'

'Niet terugkrabbelen.' Hij raakte zijn lippen aan. 'Nu hier.'

Haar blik daalde af naar zijn lippen en ze legde haar mond op de zijne. Zacht, aftastend, bijna experimenterend, en toen schudde ze de kaarten weer, terwijl zijn broek een maat of twee kromp. Jezus, dit zou lastiger worden dan hij gedacht had.

Hij verloor opnieuw twee keer en Beths kussen werden elke keer langer en uitdagender dan de vorige; elk ervan maakte hem een beetje duizeliger. Hij sloot zijn ogen en vroeg zich af hoelang hij dit vol kon houden. Toen er bij het volgende spel vier boeren vielen, was hij uitgeteld. Hij spreidde zijn kaarten uit. 'Ga hier maar eens overheen.'

Ze schermde haar kaarten af en bekeek ze.

'Wat heb je, mevrouw de kaartlegster?'

Langzaam liet ze haar kaarten zien. Twee tweeën.

'Huh!' zei Neil met een glimlach. 'Ik win.'

32

De volgende ochtend om halfnegen ging de telefoon. Beth had met Evan gesproken via haar mobieltje; Neil was in de andere slaapkamer. Ze had hem eerder naar buiten zien komen om koffie te zetten, gekleed in spijkerbroek en een T-shirt van AC-DC. Hij was blijkbaar van plan de hele ochtend te blijven.

Om te kaarten?

Ze kreeg kippenvel bij de gedachte alleen al. Ze kon zijn kussen nog steeds proeven, voelen, helemaal tot in haar tenen. Ervaren, met geopende lippen, met zijn tong diep in haar mond en zijn grote handen aanvankelijk om haar gezicht geslagen, alsof hij bang was dat hij haar zou breken, daarna bijna heftig. Ze was geschokt geweest door de intensiteit van de begeerte die door haar heen stroomde, een haast pijnlijke behoefte om te worden aangeraakt en gevuld. Een behoefte waarvan ze gedacht had dat die zeven jaar geleden verdwenen was.

En een die Neil schaamteloos aanwakkerde. Ze was niet zo naïef dat ze dacht dat hij niet wist wat hij deed, door haar op de rand van waanzin te brengen en zich dan terug te trekken. Hij wilde haar niet verleiden. Hij wilde haar zo ver krijgen dat zij hem verleidde.

Neil kwam uit de slaapkamer juist toen het toetsenpaneeltje op de voordeur piepte.

Suarez.

Wat deed hij hier, als Neil bleef?

'De bewaker belde om te zeggen dat je naar boven kwam,' zei Neil, in een rechte lijn naar de deur lopend. 'Wat is er aan de hand?'

Suarez keek Neil aan, daarna Beth, toen Neil weer. Beth sloeg haar armen over elkaar. 'Ik ga niet weg.'

Neil knikte bijna onmerkbaar naar Suarez. Ze mocht doodvallen als ze hém liet beslissen wat ze wel of niet mocht horen.

'Er is vanmorgen een auto van Foster's verongelukt,' zei Juan. 'Met een van de werknemers, Hannah Blake, achter het stuur. Ze kwam net van het huis van Beth.'

'Wat vreselijk,' zei Beth.

'Ze ligt in het St. John's. Ze vecht voor haar leven.'

Neil was woedend. 'Waarom heeft niemand me dat verteld?'

'Ik vertel het je nu toch? Het is pas een halfuur geleden gebeurd, man. Copeland zal bellen zodra hij meer weet. Maar het lijkt erop dat er aan de auto geknoeid is.'

'Nee,' zei Neil. 'Hoe kan Bankes bij Foster's aan een auto knoeien? De beveiliging is waterdicht. Hij kan onmogelijk op het terrein bij een voertuig komen.'

'Buiten het terrein dan.'

Neils telefoon ging. 'Sheridan,' zei hij.

Juan troonde Beth mee. 'Je vriendin ligt op de operatietafel, *querida*,' zei hij. 'Haar man is er en haar ouders en schoonouders zijn onderweg.'

Het duizelde Beth; ze luisterde maar half en had het gevoel dat de vloer vloeibaar was. God, dacht ze. Niet Hannah. 'Ik ga naar het ziekenhuis,' zei ze.

Neil hing op. 'Nee, dat doe je niet. Je blijft hier, met Suarez.'

'Verdomme, Neil...'

Hij pakte haar schouders beet. 'Beth. We hebben je hier nodig. Je moet iets doen.'

'Wat?'

'Je moet de volgende pop bekijken.'

Beth hart stond stil. 'Welke pop?'

'De pop die ze zojuist onder de motorkap van Hannahs auto hebben gevonden.'

Neil reed langs de plaats van het ongeluk – waar niets te vinden was – en ging toen met Rick naar Lexi Carter.

'Evan Foster heeft gebeld,' legde ze uit. 'Hij zei dat Hannah wat keramiek zou komen halen om aan iemand te laten zien op de veiling. Ze heeft een sleutelkaart, dus ik heb me er niet mee bemoeid.'

'Hoe laat kwam ze hier aan?'

'Ik heb de garagedeur om acht uur omhoog horen gaan. Ze reed haar auto naar binnen en liet de garagedeur openstaan. Ze is een minuut of twintig binnen geweest. Ze zeiden dat het stuur blokkeerde, maar ik heb haar weg zien rijden en ik heb niets vreemds gezien.'

Rick zei: 'Het kogelgewricht was losgemaakt van de trekstang. Een makkie: haal de splitpen eruit en draai een moer los. Als je het goed doet, houdt het even, maar dan begint het los te trillen en vliegt het eruit in een scherpe bocht. Het had minuten, dagen, zelfs weken kunnen duren voordat het losliet.'

'We moeten uitzoeken hoeveel die auto heeft gereden,' zei Neil, 'waar hij geweest is, en iedereen natrekken die bij Foster's is geweest en toegang kan hebben gehad tot een auto in een van de garages. Iedereen die op de kijkdag is geweest of een reden heeft om Hannah als doelwit te kiezen.'

'Copeland is er al mee bezig, Neil.'

'Wie surveilleren er in de antiekgalerie?' vroeg Neil.

'Vier van mijn mannen en twee federale agenten. Foster's wordt bewaakt, Abby is ondergedoken in Covington, Beth zit veilig en wel in het hotel. We kunnen verder weinig doen totdat Bankes besluit dat het tijd is om weer in actie te komen. Om te bellen of zo.'

'Of zo.'

Neil liep de trap van het souterrain naar Beths woonkamer op en haalde diep adem. Hij herinnerde zich de eerste keer dat hij hier was, toen Abby met Heinz op de bank zat en Beth sterk probeerde te zijn, deed alsof ze niet door een psychopaat werd geterroriseerd. Zijn nekharen gingen overeind staan toen Lexi Carter zich bij hem voegde.

'Luguber, vind je ook niet?' vroeg ze.

'Wat?'

'Het besef dat hij ginds ergens is, nieuwe plannen smeedt, zijn tijd afwacht.'

Ze had gelijk. Bankes was nu dichterbij, had van dichtbij gebeld en had iemand getroffen die Beth kende. Steeds dichterbij, precies zoals Standlin had voorspeld. Neil keek Lexi aan. 'Kun je het aan, hier op hem zitten te wachten?'

'Natuurlijk. Al zou ik best willen dat-ie opschoot.' Carter keek om zich heen. 'Het is me hier een beetje te huiselijk. Ik begin aan kinderen en honden en witte tuinhekken te denken.'

'Hoor ik daar een biologische klok tikken?'

'Zit me niet te treiteren, Sheridan.'

'Ik zou niet durven,' zei Neil, terwijl hij naar de deur liep. 'Reggie zou me in mekaar tremmen.'

Hotel, dacht Chevy. Natuurlijk. Daar was Beth. Ze hadden haar in een hotel gestopt, waarschijnlijk met een stel waakhonden om zich heen.

En een van die honden was veel dichterbij dan de andere: Sheridan. Chevy kon het nauwelijks geloven: Neil Sheridan. Chevy had een interview met hem gelezen, jaren geleden, nadat Gloria Michaels was gevonden. Diepe stem, brede schouders, grote, onverschillige passen. Chevy had om hem moeten lachen toen Anthony Russell bekende dat hij Gloria had vermoord en hij had nog harder gelachen toen Russell ontsnapte en Sheridan opnieuw jacht op hem maakte.

Nu lachte hij niet. Neil Sheridan was teruggekeerd en logeerde met Beth in een hotel. Zijn woede was zo intens dat hij ervan trilde; de gedachte dat Beth getroost werd, dreef hem bijna tot waanzin. Ze moest lijden, in plaats van knuffelen met een hanige klootzak zoals Sheridan.

Een meter verderop werd een deur geopend. Chevy luisterde; de lucht om hem heen sloot hem in. Ze was er, de bedriegster. Hij kon haar voelen, kon haar bijna zien, terwijl ze in de deuropening stond en in Beths werkplaats rondkeek. Hij hield zijn adem in, wachtte tot ze eindelijk weer naar boven ging.

Chevy liet zijn adem ontsnappen. Hij moest hier weg. Vanavond, als alles weer rustig was, zou hij zijn kans waarnemen, de bedriegster in haar slaap overvallen en er dan vandoor gaan. Eenmaal buiten kon hij alles weer in beweging zetten, maar hij zou voorzichtig moeten zijn. Margaret Chadburne kon hem niet meer helpen.

Maar er was iemand die dat wél kon: een andere oude vrouw, een zekere Mabel Skinner, die in een Lexus reed en alleen woonde in een stille straat, Lexington Avenue. Hij had haar de eerste avond dat hij in Arlington was uitgekozen, voordat hij bij Beth was binnengedrongen. Mabel wachtte tot ze hem kon helpen.

Ze wist het alleen nog niet.

Dus wacht tot vanavond, neem Lexi Carter te grazen en maak dat je wegkomt. Mabel zou hem dekking geven tot hij zijn volgende zet deed.

Covington... Hoe ver zou dat zijn?

Het 'ongeluk' van Hannah Blake was voer voor de media, een dag en nacht durende schranspartij. Tegen de ochtend was het dossier-Bankes drie centimeter dikker geworden. Mensen die enkele dagen eerder niet wilden praten, hoestten opeens elke herinnering op die ze aan het gezin Bankes hadden, vulden tv-schermen, verstopten de kliklijn van de FBI.

'Mama sloeg Chevy; Chevy sloeg mama,' zei Copeland. 'Chevy vermoordde Jenny; mama vermoordde Jenny. Mama was zwanger vóór Chevy. Er zijn er zelfs een paar die nu over de opa praten, dat Jenny's slechte gezondheid zijn schuld was.'

Geouwehoer gevolgd door geouwehoer gevolgd door geouwehoer.

Neil wilde net de deur uit lopen – hij hield het geen vergadering meer uit – toen een secretaresse hem staande hield, krijtwit. 'Meneer Sheridan,' zei ze, 'er is telefoon voor u. Chevy Bankes.'

Stilte, toen kwam iedereen tegelijk in actie, fluisterde, gebaarde, praatte in headsets, traceerde de oproep. Neils hart schakelde over naar de hoogste versnelling en hij graaide naar de telefoon op de vergadertafel. Hij stopte, keek ernaar alsof het een slang was met van gif druipende tanden. 'Hoelang staat hij al in de wacht?'

'Ik ben meteen gekomen,' zei de secretaresse hijgend. 'Ik heb gezegd dat ik niet zeker wist of u er was. Twintig seconden misschien, en nog eens dertig of veertig seconden om naar hier door te schakelen.'

'Neem nog niet op,' zei O'Ryan. 'Laat hem wachten tot ze hem getraceerd hebben.'

'Daar is-ie te slim voor,' snauwde Harrison. 'Neem aan, man, neem aan. Die klootzak blijft niet in de wacht staan.'

Er bewoog een spiertje in Neils kaak. Hij keek Copeland aan, die nauwelijks merkbaar knikte.

Hij pakte de telefoon op, drukte op de WACHT-toets. 'Met Sheridan,' zei hij.

Een seconde stilte, toen klonk Bankes' geamuseerde, neerbuigende stem. 'Ze is nep, idioten. Maar het was wel leuk.'

33

'Sheridan?' De stem van Copeland. 'Wat zei hij?'

Ze is nep... Neils bloed stolde. 'Bel Carter.'

'Wat?' vroeg Copeland.

'Carter!'

Copeland toetste het nummer van agent Carter in op zijn mobiele telefoon. Neil wachtte, nauwelijks in staat adem te halen.

'Ze neemt niet op,' zei Copeland en hij probeerde het opnieuw. 'Jezus.'

'Carter is gepakt,' zei Neil, terwijl hij naar de deur liep. 'Kom op!'

Een explosie van activiteiten. Een wilde opflakkering van energie, chaotisch, maar georganiseerd. Copeland blafte bevelen, telefoons rinkelden in de hal. Teams stroomden het gebouw uit en Rick riep in zijn telefoon, terwijl hij achter Neil aan over de parkeerplaats rende en bevelen gaf aan de agenten die het dichtst bij Beths huis op Ashford Drive waren.

'Hij kan Carter onmogelijk gepakt hebben,' riep Harrison vlak achter hen. 'Er is een compleet bataljon in de straat.'

Neil stopte een half ogenblik en keek naar alle mensen die Carter probeerden te bereiken: Copeland via Carters mobiele telefoon, terwijl hij hoofdschuddend luisterde hoe die telkens weer overging; Brohaugh die in een headset praatte met een van de surveillance-eenheden op Ashford Drive; Harrison die contact had met weer een andere eenheid.

Brohaugh keek Neil aan. 'Hij zegt dat er niets aan de hand is, man.' Idem dito van twee andere straatteams, terwijl O'Ryan iets in haar telefoon blafte over een bandopname van het gesprek.

Neil aarzelde; hij moest nadenken. Het surveillanceteam bij Beths huis had niets gezien. Misschien had hij het mis wat Carter betreft en lokte Bankes hem in de val. 'Hij zei dat ze nep was. Hij moet Carter bedoeld hebben.'

'Het kan een valstrik zijn,' waarschuwde Copeland. Hij zette een headset aan zijn oor, boog de microfoon voor zijn mond. 'Wacht tot de ME het huis onder vuur heeft en stuur dan een ploeg naar binnen.' Tegen de anderen: 'Eropaf.'

Copeland was dertig seconden eerder binnen dan Neil. Hij passeerde Neil op weg naar buiten, met een wit weggetrokken gezicht dat geen twijfel liet aan wat hij had gezien.

Neils maag draaide zich om. 'De klootzak. De klóótzak.' Hij bleef even in het portiek staan, vermande zich toen.

Lexi Carter lag op de keukentafel.

'Godver,' zei Rick vlak achter hem. Hij wreef over zijn gezicht, deed een paar passen naar achter, kwam toen terug. 'Godverdegodver.'

Neil luisterde niet. De stank van bloed en uitwerpselen verstopte zijn neusgaten. Een stroom mensen drong langs de ME'ers en het invalsteam naar binnen en ging aan de slag alsof ze in een andere dimensie verkeerden. De Technische Recherche verzamelde als aaseters, zette de plaats delict af; flitsers lichtten onregelmatig op. Het was doodstil in Beths huis, afgezien van het droge klikken van camera's.

'Heeft iemand haar man gebeld?' vroeg Neil, maar niemand antwoordde en hij realiseerde zich dat de woorden in zijn keel waren blijven steken. Hij probeerde het nogmaals, luider nu.

'Doe het zelf maar,' zei iemand. 'Ik heb gehoord dat je hem kent, toch?'

'Reggie,' zei Neil. 'Leraar Engels. Bokst in het weekend.'

Zijn zelfbeheersing knapte. Neil slaakte een kreet en tolde om zijn as. Iemand had een zwarte tas in de hal op de grond gezet. Hij schopte hem opzij en had nauwelijks oog voor de geschokte blonde vrouw die hem haastig opraapte nadat hij tegen de muur was geknald. Ze pakte hem op en droeg hem beschermend naar buiten. Neil negeerde de verbaasde blikken en rende de deur uit. Hij kon de geur in Beths keuken, als van de vleesafdeling in een supermarkt, niet langer verdragen.

Hij liep over de binnenplaats. Intussen arriveerden er steeds meer leden van het opsporingsteam. Standlin stopte als laatste, net toen het eerste busje wegreed, en Neil hoorde de bestuurder van het districtsbusje zeggen: 'Ik hoop dat je nog niet hebt gegeten.' Twee minuten later voegde Standlin zich bij de anderen, met een gezicht alsof ze moest overgeven.

'Volgens de Technische Recherche is Carter al enkele uren dood,' zei Copeland.

'Dus hij heeft haar in haar slaap overvallen,' zei Rick.

'Hij moest wel,' beaamde Harrison. 'Het was de enige manier waarop hij haar kon overmeesteren.'

'Maar hoe is hij binnengekomen?' vroeg Rick. 'Langs alle bewakers. Vermomming?'

'Surveillance-eenheden zouden hem gezien hebben, hoe hij ook gekleed was,' zei Harrison. 'Er zijn geen advocaten geweest, geen krantenjongens, geen buren; er is vanmorgen zelfs geen hond in de buurt geweest.'

'En toch is Bankes binnengekomen,' zei Copeland. 'Op de een of andere manier is die klootzak...'

'Hij was al binnen,' zei Neil.

Heel even zweeg iedereen, toen drongen Neils woorden tot hen door. Copeland trilde zowaar toen hij zijn radio pakte. 'Zet de omgeving af, zet de omgeving af,' zei hij koortsachtig. 'De indringer is misschien nog op het terrein.'

'Er reed net een TR-busje weg,' zei Neil, met het gevoel dat de waarheid hem naar de strot vloog. 'Wie zat erin?'

Copeland liet zijn radio zakken en staarde naar de lege plek op de oprit. 'De klootzak.'

'Het doet pijn, het doet pijn...' De stem van Jenny die door de withete woede in Chevy's borst sneed. De pijn was zo hevig dat hij dacht dat zijn ziel in brand stond.

'Ik weet het,' zei hij, Jenny met zijn vrije arm tegen zich aan trekkend. *Rijden. Blijf kijken, blijf in beweging. Ik moet dit busje dumpen, moet een andere auto hebben.*

Maar Jenny was gewond. En de stem van moeder begon zacht te zingen in zijn achterhoofd. De jaren dreigden weg te smelten, terug naar die avond in Seattle. Anne Chaney, dood zonder een kik te geven. Beth Denison, die weigerde haar zwanenzang op te voeren. Jenny die pijn had, pijn had...

'Het doet pijn,' zei ze.

'Ik weet het, schat,' antwoordde hij, met zijn arm om haar heen. Hij stuurde het busje een hoek om, te snel. God, doe geen stomme dingen. Langzaam nu, voorzichtig. Ze waren hem nog niet op het spoor, maar hij moest een andere auto hebben. Daarna kon hij voor Jenny zorgen.

Hij reed over het parkeerterrein van een klein winkelcentrum, zocht, dwong zichzelf adem te halen. Het parkeerterrein was bijna vol; helemaal tot aan het eind van de rijstroken stonden auto's.

'Het doet pijn, het doet pijn.'

Hij stopte tussen twee terreinwagens, die het districtswapen op de zijkanten van het busje aan het oog onttrokken, liet zijn blik over het parkeerterrein glijden en mompelde tegen Jenny. Hij moest kijken hoe ernstig haar verwondingen waren, maar hij had geen tijd. De seconden tikten voorbij als uren en ten slotte kwam er een man – nee, een tiener – naar de laatste rijstrook toe, rammelend met een sleutelbos. Chevy reed achteruit en volgde de man alsof hij naar een parkeerplaats zocht, stopte toen vlak bij de Ford Escort waarvan de achterlichten opflitsten.

Hij zette de motor uit en sprong, met de tas in zijn vrije arm, uit de auto.

'Hé, vriend,' riep hij en de jongen draaide zich om, verbaasd over wat hij zag, maar eerder nieuwsgierig dan bang. 'Kun je me helpen, jongeman?'

'Wat...' *Oemf*. Chevy porde hem in zijn maag met zijn wapen.

'Doe wat ik zeg, dan gebeurt je niets,' zei Chevy, de hand met het wapen zorgvuldig laag houdend. Hij wrong de sleutels uit de hand van de jongen en gooide de sleutels van het districtsbusje een eind weg. 'Geef me je rijbewijs.'

'Mijn rijbe–'

'Schiet op.' Hij porde hem nog eens met de loop van het wapen.

De jongen stak zijn hand in zijn achterzak en haalde zijn rijbewijs uit een portefeuille. Zijn dunne vingers trilden en hij liet een paar lidmaatschapskaarten vallen.

'We ruilen van auto,' legde Chevy uit. Hij wees naar de sleutels op de grond. 'Pak die sleutels en stap in dat busje. Sla bij het verkeerslicht rechts af. Rij vijf minuten door. Als je voor die tijd belt of afremt, kom ik naar je huis en vermoord je moeder waar je bij staat.' Hij toonde het rijbewijs, ten teken dat hij de jongen later zou kunnen vinden. 'Begrepen?'

Een krampachtig hoofdbeweging volstond als bevestiging.

'Bij het verkeerslicht rechts. Vijf minuten.'

De tiener bukte zich, raapte de sleutels op en liep naar het busje.

Met grote angstogen ging hij achter het stuur zitten. Chevy hield zijn wapen laag tussen de auto's, maar onbeweeglijk. Toen het busje wegreed, stapte Chevy in de Ford Escort en reed weg in de andere richting.

'Het is in orde, Jenny,' zei hij, terwijl hij haar met zijn rechterhand ondersteunde op de passagiersstoel. In de spiegel zag hij de jongen voor het rode licht stoppen. Een minuut later sloeg het busje af in noordelijke richting. Chevy reed via een andere uitgang naar het zuiden, terug naar het huis van Beth. Hij reed drie blokken en stopte toen om een hoek.

'Jenny,' zei hij. 'Ik ben er. Ik zal je helpen.'

'Dat kun je niet. Niemand zal je geloven. Moeder heeft ze om de tuin geleid.'

Tranen vertroebelden zijn blik, terwijl hij de tas met het opschrift TECHNISCHE RECHERCHE openrukte en er zijn eigen sporttas uithaalde. Jenny huilde en Chevy kon de ritssluiting bijna niet openen. Hij moest hem open krijgen; hij moest haar bereiken. Zoals op de dag dat hij eenentwintig werd en haar terugvond.

Ga haar halen, Chevy… Fijne verjaardag.

De woorden in het codicil van zijn moeder stegen als vlammen op in zijn geest, sneden door de mist van tranen en stemmen en herinneringen. De grond, het huis, de verkoop aan Mo Hammond. *Ontdoe je ervan, blik niet terug. Zorg alleen voor Jenny.*

Hij ritste de sporttas open en trok hem ver open; zijn hart voelde aan als pulp. Hij keek in de tas. Wat hij zag dreef een snik uit zijn keel en hij wiegde heen en weer op de bestuurdersstoel, terwijl de herinneringen hem besprongen. *Doe de baby geen pijn, moeder… Het is niet haar schuld. Het is de schuld van opa. Opa gaf haar slecht bloed. Ze huilt, hoor je dat dan niet? Hou op met zingen, dan kun je haar horen.*

Who caught his blood? I, said the Fish, with my little dish…

Chevy zette zijn vuisten tegen zijn oren.

'Help me, Chevy.'

Hij liet zijn handen weer zakken. Hij keek naar het verkeer; alles normaal. Keek toen weer naar Jenny. Het resultaat van Neil Sheridans voetenwerk staarde hem aan. Ze was gewond.

Zijn woede zwol aan. Hij moest zijn plannen wijzigen.

Hij trok de zonneklep omlaag en keek in de spiegel. De mascara liep uit over zijn wangen, de gitzwarte eyeliner was uitgesmeerd. Zijn pruik stond scheef en hij zette hem recht, zag toen een paar vrouwen op de

Escort afkomen. Stik, hij moest hier weg. Als iemand hem zo zag, verfomfaaid, met Jenny... Beths huis was maar enkele straten verderop.

Hou je hoofd koel, word niet slordig. De FBI zou nu overal zijn, na de manier waarop hij agent Carter had geserveerd. Als een buffet, op haar rug op Beths keukentafel, armen en benen gespreid, met haar hoofd dat over de formicarand hing en klonters van haar eigen bloed in haar haren. Hij had er niet alle tijd voor kunnen nemen, had niet lang van haar kreten kunnen genieten – wilde niet het risico lopen dat het surveilanceteam haar hoorde – en dus had hij een prop in haar mond gestopt, haar vastgebonden, even met haar gespeeld en toen de plek bepaald; er met gedempt wapen een kogel in geschoten.

Daarna had hij Sheridan gebeld en gewacht tot de hel losbarstte bij Beths huis. Mensen stroomden naar binnen, de identiteit van iedereen die naar binnen ging werd gecontroleerd, maar niet van degenen die naar buiten gingen. Binnen tien minuten na het telefoongesprek waren er een stuk of tien mensen in huis en nog meer langs het trottoir, inclusief de media. Het liep gesmeerd, tot Sheridan naar binnen stormde, een kinderachtige driftbui kreeg en Chevy's tas wegschopte. Chevy was in paniek geraakt. Hij had naar de tas gegrepen, maar die was met een misselijkmakende *krak* tegen de muur geknald.

Jenny begon te huilen. Moeder zong. Eén enkele, gedachteloze schop en moeder was weer gaan zingen. Harder dan ooit.

Ze zong nog steeds, haar stem zwol aan in de Ford, harder, hoger en benauwender in zijn hoofd, als jankende sirenes...

Chevy richtte zich op en keek in de spiegel.

Sirenes, niet moeder. Deze waren echt: ze scheurden over het kruispunt één blok achter hem, als zwart-witte bijen; twee seconden later gevolgd door grijze sedans – FBI-auto's.

Ze hadden het in de gaten gekregen, hadden hem het terrein zien verlaten of misschien gezien dat er een busje ontbrak.

Chevy haalde diep adem en draaide de contactsleutel om. Over enkele minuten zou die jongen zijn verhaal spuien en zou de zoektocht naar deze Escort beginnen. Hij moest naar zijn volgende schuilplaats: het huis van Mabel Skinner.

Langzaam nu, voorzichtig, geen verkeersovertredingen begaan. Mabel woonde niet ver weg.

Jenny kwam tot bedaren. Moeder zweeg. Het Dopplereffect nam de sirenes mee, naar het noorden, waar, zo stelde Chevy zich voor, de jongen het inmiddels in zijn broek deed, in het busje gezeten met een stelletje federale agenten die ineengedoken rond het voertuig zaten, hun wapens op zijn hoofd richtten en door een megafoon brulden.

Stomme zakken.

Chevy reed naar Lexington Avenue; hij wilde dat hij had kunnen blijven om Sheridans gezicht te zien als ze Beths souterrain doorzochten. Eén blok van Mabels huis stopte hij en werkte zijn make-up bij – hij wilde haar niet bang maken – stopte toen op haar oprit en liep naar de veranda.

Ze deed open, een miezerig vrouwtje met knokige ledematen, en hij schonk haar zijn *Glazen speelgoed*-glimlach op hetzelfde moment dat hij haar zijn wapen liet zien. Hij duwde haar naar binnen, met de .22 op haar borst. Een trap in de gang leidde naar een souterrain. Hij gooide haar omlaag – niet nodig, misschien, met zijn demper en zo, maar anderzijds, hij had geen zin om risico's te nemen, kon het net zo goed geruisloos doen.

Dus hij gooide haar in het souterrain, naast de vriezer, en toen *fwp*.

34

'Godver.'

Neil stapte naar voren. De Technische Recherche was vier uur bezig geweest in Beths huis. Neil had diep vanbinnen geweten wat hij in het souterrain zou aantreffen, maar het trof hem desondanks als een moker. Hij wenkte Rick en Billings en ze keken in de kasten.

'De klootzak,' zei Rick.

'Hoelang?' vroeg Neil aan een van de laboratoriumassistenten die in de kast rondneusde. De schappen waren eruit gezaagd en de achterwanden verwijderd om in de kruipruimte onder het huis te kunnen komen.

'Kweenie,' zei de technicus. 'Drie dagen, misschien vier.'

Neil balde zijn handen tot vuisten. 'Hij heeft hier al die tijd gezeten, de smeerlap. We hebben Carter drie dagen geleden hierheen gebracht en toen was Bankes er al, verborgen in deze kast, waar niemand in keek.'

'Hé,' zei een agent boos. Het was de man die die eerste avond een oogje in het zeil had gehouden toen Neil kwam om haar kleren in te pakken. 'En óf we hebben gekeken. Onze mensen hebben het hele huis doorzocht voordat de FBI de bewaking instelde. Iemand controleert de kast en hij zit erachter in de kruipruimte. Ze controleren de kruipruimte en hij verstopt zich weer in de kast. Op die manier konden ze hem onmogelijk vinden en jullie arrogante FBI-lui zouden het er niet beter hebben afgebracht, dus rot op.'

Neil keek naar Rick, wiens gezicht asgrauw was. De agent had gelijk. Niemand had iets verkeerd gedaan. Bankes was gewoon slim. En geduldig. En nu was hij doodleuk de deur uit gelopen en in een TR-busje weggereden. Hij zat waarschijnlijk een eind verderop in de straat in die Ford Escort te kijken hoe de politie jacht maakte op een tiener.

Zo dichtbij. Eén laatste schreeuw verderop...

Neil keek om naar de kasten, onmiddellijk naast de trap naar de woonkamer. De haren op zijn armen stonden recht overeind. Bankes had daar gezeten toen Hannah aankwam, had misschien binnen rondgelopen, terwijl Carter sliep. *Luguber, vind je ook niet?* had ze gezegd. En zelfs Neil had het gevoel gehad dat hij dichtbij was.

'Jakkes,' mompelde iemand, terwijl hij een plastic fles van twee liter met een gelige vloeistof tevoorschijn haalde. 'Het moet wel een man zijn geweest. Ik heb nooit een vrouw gekend die in een colafles kon pissen.'

'Ik heb een stuk van een wikkel, een Reese's Cup-koekje,' zei een technicus, terwijl hij hem met een pincet ophield. 'Hebben we toch nog vingerafdrukken.'

Niet dat ze die nodig hadden. Ze wisten precies wie hij was.

'Uh-oh.' Het was Harrison en Neil volgde zijn blikrichting. Er reed een grijze Ford stapvoets door de straat, langs alle controleposten, met de hand van de bestuurder die zijn penning toonde uit het raam. Beth zat naast de bestuurder.

'Wel verdomme...' zei Neil.

'Dat heb ik geregeld,' zei Copeland. 'Ze hoorde van alles op het nieuws, zag beelden van haar huis. Ik dacht dat ze misschien zou kunnen helpen.'

Neil was woedend. 'Je hebt geregeld dat ze komt kijken naar een vrouw die op haar keukentafel is vastgebonden en gemarteld?'

'Ik heb gewacht tot Carters lichaam was weggehaald en je kunt haar uit de keuken houden. Maar dit is haar huis. Als Bankes iets heeft achtergelaten, moet ze het vinden.'

De grond bewoog toen Beth uit de auto stapte. Neil pakte haar elleboog beet voordat de grond weer stilstond. 'Gaat het?'

'Het gaat wel.' Een leugen natuurlijk, en hij wist het even goed als zij.

'De boel is redelijk opgeruimd,' vertelde hij haar met grommende stem, 'maar blijf in het atelier.'

'Is ze in de keuken vermoord?'

'Blijf in het atelier, Beth. Waar Bankes was. Help ons zoeken. Misschien valt je iets op wat wij niet zien.'

Beth voelde Bankes zodra ze de garage binnenkwam. Het was bespottelijk en ze wist het, maar het besef dat hij hier was geweest, wachtend als een kakkerlak achter de betimmering... Ze liep rond, keek, bestudeerde het huis, lette op dat ze niets aanraakte. Enkele laboratoriumtechnici waren nog aan het werk, stil en aandachtig, toen Beth naar de kast liep waar Bankes in had gezeten. Zaagsel op de grond.

Ze keek in de kast, probeerde zich een man van gemiddelde lengte erin voor te stellen. Het paste gemakkelijk, comfortabel zelfs, en de kruipruimte erachter fungeerde bijna als een andere kamer onder de veranda. In het midden van de kastbodem trok iets haar aandacht: een kleine stalen pin, ruim een centimeter lang en zo dun als een borduurnaald. Ze wilde hem oprapen.

'Wacht,' zei een vrouw achter haar. Beth keek op en zag de handschoenen en het flitslicht, het pincet in haar handen. 'Ik pak hem wel.'

'Sorry,' zei Beth en ze stapte opzij.

De vrouw knielde neer, raapte de pin op met het pincet en liet hem in een al geëtiketteerd plastic zakje vallen.

'Weet je wat het is?' vroeg Neil.

Beth fronste haar wenkbrauwen en schudde haar hoofd. Het was alsof ze het waas niet kon verdrijven. 'Het kan overal van zijn. Voor zover ik weet kan het hier al jaren liggen.'

'Goed,' zei hij en hij pakte haar weer bij de arm. 'Kom. Ik breng je weg.'

'Ik moet naar boven.'

'Nee, Beth, dat moet je niet.'

'Ze is... Ik bedoel, agent Carter... Haar lichaam...'

'Weg. Maar dat is nog geen reden om daar naartoe te gaan.'

'Het is mijn huis, Neil, mijn wereld,' zei ze met prikkende ogen. 'Ik wil zien wat die klootzak met mijn wereld heeft gedaan.'

Beth had het huis gekocht vanwege de keuken. Niet dat ze zo'n geweldige kok was; heel lang had ze alleen maar macaroni met kaas kunnen klaarmaken of een hotdog in de magnetron zetten. Maar ze was altijd dol geweest op de keuken. Hij lag precies in het midden van het huis, waar een woonkeuken hoorde te zijn. Hij was zonnig en licht, met licht citroengele muren, met de hand geschilderde accenten op het houtwerk en boven het fornuis een tegelmozaïek dat ze zelf had ontworpen. Het was de plaats waar elke dag begon en werd afgesloten met Abby, de plek van tekenen en huiswerk en spelletjes. De plaats waar het leven zich afspeelde.

En nu de dood.

Haar knieën blokkeerden. Haal adem. Er was geen lichaam, geen bloed, geen wapen. Het vertrek was met zorgvuldige precisie in de oude staat teruggebracht, alles stond op zijn plaats te midden van een dodelijke stilte en misselijkmakende dampen van chemicaliën. De vier stoelen waren keurig onder de tafel geschoven en zelfs het boeket was teruggezet. Alsof de mensen van het forensisch laboratorium zich hadden voorbereid op gasten, was haar bespottelijke gedachte.

Maar dat was juist het probleem. Beths keuken zag er nooit uit alsof er gasten zouden komen. Het boeket werd altijd opzijgeschoven, om Abby de ruimte te geven om te tekenen of te kleien. En een van de stoelen stond altijd in de hoek, zodat Abby hem naar het aanrecht kon slepen als er iets te roeren viel of als ze wilde helpen met afwegen. En de vloerkleden, waarvan één hoek altijd opgefrommeld was omdat Heinz daar zijn dutjes deed, waren weg, naar het forensisch laboratorium van de FBI, nam ze aan.

Het was gewoon een keuken. Gewoon een...

'Genoeg.' Neil trok haar de keuken uit en door de gang naar de voordeur. 'Ben je nu tevreden? Heb je door ernaar te kijken bewezen dat je sterk genoeg bent?'

Ze keek op; er waren twee Neils en Standlin leek in veelvoud op de achtergrond rond te hangen. Beth sloot haar ogen en ademde drie keer diep in voordat ze ze weer opende.

'Abby...'

'Maakt het goed. Ik heb de hele dag om de twintig minuten naar Covington gebeld. Ze wordt omringd door onze mensen.'

'Agent Carter werd ook omringd door jullie mensen.'

Neil vloekte en wreef over zijn gezicht. 'Bankes was hier eerder. Hij moet zich hebben verstopt, terwijl we jou woensdagavond naar Covington achtervolgden. Hij installeerde zich in je atelier en wachtte. De politie heeft het hele huis doorzocht, maar zelfs als ze de kasten hadden gecheckt die jij op slot had gedaan, had hij het al zo geregeld dat hij zich verborgen kon houden.'

'Dacht hij dat ik het was?'

'Nee. Hij wist dat Carter een valstrik was. Ze hoorde bij zijn plan.'

'Hoorde Hannah ook bij het plan?'

'Waarschijnlijk wel, al kon hij onmogelijk weten welke werknemer de auto zou besturen toen de stuurpen het begaf. Hij wist alleen dat het iemand zou zijn met wie je samenwerkt.'

Beth deed een stap opzij en keek naar niets. Haar huid voelde aan alsof beestjes vlak eronder gangen groeven. Bankes was haar wereld binnengedrongen. Hij was op antiekbeurzen geweest, in de galerie en in haar huis. Luisterend. Wachtend. Plannen smedend.

Moordend.

Op straat klonk een kreet. Een agent in uniform rende de heuvel op. 'Inspecteur! Inspecteur!' Hij rende op inspecteur Sacowicz af.

Sacowicz wilde hem tegemoet lopen. Uit een andere richting kwam ook de leidinggevende FBI-agent – Copeland, dacht Beth – aangedraafd. Er was enige beroering ontstaan op de plaats waar een UPS-bestelwagen door het kordon probeerde te komen. De chauffeur stond tegen een politieagent te tieren.

Neil volgde Sacowicz, Beth volgde Neil. De geüniformeerde agent stond te hijgen. 'Die UPS-koerier ginds heeft een pakje voor dit adres en zegt dat hij een handtekening nodig heeft; het heeft hoge prioriteit. Luchtpost.'

Iedereen keek naar Beth. 'Verwacht je iets?'

'Nee. Tenzij mevrouw Chadburne weer een pop heeft gestuurd. Ik heb niets van haar gehoord.'

De agent schudde zijn hoofd. 'Het komt niet uit Boise. Het komt uit Charleston. De afzender is Wakeford of Winford of...'

'Waterford?' vroeg Beth.

'Dat is het. Waterford.'

Beth schudde haar hoofd. 'Kerry zou het hebben doorgegeven als hij iets verstuurd had. Ik weet niet wat het is.'

Ze zag dat Neil, Copeland en Sacowicz elkaar aankeken en toen zei Copeland: 'Laten we eens kijken.'

Ze verzamelden zich op de oprit, zagen de media en verkasten naar Beths atelier. Een vrouw met een identiteitsbewijs van het district en rubberhandschoenen aan zette de doos op een van de werkbladen. Er werd enkele minuten gediscussieerd, terwijl de doos zorgvuldig werd onderzocht en toen ze het erover eens waren dat het geen bom was, kreeg de vrouw toestemming om de verpakking open te snijden. Bankes zou het hele gedoe prachtig hebben gevonden.

Iedereen hield zijn adem in toen de kleppen van de doos werden opgetild. Op het pakpapier lag een opgevouwen stuk papier en er vielen een paar piepschuimkorrels uit toen de technicus het oppakte. Ze gaf het aan agent Copeland.

'Het is een kwitantie,' zei hij lezend. 'Zes mille in een winkel die Days Gone By heet. Voor een Benoit uit 1873, staat er.'

'Dat is de winkel van Kerry,' zei Beth, 'maar ik heb er niets besteld.'

'Nee. Maar Margaret Chadburne wel. Ze heeft dit als bezorgadres opgegeven. De kwitantie is van twee dagen geleden, zaterdag 18 april.'

Beth wilde de kwitantie pakken, maar Copeland trok hem terug en de vrouw met de handschoenen hield een plastic zakje open. Hij stopte hem erin, liep terug naar de doos en haalde de pop er voorzichtig uit.

Beth keek toe, volledig in verwarring. Misschien had mevrouw Chadburne een pop gekocht van Kerry en had ze die bij de andere willen voegen. Een Benoit uit 1873 kon niet tippen aan de poppen die haar man haar had nagelaten, maar dat wist ze misschien niet. Misschien...

De vrouw met de handschoenen hield de pop op. Beth staarde ernaar. Ze kon haar ogen niet geloven.

'Lieverd.' Neil stond naast haar. 'Wat is er?'

Ze slikte en had het gevoel dat een windvlaag haar omver zou kunnen blazen. *O, mevrouw Chadburne, wat hebt u gedaan?* 'Ik ken die pop. Het is geen Benoit. Het is een imitatie.'

35

'Waar breng je me naartoe?' vroeg Beth. Het was inmiddels avond en Neil reed niet naar het hotel, maar precies de andere kant op.

'Een schuiladres. Misschien heeft iemand je vandaag bij je thuis gezien.'

'Iemand.'

Het spiertje op zijn kaak bewoog weer. 'De pers misschien.'

Ja hoor.

Haar telefoon ging en de adrenaline stroomde door haar heen. Geen angst, geen schrik. Woede. Na de manier waarop Bankes Lexi Carter had achtergelaten, na wat hij met Hannah had gedaan en misschien met Margaret Chadburne, popelde Beth om die klootzak eens goed de waarheid te zeggen. Ze haalde haar telefoon uit haar tas en Neil zette de auto aan de kant.

'Geef maar hier,' zei hij. 'Ik neem wel aan.'

'Ik kan het zelf wel.'

'Beth...' Hij zweeg. 'Denk aan wat ik je gezegd heb.'

Standlin kan verrekken... Zeg geen woord tegen hem, alleen: 'Loop naar de hel, klootzak.' Ja, ze wist het nog. Maar ze zou nu elk spel meespelen. Ze was tot alles bereid.

Ze keek naar het nummer en liet haar adem ontsnappen. Niet Bankes. Het was Cheryl. De drukte op een toets en luisterde.

Verdriet. Ongeloof.

'Wat? Wat?' fluisterde Neil, maar ze negeerde hem.

Het nieuws drong als een ziekte door tot in haar botten. Ze zei tegen Cheryl dat ze zich geen zorgen moest maken en verbrak de verbinding.

'Wat is er?' Neils gezicht was vlak bij het hare.

'Niets. Onbelangrijk.' Ze deed haar ogen dicht. 'Heinz is verdwenen.'

'O, jezus.' Hij wreef met een grote hand over zijn gezicht.

'Het is Bankes niet, Neil, het gebeurt wel vaker. Cheryl zei dat Chase het hek open had laten staan.'

'De peuter?'

Ze knikte. 'Heinz komt wel terug. Dat doet-ie altijd.' Ze slikte, negeerde de brok in haar keel. Stom om te huilen om een weggelopen hond, terwijl Hannah in het ziekenhuis lag, mevrouw Chadburne vermist werd en een agent op Beths keukentafel was doodgeschoten.

'Lieveling...'

'Ik zei toch dat het niets is. Ik bedoel, kom op zeg, het is maar een hond.'

'Ja, inderdaad,' zei Neil met schorre stem. Hij voegde zich weer in het verkeer. 'Het is maar een hond.'

Het schuiladres bevond zich in een rij flatgebouwen, met bewakers die er anders uitzagen dan Suarez en zijn mensen, niet langer vermomd als piccolo, kamermeisje of portier. Deze mannen waren zwaar bewapend, en dat was duidelijk zichtbaar, als bij soldaten.

Boven nam ze de eerste de beste slaapkamer. Neil volgde, somber gestemd, en legde haar koffer op een ladekast. Hij liep door alle kamers en kwam na een snelle inspectie uit de badkamer. 'Bubbelbad,' zei hij. 'Dat houdt je in elk geval warm.'

Ze nam niet de moeite hem te vertellen dat ze het niet koud meer had. Elk gevoel was verdwenen.

'Ik zet je spullen beneden,' zei hij. 'Ik heb de pop uit Hannahs auto meegebracht en zodra het laboratorium klaar is met de pop die vandaag is bezorgd, laat ik hem komen.'

'Bedankt.'

'Ik ga een kijkje nemen, mijn gezicht laten zien aan de bewakers. Probeer wat te slapen.'

'Ik ben niet moe.'

Hij zuchtte gekweld. 'Zoals je wilt.'

'Vertel je me nog waarom je boos op me bent?'

Hij wilde de deur uit lopen, maar nu draaide hij zich om en liet de deurklink los. 'Ik ben niet boos op jou,' zei hij. 'Ik ben boos op je... onafhankelijkheid. Je ruggengraat.'

'Ik weet niet wat je bedoelt.'

'Ik bedoel dat je niet naar de keuken had moeten gaan, Beth. Ik had het niet moeten toestaan. Je hoeft niet telkens weer iedereen te bewijzen dat je onbreekbaar bent.'

'Onbreekbaar,' zei ze hem na; het klonk – op haar toegepast – bespottelijk. Haar hele leven stond in het teken van angst voor breken. 'Weet je,' zei ze, 'tot Abby drie was woonden we in een appartement boven het koetshuis van Foster's. Abby vond het heerlijk. Er is een doolhof van smalle, oude gangen die de vroegere slavenverblijven met elkaar verbinden, en met de voormalige stallen en de schuur. We speelden in alle hoeken en gaten.'

Neil sloeg zijn armen over elkaar en wachtte.

'Het was er veilig; er waren altijd mensen in de buurt, mensen die ik kende. Maar uiteindelijk moest ik volwassen worden.'

'Beth...'

'Nee. Ik wil dat je het begrijpt. Het huis op Ashford Drive – de bloembakken, de gordijnen, de meubels – ik heb er alles in gestopt om er een plek van te maken waar ik kon leven en spelen, zelfs werken. Een beschermende kleine zeepbel waar ik me kon verschansen en me niet hoefde te herinneren dat er ooit een man was geweest die Chevy Bankes heette, die nog leefde toen Anne Chaney dood was en ik te laf was om het tegen iemand te zeggen.' Ze kwam een stap dichterbij. 'Ik moest het zien, Neil. Mijn huis, mijn wereld. Ik moest zien of de zeepbel die ik had gemaakt, echt was geknapt.'

'Verdomme, Beth, je hebt geen zeepbel nodig zolang ik er ben. Ik kan voor je zorgen.'

Ze slikte. Dat was waarschijnlijk zo, en nooit, zelfs zeven jaar geleden niet, had ze er zo intens naar verlangd op iemand te steunen als ze nu op Neil wilde steunen. Maar ergens wist ze dat steunen nooit genoeg zou zijn voor een man zoals hij. Hij zou haar willen dragen.

Het was zo verleidelijk het gewoon door hem te laten overnemen en aan hem toe te behoren. In elk opzicht.

Haar blik daalde af naar zijn lippen en een minuut lang waren zijn kussen het enige waaraan ze kon denken. Hij was fluweel en staal, zijn lichaam was sterk en hard en veeleisend, maar zijn aanraking was zo teder, dat één enkele omhelzing van hem zeven jaar van wrede herinneringen had verdreven.

Met hem vrijen zou hetzelfde zijn, dacht ze. En ze wilde het zeker weten. Ze boog zich naar hem toe en een fractie was alles wat ervoor nodig was. Neil trok haar naar zich toe en jaren van angst gingen op in rook. Zijn lippen werden haar universum en ze kuste hem met alles wat ze in zich had, nam en gaf op hetzelfde moment, eindelijk wetend dat ze er klaar voor was. Met Neil, die zo heel anders was dan alles wat ze zich herinnerde en zoveel beter dan alles waarvan ze had durven dromen, wist ze dat ze het kon.

Ze was er klaar voor.

36

Neil dronk haar in, zijn handen sloten zich om haar bovenarmen. Hij spande zich in om haar los te laten, maar bleef haar kussen, alsof een onzichtbare kracht probeerde hen uit elkaar te trekken, terwijl een andere kracht het hem onmogelijk maakte haar lippen los te laten. Ten slotte duwde hij haar van zich af. 'Nee,' zei hij en Beth wankelde achteruit.

'W-wat?' vroeg ze. Ze leek totaal onthutst.

Hij balde zijn handen tot vuisten; de leegte erin was een bijna lichamelijke pijn. Maar hij kon dit niet. Niet zolang er nog zo veel geheimhouding tussen hen was.

Hij sloot zijn ogen en deed een stap terug. 'Ik zie je morgen.'

'Je zei dat ik je mijn beslissing moest laten weten.' Haar stem trilde. 'Ik ben er nu klaar voor.'

'Klaar.' Neil keek haar aan, niet wetend of hij werd gedreven door woede of voor verdriet. 'Klaar om te zien of je het aan kunt?'

'Wat? Nee.'

'Je gaat naar je huis om te zien of je sterk genoeg bent om te overleven als je wereld wordt verwoest. Je gaat met me naar bed om te zien of je het kunt verdragen, na jaren alleen te zijn geweest. Ik wil niet je lakmoesproef voor uithoudingsvermogen zijn, Beth.'

'Ik heb een besluit genomen, Neil.'

'Je hebt besloten met me naar bed te gaan.' Hij keek haar recht in de ogen. 'Dat is niet het enige waarover ik wilde dat je nadacht.'

Zijn bedoeling nam zichtbaar vorm aan, telkens één kleine gedachte. Haar mond viel open. 'Je wilde dat ik zou besluiten of ik met je naar bed wilde.'

Hij doorstond haar blik. 'Er is veel meer waarover je moet beslissen.'

Ze draaide zich om, sloeg haar armen om zich heen en draaide zich met een ruk om. Ze was boos. 'Wil je zeggen dat je al die jaren altijd om de liefde van een vrouw vroeg voordat je haar mee naar bed nam?

Dat je alleen met vrouwen hebt geslapen die de nieuwe mevrouw Sheridan konden worden?'

'Ik zeg dat ik in al die jaren alleen naar bed ben geweest met vrouwen die me zelfs niet deden dénken aan een nieuwe mevrouw Sheridan, met vrouwen wier liefde me niet kon verdommen.' Hij zweeg even. 'Dát is het verschil.'

Hij draaide zich om naar de deur.

'Wacht...'

Wat ze ook had willen zeggen, de woorden bestierven op haar lippen toen Neil zich omdraaide en haar zo intens aankeek, dat hij dacht dat hij ze naar buiten zou kunnen dwíngen. Jezus, hij verlangde naar die vrouw. Hij wilde de gruwel van Chevy Bankes voorgoed uit haar leven bannen en haar zo stevig vasthouden dat ze nooit meer bang zou zijn.

Maar dat had ze hem niet gevraagd. Ze was nog niet bereid hem haar wonden te laten likken. Ze was ternauwernood bereid hem haar lichaam toe te vertrouwen.

Hij keek haar nog even aan, balde zijn vuisten in de hoop dat ze hem niet meer zou aanraken. Dat nobele gedoe was gewauwel; als ze zichzelf nogmaals aanbood, wist hij niet of zijn eer stand zou houden.

Ze stapte naar hem toe en haar stem was een gebroken vezel van geluid. 'Ik weet niet wat je van me wilt.'

Neil kon het niet helpen; hij streelde haar wang. 'Denk dan nog wat langer na. En ter wille van ons allebei, Beth, hoop ik dat je eruit komt.'

Chevy Bankes zat op het parkeerterrein van een klein winkelcentrum, in een nieuwe Lexus die naar een bijenkorf rook. Hij had Mabels luchtverfrisser weggesmeten zodra hij in de auto stapte, maar het interieur stonk verdomme nog steeds als een pot bloemenhoning. Hij zou waarschijnlijk meteen beren lokken als hij uitstapte.

De ochtend was begonnen met een vuurtje in Mabels badkuip – hij had besloten dat de volgende pop een handje moest worden geholpen – en daarna was hij een tweedehandskledingwinkel binnengegaan om wat kleren te kopen. De daaropvolgende drie uur had hij de omgeving afgezocht naar een geschikte plek. Ten slotte had hij een winkelcentrum in Alexandria gevonden dat precies de goede componenten had: een Wal-Mart, een kapperszaak, een fotolijstenzaak, een zelfstandige ijzerwinkel, een bloemist en, aan het eind, een videotheek.

De Wal-Mart en de bloemist waren alles wat Chevy nodig had.

En het kind natuurlijk. Een skateboarder van een jaar of twaalf, dertien, met een gebreide muts, twee T-shirts over elkaar en een zo strakke corduroybroek dat Chevy zich afvroeg hoe hij zijn knieën boog. Hij had de achterkant van een Tex-Mex verbouwd tot een eigen skatepark en oefende al twintig minuten dezelfde sprong: de vier treden naar de achterdeur van het restaurant op, de plank laten vallen en hard afzetten en nog bewegend landen onder aan de trap. Telkens en telkens weer.

Chevy keek op zijn horloge en vroeg zich af of hij paranoïde was dat hij het joch wilde gebruiken om het vuile werk voor hem op te knappen. Er hingen overal politietekeningen van hem in zijn Margaret Chadburne-rol, maar de kans was groot dat niemand een afbeelding had gezien van de vrouw die Chevy in het huis van Beth was geweest, als er al afbeeldingen waren. Maar voor alle zekerheid hij had hen alle twee met pensioen gestuurd.

Hij reed de Lexus naar het skateboardterrein, parkeerde, stapte uit. Een oudere heer ditmaal, al maakte de geur van luchtverfrisser die nog in zijn kleren hing het moeilijker om in zijn rol te blijven. Maar hij zag er best goed uit. Respectabele kleren, respectabele auto, een lichte aarzeling in zijn tred. Niet echt hinkend, maar een zekere stijfheid die duidde op versleten gewrichten. Genoeg om geloofwaardig te maken dat een tochtje naar de Wal-Mart een kwelling voor hem was.

Hij liep naar de skateboarder en zocht intussen in zijn portefeuille, alsof hij een doel voor ogen had. Het joch zag hem op een meter of zes, pakte zijn plank en wierp een steelse blik op het bord SKATEBOARDEN VERBODEN in de hoek van het terrein. Hij hield zijn plank als een schild voor zijn borst en besloot voet bij stuk te houden. Die vent was een ouwe lul; hij kon verrekken.

'Neem me niet kwalijk,' zei Chevy en hij besloot op het laatste moment zich een Engels accent aan te meten. Een improvisatie-avondje. 'Sorry, knul.'

De jongen gromde.

'Zeg.' Chevy bleef enkele passen verder dan normale gespreksafstand staan. Hem bang maken was nergens voor nodig. 'Ik vroeg me af of je me een handje zou kunnen helpen.'

'Hè?'

'Ik zal je ervoor betalen.' Hij haalde enkele bankbiljetten tevoorschijn en deed alsof hij moest zoeken naar het briefje van vijftig dat hij bovenop had gelegd. 'Ik ben op weg naar de verjaardag van mijn kleindochter en ik vrees dat ik wat laat ben. Ik heb een paar vlugge benen nodig om voor me de winkels in te rennen, begrijp je. Zou je dat willen doen?'

'Hè?'

'Ze wil zo'n Barbie-pop, maar dan een man, hoe heet-ie, eh...'

'Ken?'

'Aha, ja, Ken, maar gekleed als een soldaat...' Een beetje verbaasd. 'Die hebben ze toch zeker wel in de States?'

'Een soort G.I. Joe?'

Chevy wees met zijn vinger naar hem. 'Zó noemde haar moeder hem.' Hij keek de jongen aan en toen over het parkeerterrein naar de Wal-Mart, wat voor een bejaarde man met reuma een afschuwelijk lange tocht leek. 'Zou je er zo een voor me willen halen? En een doos rode rozen bij die bloemist, met mooie lange stelen. Je zult er in vijf minuten mee klaar zijn, terwijl het voor mij met mijn oude stelten een halfuur zou duren.'

'Eh...' Het woord *stelten* had hem van zijn stuk gebracht.

'En laat een kaartje bij de bloemen doen. Er moet op staan: "Tot in Covington. Liefs, Neil", oké? Het is N-E-I-L.'

'Eh...'

'Wat vind je van vijftig dollar fooi? Zou dat genoeg zijn?'

De ogen van de jongen lichtten op. 'Eh...'

'Goed dan. Zestig.' Hij stopte de jongen de bankbiljetten toe en deed er het geld voor de cadeaus bij. '"Tot in Covington. Liefs, Neil." Heb je dat?'

Ik hoop dat je eruit komt.

Beth pakte de Hannah-pop aan van de bewaker die hem naar de deur had gebracht en trok een gezicht bij de gedachte dat ze hem zo had genoemd: de Hannah-pop. Maar dat was het: een voorstelling van Hannah. De poppen waren allemaal een voorstelling van de moorden door Bankes. De pop die bij Lexi Carter was bezorgd, was makkelijk geweest: het was de pop die Kerry Waterhouse in Dallas aan mevrouw Chadburne had geprobeerd te verkopen. Een reproductie in plaats van een echte Benoit. Nep, zoals Carter zelf.

Maar deze, dacht Beth, terwijl ze hem uitpakte, sloeg nog nergens op. Afgezien van de voor de hand liggende dingen – olievlekken doordat hij op een motorblok had gelegen – was er niets ongewoons aan te zien.

Ik hoop dat je eruit komt. Neils woorden, maar niet met betrekking tot de poppen.

Ze probeerde hem uit haar gedachten te bannen en ging verder met de poppen, haalde ze een voor een tevoorschijn en legde ze op tafel. Het leek van een lugubere logica: de oogleden, de barstjes in de benen, de blouse die niet bij het kostuum hoorde. Als een handleiding voor moord. Beth wilde huilen nu ze ze aanraakte. Hun schoonheid, zeldzaamheid en kwaliteit waren aangetast door wat ze moesten voorstellen. Ze zou nooit meer naar een modepop kunnen kijken zonder dat haar maag zich omdraaide.

Ik hoop dat je eruit komt.

Ze pakte de laatste pop op. Geen haarscheurtjes, geen schilfers, geen opvallende reparaties. Voor zover Beth kon zien waren de kleren origineel. Ze was in feite perfect, beter nog dan de eerste, vanwege het mechaniek. Alleen de Benoits van Stefan Larousse zouden zowel zo oud als in zo goede staat zijn.

Ze ging achter haar laptop zitten en typte in: *Larousse*. Ze las enkele minuten over hun geschiedenis, hoewel ze wist dat de Larousse-poppen tijdens het leven van mevrouw Chadburne niet het huis uit waren geweest, en zeker niet voor de verkoop. De familie Larousse had de collectie honderd jaar verborgen gehouden en had geselecteerde poppen alleen getoond aan een select gezelschap. Niettemin...

Eén beschrijving had betrekking op de pop waar Beth naar keek. Gemaakt in 1867, met een hoofd en een borst van ongeglazuurd porselein, echte haren en de vage glimlach met geopende lippen waar poppenverzamelaars dol op waren. Maar het bijzondere waren de gewrichten: de ellebogen en de polsen waren zodanig gemaakt dat ze konden buigen en een pose vasthouden. Beth herinnerde zich dat één polsgewricht een beetje los zat en pakte de pop weer op.

De gedachte overviel haar. Nog niet eens volledig gevormd flitste hij door haar hoofd en liet een knoop achter in haar keel. *Haal de splitpen eruit en draai een moer los...*

Ze beet op haar lip. Ze trok de pop haar kleren uit en begon de ledematen los te maken, peuterde in elk breekbaar gewricht als een chirurg wiens misstap een leven zou kunnen kosten. Over het algemeen maakte elk schilfer of barst of foutje een pop zo'n duizend dollar minder waard op een veiling. Evan zou diep gekwetst zijn door wat ze deed, maar...

Daar, in de linkerpols. Een kogelgewricht; Beth had opeens het gevoel dat de temperatuur zo'n vijftien graden was gedaald. De stalen pen ontbrak en op de plaats ervan zat een klein rolletje papier.

Het was onmogelijk. Maar ze wist het. Ze wíst het.

Met bonzend hart hield ze het gewricht vast en zocht een pincet, klemde het om het uiteinde van het rolletje. Ze trok, verloor houvast, kneep opnieuw en trok tot het rolletje losliet en het polsgewricht in haar hand uit elkaar viel.

Bevend rolde ze het stukje papier open. Haar blik vertroebelde boven de kleine, met de hand geschreven letters: *Toe maar, Beth. Schreeuw.*

37

'Dat is ze.'

Neil keek met half dichtgeknepen ogen naar het beeldscherm. Copeland had op PAUZE gedrukt toen er een specifiek persoon in beeld verscheen. Het waren tv-beelden die waren opgenomen in Beths huis nadat Lexi Carter was gevonden, een van de tientallen banden. Dit was een opname van Channel 5, van zo grote afstand gemaakt dat de videospecialisten van de FBI er een hele ochtend voor nodig hadden gehad om het gezicht scherp te krijgen. Het beeld toonde een lange vrouw in spijkerbroek en trui, met donkerblond, tot haar schouders reikend haar, met handschoenen en een masker. Zoals een stuk of tien andere plaats-delictspecialisten toen Carters lichaam was gevonden.

Maar niemand herkende deze vrouw. Ze droeg geen identiteitsplaatje.

'Alle technici, politie- en FBI-agenten die bij Denisons huis zijn opgenomen, zijn geïdentificeerd,' zei Copeland, 'behalve zij.'

'Weet je zeker dat we alle banden hebben?' vroeg Neil. Het had er gewemeld van de camera's.

O'Ryan knikte. 'We hebben inside-informatie – primeurs – toegezegd aan de filmploeg die zou komen met iets wat we kunnen gebruiken.'

'Beter dan een dagvaarding,' zei Rick en iedereen wist dat hij gelijk had. Journalisten dreigen met wettelijke maatregelen had zelden effect. Ze een opzienbarend verhaal beloven stond gelijk aan het aanbieden van puur goud.

'Draai het nog eens af,' zei Neil en hij bekeek de beelden nog twee keer.

Hij herkende haar niet. Een langer dan gemiddelde vrouw met een wat slungelige gang. Niemand van het opsporingsteam herkende haar. Niemand van het politiekorps herkende haar. Niemand van de FBI herkende haar.

Hem. Vrouwen pissen niet in colaflessen.

Bankes?

De band toonde beelden van een andere tv-ploeg, maar van heel ver, een overzichtsopname van Beths voortuin. Copeland wees met zijn vinger naar het scherm om de persoon in kwestie aan de duiden. 'Daar,' zei hij, 'terwijl hij de tas op de voorbank van het busje zet.'

'De klootzak,' zei Neil.

'Wat?'

'Ik heb haar gezien. In het huis.' Hij sloot zijn ogen en probeerde zich haar voor de geest te halen. 'Ik schopte die tas weg en zij raapte hem op.'

'De technici kwamen één tas tekort in Denisons huis,' zei Harrison. 'Degene die hem kwijt is zei dat hij leeg was.'

'Niet toen ik ertegenaan schopte. Er zat iets hards in. Ik hoorde het kraken. Zijn er niet meer beelden van zijn gezicht?'

'Dit zijn de enige opnamen die we van haar hebben. Hem. Wat dan ook.'

'Het fotolab had dit.' Brohaugh drukte enkele toetsen in en het beeld veranderde. 'Zo zou Chevy Bankes er als vrouw vermomd uitzien. Niet bepaald een stuk.'

Neil staarde. Blonde haren, vrouwenkapsel, boven Bankes' gezicht. Niet veel beter dan in die nachtelijke tv-programma's waarin ze voor de grap foto's samenvoegen. Maar het was zonder enige twijfel de persoon die hem in Beths huis boos had aangekeken en de tas had gepakt. 'Komt die foto op het journaal?' vroeg hij.

O'Ryan knikte. 'En de jongen van de Escort heeft haar geïdentificeerd.' Ze kreunde. 'Hem.'

Harrison: 'Hij kan zich niet heel lang verborgen houden. Hij heeft alleen maar een paar dagen op ons gewonnen doordat hij zich verstopte in afgesloten kasten, al voordat we in actie kwamen. Nu heeft hij een plek nodig om te wonen, een auto om zich te verplaatsen, wat dan ook. Iemand moet hem zien.'

'Ja, maar die vent heeft theaterwetenschappen gestudeerd,' zei Rick. 'Hij weet waarschijnlijk alles van grimeren. Hij kan wel tien andere vermommingen hebben.' Hij haalde zijn schouders op. 'Ik durf te wedden dat hij een wenkbrauwpotlood heeft.'

Copeland wendde zich tot Neil, die door het vertrek ijsbeerde. 'Hoe houdt Beth zich?'

Neil knipperde met zijn ogen. 'Doodsbang. Te koppig om in te storten.'

'En de hond?'

O'Ryan keek op, gespitst op het verhaal. 'Hond? Wat is er gebeurd?'

Neil plofte op een stoel, nog steeds broedend over de beelden. 'Beth werd gisteravond gebeld door Cheryl Stallings. Haar hond was verdwenen.'

'Ach, getsie,' zei O'Ryan. 'Wat kan die arme vrouw nog meer overkomen?'

'Bankes?' vroeg Harrison.

Neil schudde zijn hoofd. 'Dat was ook het eerste waar ik aan dacht, maar mevrouw Stallings denkt dat haar peuter van drie het hek open heeft laten staan. Het is blijkbaar al vaker gebeurd en Heinz is altijd teruggekomen.'

'Dus Denison redt het wel?'

Neil sloot zijn ogen. Beth had het nieuws over Heinz weggewuifd alsof het niets betekende. Ze had het gewoon tot zich genomen en vervolgens aangeboden met hem naar bed te gaan. 'Mevrouw Stallings hangt briefjes op in de buurt,' zei hij. 'Beth is ervan overtuigd dat de hond weer komt opdagen.'

'Telkens één poot per post,' zei O'Ryan.

'Bezorg ons een foto van die hond.' Copeland zuchtte. 'We zullen moeten weten hoe hij eruitziet.'

'Opsporingsbericht voor mormels,' zei Harrison.

'Moeten we de hondenbrigade inschakelen?' schertste O'Ryan.

'Als je dicht bij Beth Denison zou proberen te komen, als je geld had en alles wist van grimeren, hoe zou je het dan aanpakken?' Copeland richtte zijn vraag tot Standlin, die net was binnengekomen.

'Je zou haar vakgebied kunnen binnendringen, iemand worden met wie ze heeft gesproken, maar niet iemand die ze goed kent,' antwoordde Standlin. 'En je zou haar waarschijnlijk tegen het lijf lopen, bij haar op bezoek gaan en daarna naar huis om je af te rukken bij de gedachte hoe sluw je iedereen om de tuin leidt.'

'Jezus,' zei Neil. Toen stolde er een half gevormd idee in zijn hoofd en hij richtte zich op. 'Wacht eens even,' zei hij. 'Laat die close-up van de vrouw in Beths huis nog eens zien.'

Het hoofd verscheen op het scherm en Neil kneep zijn ogen tot spleetjes. 'Hebben we een goede foto van Margaret Chadburne?'

Er werden enkele voorhoofden gefronst, toen zei Harrison: 'Waar denk je aan?'

Brohaughs vingers fladderden al. 'Er is geen rijbewijs, dat weten we al. Maar ik was net op zoek naar een foto. Ik heb de Sociale Dienst of het geboorteregister nog niet nagetrokken.'

Neil had het gevoel dat zijn hoofd op ontploffen stond. Te veel ideeën, en sommige zo verward dat hij ze nauwelijks een voor een tevoorschijn kon halen. Maar deze... Verdomme, deze kon kloppen.

'Niks,' zei Brohaugh. 'Ik zal de vliegtickets vanuit Boise checken.'

Copeland stond op. Hij trilde. 'God allemachtig, dat mens bestaat niet eens.'

'Het was al die tijd Bankes,' zei Neil. Hij probeerde zijn handen te ontspannen, maar het lukte niet. 'Bankes heeft Chadburne niet op die beurzen ontmoet. Hij riep haar daar in het leven.'

'Laat het fotolab een simulatie maken van een oude vrouw met het gezicht van Bankes,' zei Copeland tegen Brohaugh.

'Háár zal hij niet meer gebruiken,' zei Brohaugh, 'niet als hij denkt dat we het door hebben.'

'Hoe moet hij dat weten?' vroeg O'Ryan. 'Ik kan het uit het nieuws houden.'

'Nee,' zei Neil. 'Hij weet het inmiddels. Verdomme, hij heeft ons waarschijnlijk al die tijd uitgelachen, erop gewacht. We hoefden alleen maar naar Chadburne te gaan zoeken. Vroeg of laat zouden we ons realiseren dat we iemand zochten die niet bestaat.'

'Ga toch maar naar Foster's met die simulatie,' zei Copeland. 'Misschien heeft iemand gezien dat ze – Chadburne – de garages binnenging en met de auto's knoeide of zoiets.' Hij wreef over zijn gezicht. 'Ik word hier te oud voor.'

'Als we gelijk hebben,' zei Harrison, 'verklaart dat een aantal dingen, maar helpt het ons niet om Bankes te vinden. Hij is ginds ergens en we zullen niets van hem horen voordat het volgende lijk wordt gevonden.'

'Toch wel,' zei Neil, met een blik op Standlin. 'Hij zal namelijk niet van Beth weg kunnen blijven. Heb ik gelijk?'

'Hij zal contact met haar opnemen,' beaamde Standlin. 'Ik weet niet hoe, maar let op mijn woorden: hij vindt wel een manier.'

38

Toe maar, Beth. Schreeuw.

Beths vingers sprongen open en het rolletje papier viel op tafel. Ze beheerste zich en gaf geen kik. Raar; ze wílde schreeuwen, maar ze gunde hem de lol niet, zelfs niet terwijl hij het niet eens wist.

Hoe was Bankes erin geslaagd een briefje in een pop van mevrouw Chadburne te stoppen? En een Larousse? Kon dit inderdaad een Larousse-pop zijn?

Chadburne... Beth ging na wat ze van haar wist. Ze was een van Kerry's onnozele halzen die zich aan Beth had vastgeklampt nadat Beth mot had gekregen met Kerry en mevrouw Chadburne een klein fortuin had bespaard voor een valse Benoit, dezelfde die gisteren was opgedoken bij Lexi Carter. Chadburne was weduwe, woonde in Idaho en had een kleine poppencollectie, die steeds kostbaarder leek te worden; ze had Beth een paar keer gebeld voor advies.

'Beth.'

Ze draaide zich haastig om. Suarez. 'Heb je de bel niet gehoord?' vroeg hij.

'O, nee. Hm, sorry.'

Hij kwam binnen met een lange doos met een bloemenreliëf op het deksel en een rode satijnen strik eromheen. 'Dit is net voor je gekomen. Raad eens van wie?' vroeg hij geforceerd grijnzend. Toen keek hij naar de verminkte pop. 'Nog steeds op zoek?'

Beth gaf hem het rolletje. Hij maakte het open, las het en werd bleek. *'Madre de Dios,'* zei hij en hij liet het op tafel vallen. Om geen extra vingerafdrukken na te laten, realiseerde Beth zich, en ze zou er bijna om hebben gelachen als het niet zo tragisch was geweest.

'Waar komt dit vandaan?' vroeg hij.

'Uit het polsgewricht.' Ze liet het hem zien en hij vloekte en sloeg een arm om haar heen. Beth merkte het nauwelijks. Ze was in trance; Bankes geniepigheid deed haar hart stilstaan.

'Ik moet het doorgeven,' zei hij en Beth stapte opzij. Het bloed gonsde in haar slapen en ze streek met haar hand over de doos die Neil had laten bezorgen. Ze wilde zich ontroerd voelen over zijn attente gebaar, maar ze kon alleen maar aan Bankes denken. Hij was als een kankergezwel, diep in haar botten, ingegraven in haar leven en misschien in dat van Margaret Chadburne. Beth had nooit geweten dat hij daar was.

Gedachteloos trok ze aan de strik en keek in de doos.

Nu schreeuwde ze.

In het commandocentrum ging de telefoon in Neils broekzak. Het was Suarez. Neils hart bonsde. 'Wat is er?' vroeg hij.

'Man,' zei Suarez, 'Beth en ik denken dat...'

Er klonk gerommel in de telefoon en Beth kwam aan de lijn. 'Neil! Haal Abby op! Je moet Abby daar weghalen, iedereen...'

'Rustig, Beth. Vertel me wat er geb–'

'Hij wil Abby verbranden. Haal haar daar weg, Neil, alsjeblieft!'

'Goed, Beth, dat doe ik.' Hij gebaarde naar Rick. 'Bel Covington, vraag of alles goed is met Abby.'

'Nee, nee, dat is niet genoeg!' Beth had hem verstaan. 'Je moet ze daar weghalen. Ze zal verbranden! Neil, ze zal verbránden. Er zal brand uitbreken...'

Neil wist niet wat hij moest doen. Hij was bevroren, hulpeloos, vijfenveertig kilometer van het schuiladres en nog verder van Covington. En Beths stem klonk alsof ze op instorten stond.

Rick pakte een ander toestel, nam contact op met het surveillanceteam in Covington, zei iets over Abby en het echtpaar Stallings, knikte toen en keek Neil aan. 'Alles in orde,' zei hij. 'Ze zijn bij Stallings.'

Er zal brand uitbreken...

Misschien had Beth een nachtmerrie gehad over een brand. Bankes kon het niet geweest zijn; als hij Beth had gebeld en met brand had gedreigd, zouden ze het hebben geweten. Er kon niet echt brand zijn.

'Beth, lieverd, we hebben Covington gebeld. Abby maakt het goed.'

'Dat is niet genoeg. Haal ze wég!'

Hij dacht nog heel even na en wendde zich toen tot Rick, die de telefoon nog aan zijn oor had. 'Zeg dat ze het huis verlaten.'

'Wat?'

'Evacueren. Bel de brandweer.'

Rick vroeg niets meer. Alle anderen in het vertrek zwegen, haalden nauwelijks adem.

'We doen het, Beth.' Hij hoorde een snik, voelde hoe haar hysterie hem door de telefoonlijn heen bij de keel greep. Er verstreek een minuut, toen nog een en nog een en nog een, en toen luisterde Rick eindelijk weer naar iemand.

'Ze zijn buiten,' zei hij. 'Twee volwassenen, twee kinderen. Ze zitten nu in de patrouilleauto's.'

'Beth,' zei Neil. 'Abby zit in een patrouilleauto. Het echtpaar Stallings ook. Ze maken het allemaal goed. Er is geen brand.'

Beth barstte uit in tranen. Dit waren normale tranen, niet het delirium van een waanzinnige. Het waren zo te horen tranen van opluchting.

Suarez kwam weer aan de lijn: 'Ze maakt het goed, man. Overstuur, maar ze maakt het goed nu.' Neil sloot zijn ogen. 'Maar Sheridan,' zei Suarez, 'ik geloof dat je beter hierheen kunt komen.'

Standlin ging met hem mee, bezorgd over Beths geestestoestand. De rest van het opsporingsteam schakelde over naar de hoogste versnelling en regelde een schuiladres voor het gezin Stallings, op Rick na, wiens vaderlijke gen zich roerde. Neil hoorde hem aan de telefoon met Maggie; hij vroeg haar wat speelgoed bij elkaar te rapen dat ze naar het schuiladres konden sturen. Standlin had besloten dat Abby zich daar bij Beth moest voegen. Het flatgebouw waar Beth nu was gehuisvest, was zo veilig als wat, en ze waren het erover eens dat het goed voor Beth zou zijn als ze Abby weer bij zich had. En met wat geluk zou ook de hond binnenkort terugkomen.

Toen ze in de flat kwamen, ijsbeerde Beth met haar armen over elkaar door de kamer. Suarez ving hen op. 'Ze is niet gek, agent Standlin,' zei hij kortaf.

Standlin was beledigd. 'Ik heb nooit gesuggereerd dat ze –'

'Nee, ik bedoel, ze is niet voor niets door het dolle heen. Wacht maar tot je het ziet.'

Neil liep door de woonkamer op Beth af. Ze leek hem weer breekbaar en klein, maar toen hij haar aanraakte voelde hij die stalen ring van kracht.

'Abby?' vroeg ze met een fluistering.

'Ik heb het team in Covington net aan de lijn gehad. Ze zitten allemaal in de auto's. Het duurt even, want ze sturen lokvogels, brengen enkele wijzigingen aan. Maar Abby is onderweg hierheen en de Stallings worden naar een ander onderduikadres gebracht. Je schoonzus heeft haar buurman gebeld en gevraagd eten voor Heinz buiten te zetten, naar hem uit te kijken.'

Beth glimlachte zowaar; Neils hart smolt nog wat verder. 'Nou, wat is er aan de hand?'

Ze stak haar hand in een bloemendoos die Neil niet eens had opgemerkt. Ze haalde er een pop uit, een babypop, antiek.

Verbrand.

'O, jezus...'

'Er was een jongen aan de deur,' zei Suarez. 'Een of andere Engelsman had hem geld gegeven om dit te bezorgen. Jouw naam stond op de bestelbon.'

Neil nam Beth in zijn armen. Jezus, ze had gedacht dat Abby zou verbranden. 'Ze maakt het goed, Beth. Er is geen brand.'

Beth beantwoordde zijn omhelzing en maakte zich toen los. 'Er is nog iets,' zei ze. Ze liet hem de verminkte Hannah-pop zien en het rolletje papier. Neils maag kromp ineen. *Hij zal contact met haar opnemen,* had Standlin gezegd. *Ik weet niet hoe, maar let op mijn woorden...*

'Luister, Neil,' hoorde hij Beth zeggen. 'Weet je nog dat ik zei dat deze poppen me deden denken aan een serie die de Larousse-poppen wordt genoemd?'

Hij wist het niet meer, maar haalde zijn schouders op.

'Ik denk dat dit een Larousse-pop is. Ik weet niet hoe Margaret Chadburne eraan is gekomen, maar we moeten het navragen bij iemand van de familie Larousse of hun verzekeringspapieren checken. Ik zou kunnen zweren dat deze pop uit hun collectie komt. En een paar van de andere misschien ook.'

'Goed, lieverd, goed. Dat is mooi. We zullen het uitzoeken.' Het kon Neil op dat moment niets schelen. Hij keek naar de twee nieuwe poppen en vroeg zich af wat Bankes' patroon was.

Met zijn ene arm nog om Beth heen haalde hij zijn mobiele telefoon uit zijn zak. Hij hanneste met de toetsen, belde Copeland.

'Hé, Sheridan, ik wilde je net bellen,' zei Copeland. 'Ik –'

'Wacht. Beth heeft opnieuw een pop gekregen. Ik geef hem aan Suarez mee –'

'Prima,' viel Copeland hem in de rede. 'Maar je moet zelf ook terugkomen.'

'Waarom?'

'Er is net een noodoproep binnengekomen. Het huis van Rick Sacowicz staat in brand.'

39

Maggie en de kinderen waren niet thuis; dat goede nieuws kreeg Neil toen hij haastig terugkeerde naar Arlington. Maggie had exact gedaan wat Rick had gevraagd: ze had wat speelgoed verzameld voor Abby en had toen alle vier de kinderen in de auto gezet om de spullen in Quantico af te leveren, zodat het naar het schuiladres kon worden gebracht. Tegen de tijd dat Neil ter plekke was, was het huis van Sacowicz een lege huls van verkoold hout en bakstenen. Brandweerlieden pookten in nog smeulende ashaarden, een brandexpert onderzocht waar de brand was ontstaan. Een benzinespoor, zo te zien, helemaal om de veranda's heen, voor zowel als achter. Eenvoudig, doeltreffend. Elke tiener kon het en als inspecteur van politie had Rick zo veel vijanden, dat het niet moeilijk zou zijn een lijst van verdachten op te stellen.

Maar ze hadden geen lijst van verdachten nodig.

Neil stapte uit de auto. De kinderen waren naar het huis van een buurman gebracht en Maggie stond op straat, met haar handen tegen haar buik gedrukt, en staarde naar de resten van haar huis. Neil opende zijn armen, bleef stokstijf staan bij het zien van het pure afgrijzen dat haar gezicht verwrong.

'Hij is niet bij jou, zeker?' fluisterde ze.

Neil verstarde. Hij keek naar het huis, weer naar Maggie en toen naar de oprit. Achter de barricade van hulpvoertuigen was Ricks auto voor een deel zichtbaar. Neils ademhaling stokte. De sedan was slordig op het trottoir gedumpt, de kofferbak hing over het wegdek. Het linkerportier stond open.

'O, god, nee...'

'We waren er niet,' fluisterde Maggie met trillende lippen. 'We waren het speelgoed gaan wegbrengen, maar hij moet gedacht hebben...'

'Nee, man...'

Er klonk een kreet te midden van de puinhopen. Neil staarde naar de drie brandweerlieden die naar binnen holden om de oproep te beantwoorden. Een minuut later kwamen twee van hen weer naar buiten. Ze haalden een brancard... en een lijkzak.

Maggie viel op haar knieën.

Neil liet zich naast haar zakken en ze pakte zijn revers vast alsof ze verdronk. Haar snikken waren als vleeshaken in Neils borst, maar dat was niets vergeleken met de aanblik van Richie, Justin en Shawn die van de veranda van de buurman kwamen, gevolgd door een vrouw met de baby. De jongens dromden bij elkaar achter hun moeder, een brancard kwam langs. Maggie liet Neil los en opende haar armen.

Hij trok zich terug en een agent in uniform verscheen naast hem. 'We moeten die smeerlap afmaken, nú,' mompelde hij. 'We moeten hem afmaken.'

Neil deed wat hij kon – wat helemaal niks was – voor Maggie en de kinderen, bleef aan de telefoon met Quantico. De bevestiging van de doorbraak van die dag liet niet lang op zich wachten: Margaret Chadburne bestond niet.

Ze hadden er niet lang voor nodig gehad, nadat Chadburnes identiteit eenmaal was gekraakt. Haar aanwezigheid op alle beurzen in dezelfde weekends waarin Bankes vrij had genomen van zijn werk was geregistreerd. Tijdens de beurs in Dallas had Chadburne Kerry Waterhouse zwartgemaakt en een prille vriendschap met Beth gesloten, die maar al te graag bereid was een onervaren koper zoals de arme weduwe te beschermen tegen een haai als Waterford. Het afgelopen jaar had Beth Chadburne een paar keer gesproken, nu eens in levenden lijve, dan weer telefonisch, zonder te weten dat ze met Chevy Bankes praatte. Zelfs Neil was hem tegen het lijf gelopen, twee keer, bij Beth thuis.

Met Rick.

Verdriet welde op als een vloedgolf en Neil ging bijna kopje-onder. Hij hield hem tegen met een zo scherpe woede dat hij hem kon proeven, heet en wrang op de achterkant van zijn tong. *Nu neem ik je te pakken, rotschoft.*

Om middernacht, toen Ricks kinderen eindelijk sliepen en buren zich over Maggie hadden ontfermd, reed Neil terug naar het schuiladres. Hij stuurde de bewaker binnen weg en ging naar boven. Zonder aarzelen duwde hij Beths slaapkamerdeur open en keek naar binnen.

Abby en Beth waren er, lepeltje-lepeltje in elkaar gerold. Neils ogen werden troebel toen hij zich bukte om eerst Beths slaap te kussen, daarna die van Abby.

Beth bewoog.

'Ik ben het, lieverd. Ik ben terug.' Hij zou haar morgen over de brand vertellen. Hij dacht niet dat hij het nu aankon.

'Ik ben blij dat je er bent,' fluisterde ze. Ze trok Abby dichter tegen zich aan. 'Abby wilde je zó graag zien.'

'Straks.' Hij zweeg even en schudde toen de woorden los die in zijn keel waren blijven steken. 'Ik ga niet meer weg. Ik blijf bij je.'

Hij wankelde toen het besef tot hem doordrong. Naar de hel met Beths geheimen. Naar de hel met zijn ego. Het deed er allemaal niet meer toe. Daar had Maggie hem vanavond van doordrongen, zonder een woord te zeggen, door alleen maar zijn revers vast te pakken en te huilen om haar verlies. Elk mens moet iets hebben om over te huilen als het verloren gaat.

Neil trok het dekbed over beide paren schouders en dwong zichzelf weer naar beneden te gaan. Hij bleef een kwartier onder de douche staan en het warme water vermengde zich met zijn tranen. Daarna schudde hij zijn aktetas leeg op de salontafel. Het dossier doornemen. Nogmaals. En nogmaals. De sleutel tot het oppakken van Ricks moordenaar was daar, ergens.

Hij keek op. Niet vanwege een geluid of zelfs een beweging. Het was gewoon... een aanwezigheid.

'Hé.' Hij stond op en keek Beth aan. 'Alles goed? Heb je een nachtmerrie gehad?'

'Nee, nee. Ik wilde gewoon... Nou ja, ik wilde met je praten. Ik hoop dat het niet te laat is.'

Ze had het niet over de klok, besefte hij, en hij werd overspoeld door tien soorten tederheid. 'Het is niet te laat,' zei hij met een brok in zijn keel. 'Ik ben er nog steeds.'

'Eh... ik heb nagedacht en ik denk dat ik eruit ben. Ik weet nu wat je van me wilt..'

Neil was bijna te bang om zich te bewegen. 'Het is niet belang–'

'Je wilt ook de rest. Je wilt alles.'

Haar stem brak, alsof de woorden haar doormidden sneden. Schuldgevoel klauwde naar Neils borst. Jezus, dat hoefde ze niet voor hem te doen; hij betreurde het dat hij het ooit gevraagd had. Ze hoefde haar hart niet uit te rukken en elke vezel voor hem bloot te leggen. Hij zou haar hart nemen zoals het was, volledig gewikkeld in trots en onafhankelijkheid. Geheimen zelfs.

'Je hoeft me niets te vertellen.'

'Jawel. Het helpt je misschien begrijpen wat Bankes drijft. En... het helpt je misschien te begrijpen wat je voor me voelt.'

'Ik weet al wat ik voor je voel,' zei hij, maar toen hij naar haar handen keek, wrongen ze zowat het vlees van haar botten. Zijn hart brak bijna. 'Goed, lieveling. Vertel me wat je innerlijk verscheurt.'

'Ik... Ik heb Adam beloofd dat ik het nooit zou vertellen. Ik heb mezelf gezworen dat ik het nooit zou vertellen...'

'Dat Abby Bankes' biologische dochter is?'

Ze bevroor, met stomheid geslagen. 'J-je wist het?'

'Ik heb het laboratorium haren van een van Abby's haarspelden laten onderzoeken.' Neil probeerde angstvallig zijn stem zacht en kalm te houden, maar de woede kroop in hem naar boven. 'Bankes heeft je verkracht op de avond dat hij Chaney vermoordde. Hij werd boos toen Anne dood was, sloeg je met zijn wapen en verkrachtte je.'

Alle kleur was uit haar gezicht verdwenen. Het duurde een volle minuut voordat ze iets kon zeggen. 'Hoe?'

Hij naderde haar. 'Er klopte iets niet. Dat je niet wilde praten over het moment nádat Bankes je met zijn wapen had geslagen. Dat Adam je had overgehaald om niet naar de politie te gaan, alsof er méér te verbergen was dan een schietpartij.' Hij keek naar haar wang, naar het witte litteken dat gehecht had moeten worden, maar was behandeld met pleisters en leugens. 'Dat je ineenkromp toen...'

'Toen wat?'

'Toen ik je kamer binnenkwam nadat ik hoorde dat je een nachtmerrie had. Ik raakte je aan en je sprong zowat uit je vel.' Hij voelde nog steeds de withete woede die hem had overvallen toen hij zich realiseerde wat Bankes haar waarschijnlijk had aangedaan, toen hij zich realiseerde dat ze nog steeds bang was, niet alleen voor Bankes, maar voor hém. 'En ik wist dat je een reden moest hebben om ons niet de naam van Bankes te geven toen we elkaar voor het eerst spraken. Ik kon me maar één ding voorstellen dat zo belangrijk was dat je liever zelf met Bankes afrekende dan het te laten uitkomen: voorkomen dat Abby ooit zou weten wie haar vader is. Voorkomen dat de familie van Adam het ooit zou weten.'

'Ze mogen het nog steeds niet weten,' fluisterde ze. 'Als zijn ouders wisten dat Abby...'

'Wat?'

Ze schudde haar hoofd alsof ze probeerde zichzelf te begrijpen. 'Luister, de wereld van de Denisons draait om bloedverwantschap, reputaties. Onberispelijk karakter... Dat zijn de dingen die ertoe doen.'

'Onberispelijk karakter?' Neil moest haar woorden herhalen om te geloven dat ze ze echt had gezegd. 'Is het een karakterfout van Abby dat ze Bankes' bloed in zich heeft? Was het een karakterfout van jóú dat je door een psychopaat werd verkracht?'

Haar verwarring trof Neil als een twee ton wegende sloopkogel. In één wrede seconde begreep hij het. Hij had het vaker gehoord: mishandelde vrouwen die de schuld op zich nemen voor de driftbuien van hun man; mensen die door een ernstige ziekte worden getroffen en zich schuldig voelen omdat ze ziek zijn; slachtoffers van verkrachting die denken dat het hun schuld was.

Jezus, wat was hij een blinde, stompzinnige klootzak geweest. 'Dat heb je al die jaren geloofd, nietwaar?'

Tranen verzamelden zich in haar wimpers, glinsterend als kwik. 'Adam zei altijd... Ik bedoel, ik weet dat het niet mijn schuld was, maar ik deed alles verkeerd.'

'Wat deed je verkeerd?'

'Als ik niet had geroepen toen ik Bankes zag. Als ik gewoon het bos in was gelopen toen hij me dat opdroeg. Als ik Bankes niet had aangevallen, of als ik het eerder had gedaan...'

Neil staarde haar aan, onthutst dat ze achteraf alles zo makkelijk verdraaide. Alles wat ze gedaan had, was verkeerd; alles wat ze niet gedaan had, was ook verkeerd. 'Zei Adam dat?'

'Hij was advocaat, hij wist hoe ertegenaan zou worden gekeken.'

'Je hebt niets verkeerd gedaan, Beth. Adam had je moeten helpen om het te verwerken; hij had je niet mogen helpen om het te begraven. Jezus, je had er geen zeven jaar mee mogen rondlopen.' Hij voelde het bizarre verlangen een man die al dood was een pak slaag te geven. 'De verkrachting is niet iets wat jij hebt veroorzaakt, Beth; het zegt niets over jou. En het zegt ook niets over Abby.'

Tranen biggelden over haar wangen. 'Chevy Bankes is haar vader.'

'Hij is haar zaaddonor. Abby heeft geen vader.' Hij zweeg even. 'Maar ze zou er een kunnen hebben.'

Neil doorstond de verbazing in haar ogen met een blik die vaster was dan zelfs *hij* had verwacht. Het beeld van Maggies ingestorte wereld verscheurde hem; de bijna wanhopige, nijpende behoefte om van Beth en Abby te houden en voor hen te zorgen schuurde tegen zijn verdriet. 'Ik heb het al vaker gezegd: er is meer dan één persoon in de wereld die je wil helpen. Er is ook meer dan één man ter wereld die van je wil houden en een vader wil zijn voor Abby.'

Haar stem was een fluistering. 'Ik wist niet of je me nog steeds zou willen hebben. Adam heeft me nooit meer aangeraakt. En toen ik zwanger bleek...'

Ze zweeg, maar Neil was sprakeloos.

'Hij wilde dat ik abortus zou plegen. O, god, Neil,' zei ze, bijna stikkend, 'ik had het bijna gedaan. Ik heb een afspraak gemaakt en alles. Maar ik kon er niet mee doorgaan. Toen vroeg Adam echtscheiding aan.'

De stomme, gevoelloze klootzak. Neil verdrong zijn woede en overbrugde de afstand tussen hen. 'Ik ben Adam niet,' zei hij, even zeker van zijn volgende woorden als hij ooit van iets in zijn leven was geweest. 'En ik wil jou. Ik wil je in mijn bed en in mijn hoofd en in mijn bloed en ik wil elke avond gaan slapen met jou in mijn armen en elke morgen wakker worden om met je te vrijen.'

Er trilde een glimlach op haar lippen. 'Het is zo lang geleden. Ik weet niet zeker of ik nog weet hoe ik met een man moet zijn. Ik denk niet dat het zoiets is als fietsen.'

Hij legde zijn handen om haar wangen en zijn spieren spanden zich door de behoefte om haar te laten merken wat hij voelde. 'Ik laat je niet in de steek, Beth. Vertrouw me.'

'Dat doe ik ook. Maar... Soms komen de herinneringen als ik ze niet verwacht en ik weet dat er mannen zijn die na een bepaald punt niet meer willen stoppen...'

'Ik stop op elk punt als je het vraagt.' Hij zei het zo overtuigd dat hij het zelf bijna geloofde. 'Ik zal waarschijnlijk een kogel door mijn hoofd moeten jagen om de druk te verlichten, maar ik stop wanneer jij dat wilt.'

Ze glimlachte bedeesd, ging op haar tenen staan en raakte zijn lippen aan met de hare. 'Ik denk niet dat ik zal willen dat je stopt,' zei ze.

40

Dat wilde ze inderdaad niet. Neil tilde haar op en droeg haar naar de logeerkamer, waar hij tijd nam voor elke centimeter van haar lichaam, elke zenuw met tederheid en heftigheid tot leven wekte. Beth beantwoordde zijn hartstocht met gelijke intensiteit en toen het moment kwam waarop hij tussen haar dijen drong, kuste hij haar en mompelde: 'Ik ben het, Beth. Ik ben het maar.'

Niet Bankes. Niet Adam of Evan. Gewoon Neil.

Het gevoel van bevrijding was onthutsend, de reactie van haar lichaam een bron van onafgebroken, roesverwekkende verwondering. De erfenis die haar had beroofd van haar seksualiteit en haar vrouwelijkheid loste op, langzaam maar zeker. In plaats daarvan ontstond een nieuwe erfenis, die door elke zenuw trok en rillingen van pure sensatie door haar ledematen zond, terwijl Neil beslag op haar legde, innerlijk en uiterlijk, met lichaam en ziel.

Gewoon Neil.

Naderhand bleef ze als verdoofd liggen, verzadigd, en haar borsten gloeiden, terwijl zijn tong lome kringen rondom haar tepels beschreef. 'Ik moet naar boven,' fluisterde ze, door zijn haren woelend.

'Mmm.' Hij liet haar tepel los en liet zijn lippen afdalen, trok een verzengend spoor over haar ribben, haar buik.

'Ik wil niet dat Abby ons samen aantreft,' zei ze hees.

'Dan zou ik niet te luidruchtig doen.'

Zijn handen gleden onder haar heupen en zijn mond maakte dat eerste, elektriserende contact. Ze maakte een keelgeluid en hij hief zijn hoofd op. 'Zeg je nu dat ik moet stoppen?'

'God, nee,' mompelde Beth.

Ze werd in de kleine uren van de ochtend wakker; haar lichaam voelde vreemd slap aan. Naast haar was het bed leeg. Ze ging rechtop zitten, knipperde met haar ogen. Neil stond voor het raam en staarde in het donker. Ze trippelde naar hem toe. 'Neil?' fluisterde ze en hij draaide zich om. Ze deinsde terug toen ze zijn gezicht zag. 'Wat is er?'

Hij vertelde haar over de brand en Beths hart kromp ineen van pijn. Ze had verdriet om de inspecteur die voor Abby had gezorgd. Ze had verdriet om de vier kinderen die hun vader hadden verloren, en om de hartelijke roodharige vrouw die van hem had gehouden.

En haar hart brak bijna om de man die Ricks vriend, collega en zwager was geweest; een man die Beth volgde naar het bed en stille tranen huilde in haar schoot, terwijl de regen begon te vallen en de wereld met hen meehuilde.

De woensdag begon nat, met een druilerige mist die Chevy aan Seattle deed denken. Hij vertrok vroeg uit Mabels huis, in het jasje van de 'Engelsman' en in Mabels auto. Hij reed langs een McDonald's om te ontbijten en ging toen op weg om de volgende stap van zijn plan uit te werken: de hond.

Hij had warempel medelijden met het mormel, Heinz. De letters waren in een botvormig plaatje aan zijn halsband gegraveerd, en Chevy had het verwijderd zodra hij de hond had ontvoerd. Het was een van de aardigste honden die hij ooit had gekend, groot en harig en in één woord lief. Chevy vond het jammer dat hij hem zo vaak aangelijnd moest achterlaten, maar hij wilde niet het risico lopen dat iemand hem zag. Niet nu hij er zo dichtbij was.

Er zat nu schot in, zeiden ze op tv. Het gezicht van Margaret Chadburne en dat van de medewerkster van het forensisch laboratorium, plus elke andere vermomming die de FBI kon bedenken, waren afgelopen nacht in het nieuws verschenen. Op de oude Engelse heer na, dacht Chevy met een sluwe glimlach. Hij had nog enkele trucs in zijn mouw.

Hij liep over het weiland naar de vervallen schuur, met een fles Aquafina-water en een paar Egg McMuffins in een zak. Hij merkte dat Heinz hem hoorde aankomen: de hond begon opgewonden te janken.

'Hé, jongen,' zei Chevy, terwijl hij gebukt het schuurtje binnenliep. Heinz kwispelde met zijn hele achterlijf. Chevy woelde door zijn vacht en de hond snuffelde enthousiast aan de McDonald's-zak. 'Honger, hè?' Er lagen nog wat hondenbrokken in de ene bak en er stond een centimeter water in de andere. 'Niet erg, zie ik. Maar dit vind je vast lekker.'

Hij goot de twee flessen water leeg in de bak en brak een broodje doormidden. Hij maakte de riem los en liet Heinz de gebruikelijke kunstjes doen voor een paar hapjes vlees: opzitten, uitschudden, omrollen. Beth had hem goed afgericht. Toen leerde hij hem een fluitsignaal voor 'kom hier'.

Het was het enige wat de hond echt moest weten.

's Ochtends was de lucht nog steeds druilerig. Abby maakte Beth vroeg wakker, bezorgd om Heinz, niet wetend dat de afgelopen nacht een combinatie van blijdschap en wanhoop was geweest. Hoeveel mensen zouden er nog sterven voordat Chevy Bankes er genoeg van had?

'Mama!' jammerde Abby. 'Je probeert het niet eens.'

Beth keek op. Ze keek naar het speelgoed dat Maggie in Quantico had afgegeven voor Abby en haar blik vertroebelde. Maggies hartelijkheid had haar het leven gered, en dat van haar kinderen. Inspecteur Sacowicz had het blijkbaar niet geweten.

Abby knuffelde haar theatraal en Beth dwong zichzelf terug naar de racebaan in haar handen. Je moest werktuigbouwkundig ingenieur zijn om het ding in elkaar te zetten en elektrotechnisch ingenieur om het op gang te krijgen. Abby had het een kwartier geleden opgegeven en was nu aan het kleuren met geurstiften, terwijl Beth op de grond zat en probeerde uit te vogelen waar het lipje moest worden ingebracht om draad B-14 contact te laten maken met staaf C-8.

'Daar is-ie!' riep Abby en ze holde de kamer door. Neil verscheen, ongeschoren, met een grimmige blik op zijn gezicht die er de vorige dag niet was geweest. Een verdrietige glimlach naar Beth.

'Hoe is het, kleine dreutel?' vroeg hij aan Abby, terwijl hij haar zo stevig omhelsde dat Beth het bijna zelf voelde.

'Prima,' antwoordde Abby, 'maar mama heeft een slechte dag.'

Neil keek Beth aan.

'Het is net als met Kerstmis, als de kerstman speelgoed brengt dat nog in elkaar moet worden gezet. Mama heeft er een hekel aan. Ze zegt dat elfen lui zijn. Ze kan de baan niet in elkaar zetten en de auto's niet laten rijden.'

'Wel waar,' zei Beth. *Smoor het verdriet.* 'Ik ben gewoon nog niet klaar.'

Neil ging op de armleuning van de bank zitten en zette Abby op zijn knieën. 'Denk je dat ik haar moet helpen?'

Abby's gezicht klaarde op. 'Weet jij hoe het moet?'

'Natuurlijk. Vliegtuigen, treinen, auto's... jongensspeelgoed.'

Beth zou liefst geprotesteerd hebben, maar werd weerhouden door een schokkende waarheid: ze was maar al te blij dat Neil er was om het speelgoed voor Abby in elkaar te zetten. En T-ball met haar te spelen en het gras te maaien en tientallen andere dingen te doen die Beth zeven jaar lang in haar eentje had gedaan.

Verbaasd over haar eigen gedachten liet ze de racebaan aan Neil over en ging koffie inschenken. Ze had zo haar best gedaan om niemand nodig te hebben, niemand te wíllen hebben, en ze was trots geweest dat ze op eigen benen kon staan. Maar plotseling, na de liefde en het verdriet dat ze de afgelopen nacht hadden gedeeld, leek zelfstandigheid sterk overgewaardeerd.

Neil kwam de keuken binnen en sloeg zijn armen om haar heen. 'Abby is naar de werkkamer gegaan om een computerspelletje te doen,' zei hij, met zijn neus over haar wang wrijvend.

Beth draaide zich om en legde haar hand op zijn stoppelige kaak. 'Rick...'

'Niet doen,' zei hij, haar hand strelend. 'Niet nu. Hij zou alleen maar willen dat ik er met mijn hoofd bij blijf en die klootzak grijp.'

Beth knikte; ze wist wat haar te doen stond. 'Je wilt nu over de verkrachting horen, nietwaar?'

Hij legde zijn voorhoofd tegen het hare. 'Nee,' zei hij vermoeid, 'dat is het laatste wat ik wil horen. Maar misschien helpt het, als je denkt dat je het aankunt.'

Het verhaal kwam er langzaam uit. Ze vertelde Neil alles wat ze zich kon herinneren, eerst afstandelijk, later in tranen toen de details doordrongen. Neil pakte haar handen alsof hij haar in het heden kon houden en Beth vertelde hem alles wat ze zich zeven jaar lang had geweigerd te herinneren.

Anne viel en Chevy viel naast haar op zijn knieën. Hij keek in de sporttas op de grond en op dat moment werd hij volkomen krankzinnig. Geen tarten en plagen meer, zoals hij met Anne had gedaan. Geen beheersing meer. Alleen waanzinnige, tomeloze woede.

'Neeee! Kutwijf!' Hij strompelde naar Beth toe. 'Kijk nou wat je gedaan hebt.'

Bijt op je kiezen. Geef geen kik. Dat wil hij.

Bam. Beth viel op de grond, bedwong haar behoefte om te gillen. De tas hing aan zijn schouder en hij trok hem hoger, ondersteunde hem met één hand. Toen kromp hij in elkaar, alsof hij iets had gehoord.

'Neeee!' Hij sloeg een hand voor één oor, probeerde iets buiten te sluiten, en richtte het wapen met de andere hand op Beth. 'Stop daarmee, kutwijf,' snauwde hij, maar hij had het niet tegen Beth. Hij leek een dier in de val. 'Who killed Cock?' zong hij in de lucht en toen gromde hij achter in zijn keel. 'Jij, kutwijf!'

Hij schudde zijn hoofd als een hond die zich uitschudt, pakte Beth bij haar arm en trok haar overeind. Hij zette het pistool tegen haar borst. 'Hoor je dat niet? Moeder zingt. Ze zingt om Jenny niet te horen huilen. Maar ze stopt ermee als je schreeuwt.' Hij keek verwilderd om zich heen. 'Het is hier net als thuis. Moeder kan je hier horen. Schreeuw, dan houdt ze op met zingen.'

Beth rukte zich los. Ze zette twee stappen, maar ze had hoge hakken aan en struikelde. Hij pakte haar, grijnsde zijn tanden bloot en het wapen raakte haar wang.

Ze viel languit op de grond. Pijn vlamde door haar heen, zand en steentjes drongen in de open wond. Duisternis kolkte om haar heen en alles werd wazig, behalve de withete scherven van pijn in haar gezicht.

Goed. Ze wilde dat haar wang pijn deed. Misschien dat ze dan het schuren tussen haar dijen niet zou voelen. Stil nu. Geef geen kik. Dat wil hij...

En toen, eindelijk, was hij verdwenen.

Beth knipperde met haar ogen. Neils gezicht was vlakbij, zijn voorhoofd was uit steen gehouwen. 'Hij ging gewoon weg,' zei ze verbaasd. 'Hij kwam klaar en stond op. Hij raapte de tas op en' – ze keek verward – 'hij huilde, geloof ik. En liet me gewoon achter.'

Neil streek haar lokken van haar voorhoofd. 'Je deed niet wat hij wilde. Je schreeuwde niet.'

Beth knipperde met haar ogen en voelde zich merkwaardig kalm. 'Dat is alles wat ik me kan herinneren. Weten we nu meer dan tevoren?'

'Alleen dat het erop lijkt dat Bankes stemmen hoorde, zijn moeder die zong. Hij wilde dat jouw geschreeuw haar het zwijgen zou opleggen.'

'Wat er ook in die tas zat, het was kostbaar voor hem,' zei Beth, in haar geheugen zoekend. 'Wat er ook gebeurde, hij hield hem altijd binnen handbereik.'

'Hij heeft iets uit je huis meegenomen in een tas. Ik vraag me af of het hetzelfde was.' Neil stond op en begon te ijsberen. '*Who killed Cock?* Wat had dat te betekenen?'

'Dat hoorde hij in zijn hoofd, denk ik,' zei Beth. 'Er is een kinderversje dat zo begint. *Who killed Cock Robin?* Het staat in een boek van

Abby. Ik weet nog dat ik het las en dat ik het een beetje ziekelijk vond.' Ze wees naar Neils laptop en hij knikte en ging hem halen. Ze typte de titel in. Ze wist precies waar het boek thuis was, maar ze kon het rijmpje vast ook vinden op internet. 'Ik geloof dat het een volksliedje was over de dood van Robin Hood of een andere beroemde Engelsman. Abby's boek geeft uitleg over de liedjes en de rijmpjes.'

Neil boog zich over haar schouder toen de site verscheen.

'Verdomme ja, dat is het,' zei hij. '*Who killed Cock Robin? I, said the Sparrow, with my bow and arrow, I killed Cock Robin. Who saw him die? I, said the Fly, with my little eye, I saw him die.* Jezus, leuk rijmpje voor een kind. En het gaat, maar door. Wel honderd versregels, zo te zien.'

Beth wreef over haar voorhoofd. 'Wat zei Bankes toen hij dit zong? Hij zei: *Who killed Cock? Jij, kutwijf!*' Ze schudde haar hoofd. 'Ik snap er niets van.'

Maar Neil had een ringband opgepakt en bladerde hem door.

'Wat is er?' vroeg Beth.

Hij stopte bij een bladzijde, keek ernaar en tikte erop met zijn wijsvinger. 'Raad eens hoe Chevy's opa heette? Robin Bankes.'

41

Chevy keek naar de G.I. Joe-pop en luisterde met een half oor naar het nieuws. Mabels tv was afgestemd op CNN Headlines en de belangrijkste items werden om de paar minuten herhaald. Hij had nog nooit zo lang hoeven wachten voordat ze weer over hem begonnen. Psychopaat. Seriemoordenaar. Seksueel gestoorde. De Jager. Nee, dat laatste raakte uit de gunst. De Stalker nu, en zelfs De Folteraar.

Eindelijk begonnen ze het door te krijgen.

En de presentatoren speculeerden er lustig op los. Er werden mensen geïnterviewd aan wie Chevy sinds zijn tienertijd niet meer had gedacht, en ze vertelden het ene verhaal na het andere. Hij keek in de richting van de eetkamer en hoopte maar dat Jenny niet luisterde. De meeste verhalen bevatten geen greintje waarheid. Het zou hem niet verbazen als iemand suggereerde dat hij zijn zusje had vermoord, haar in een vriezer had bewaard en haar had opgegeten, net als die maniak Jeffrey Dahmer. Raar, hoe mensen die in verband werden gebracht met een moord opeens met veel misbaar om aandacht vroegen, om iets te zeggen wat verder niemand wist, om degene te zijn die in de ochtendjournaals verscheen en zei: 'Ik heb hem gekend toen...'

Ze kenden hem toen niet, dacht Chevy. Niemand had hen ooit gekend. Daar had moeder wel voor gezorgd. Niemand kon achter de bloemen en de liedjes kijken.

Plotseling veranderde de toon van de koppen. Chevy keek op en zag het woord LIVE in de linkerbovenhoek van het scherm verschijnen. De camera's gleden over een begraafplaats en zoomden toen in op een groepje mensen die in donkere jassen in de motregen stonden, met op de rug in gele letters FBI. Er stond een graafmachine in beeld, een paar mensen met schoppen. De camera richtte zich op een leeg graf en zoomde toen in op een kleine witte grafsteen: BANKES, 1990.

Opa? Groeven ze opa op?

Er verscheen een tweede graf in beeld, een tweede witte steen: BANKES, 1992. Toen volgde de camera de overheidsfunctionarissen die twee kisten in een lijkwagen zetten. Opa en moeder.

Chevy's longen bevroren even. Hij kon het niet geloven.

Er was maar één ding wat ze konden willen met het lichaam van zijn moeder: de doodsoorzaak onderzoeken. Het zou niet de eerste keer zijn dat ze zich dat afvroegen en het liet Chevy koud. Maar opa; waarom opa?

Opeens drong het door en zijn borst verstrakte. *Ze voelt niets. Ze heeft slecht bloed.*

'Het is in orde, Jenny,' zei hij hardop. 'Ik zorg wel voor je.' Maar innerlijk moest hij kokhalzen.

Val dood allemaal, val dood. Val dood, Neil Sheridan.

Ja, vooral Sheridan. Chevy zette de tv uit en keek naar de G.I. Joe in zijn handen. Sheridan had hem achtervolgd – opgejaagd – vanaf het begin, na Gloria Michaels, en alsof dat nog niet genoeg was, had zijn onverschilligheid tegenover de tas in Beths huis zijn lot bezegeld. Als Chevy een andere persoon was, zoals de zwakzinnige moordenaars die hij in de gevangenis had gekend, zou hij die klootzak op een avond gewoon te grazen nemen en hem met een van Mo's pistolen om zeep helpen, punt uit. Maar Chevy was beter. Beth gaf om Sheridan, dat bleek overduidelijk uit de zeldzame camerabeelden van hen tweeën. Een verslaggever van Channel 42 had zelfs gezinspeeld op een verhouding tussen die twee, in een poging het Jerry Springer-publiek te paaien. Daarom zou Bankes meer doen dan Neil Sheridan alleen maar vermoorden. Hij zou Sheridans dood gebruiken om de inzet voor Beth te verhogen.

Hij ging weer op de bank zitten en zette het nieuws over de begraafplaats van zich af. Hij pakte de .22 die hij voor de vrouw bij de kerk had gebruikt en schroefde de demper erop. Twee van Mabels dikke telefoonboeken vormden een perfect bed. Hij legde G.I. Joe erop, met zijn gezicht naar boven, zette de loop van de .22 op de linkerborstspier en haalde de trekker over. Er ging een rilling door zijn ledematen. Hij popelde om díé boodschap te bezorgen.

Het besef dat Neil precies had gedaan wat Copeland wilde – Beth de hele waarheid laten vertellen – lag als een aambeeld op zijn schouders. Hij kende nu nieuwe facetten van Chevy Bankes' krankzinnigheid: Chevy's moeder zong om Jenny niet te horen huilen. Als Chevy vrouwen aan het schreeuwen kreeg, stopte zijn moeder met zingen. En voor zover Chevy wist, had zijn moeder haar vader gedood, Robin.

Neil had de informatie maar hij kon er niets mee. Het opsporingsteam – of zelfs Standlin – vertellen dat Beth was verkracht was geen optie. En het was niet de enige nieuwe informatie die zwaar op Neils geweten woog.

Beth ging tegenover hem aan tafel zitten. Een verzameling poppenfoto's lag uitgespreid rond Neils laptop. 'Wat zijn dat?'

'Je vermoeden klopt.' Neil wees naar de verzekeringsfoto's. 'De poppen die je krijgt zijn onderdeel van de Larousse-collectie.'

Beth mond viel open. 'Weet je dat zeker?' Ze fronste haar wenkbrauwen. 'Maar hoe heeft Bankes ze in handen gekregen, zelfs in zijn hoedanigheid van Margaret Chadburne?'

Hij gaf haar een vel papier. Een van de erven-Larousse had uiteindelijk een bekentenis afgelegd tegenover een agent in Seattle. 'Toen bleek dat het de familie Larousse was die stukken aan Chaneys museum wilde verkopen. Op de avond dat je Anne Chaney ontmoette, lagen er enkele Larousse-poppen achter in haar auto. Ze wilde ze aan jou laten zien.'

'Niet te geloven.'

'De auto van Anne Chaney werd twee dagen na haar dood gevonden,' zei Neil. 'Hij was leeg en alleen Stefan Larousse en Anne Chaney wisten dat er gedacht werd over een deal met het museum. Geloof het of niet, maar Larousse had financiële problemen. De poppencollectie was een groot deel van zijn onderpand voor een grote lening en als de belangrijke financier die hij was, koos hij ervoor de vermiste poppen niet aan te geven. Nu er negen poppen ontbreken, is de rest van de collectie blijkbaar veel minder waard.'

'Negen? We hebben er zes gezien,' zei Beth en Neil wilde dat ze niet zo snel van begrip was.

'We hebben er zes gezien, maar het zijn er waarschijnlijk acht. Er waren twee poppen die tijdens de Tweede Wereldoorlog Frankrijk niet uit zijn gekomen. Ze werden in 1995 teruggevonden.'

'Ik herinner me dat ik er iets over heb gelezen. Maar ik had nooit gedacht... Allemachtig. De twee vermiste vrouwen?'

Neil knikte. 'In tegenstelling tot wat Chadburne zei, zijn die poppen je nooit toegestuurd.' Hij pakte twee verzekeringsrapporten. 'Het lijkt erop dat Bankes ze in volgorde verstuurt, van de oudste tot de nieuwste, dus we denken dat het deze twee zijn. Van deze pop is de pâte vervangen. Dat is een pruik, toch?'

Ze knikte.

'De vrouw in Denver die we nooit hebben gevonden – de tweede vrouw – was kankerpatiënt. Die had geen haar.'

Beth keek alsof ze op het punt stond te gaan overgeven. Hij voegde er snel aan toe: 'De derde, voor de vrouw in Omaha, was een puntgave pop. Getaxeerd op meer dan vijftigduizend dollar. Misschien heeft hij haar... niets gedaan.'

Neil keek toe, terwijl ze een rekensommetje maakte en door de foto's bladerde. Hij kon niets doen toen het ergste tot haar doordrong. 'Er is nog één pop over,' fluisterde ze. 'Nog één moord.'

'Twee,' zei hij voorzichtig. 'De pop die voor Lexi Carter stond, was immers geen Larousse. Het was een vervalsing die Bankes van Kerry had gekocht. Blijven over de twee Larousses die die avond in Chaneys auto lagen.'

'En je weet waar die zijn? Je hebt de verzekeringsrapporten?'

Hij wachtte. Hij kon zichzelf er nauwelijks toe brengen het haar te vertellen.

'Nou?' vroeg ze.

Hij overhandigde haar de foto's. 'De laatste twee poppen vormen een paar: een moeder die een kinderwagen duwt, met daarin een babypop.

Ze werd stil.

'Ik laat hem niet bij jou of Abby in de buurt komen, Beth.'

'Dat weet ik,' zei ze en ze schraapte haar keel. 'Ik red me wel. Ik bedoel: het is niet zo dat we niet wisten dat ik zijn ultieme doelwit ben.' Ze ijsbeerde door de kamer en scheen in zichzelf te praten, draaide zich toen om. 'Maar dat betekent dat het bijna voorbij is. Hij zet er binnenkort een punt achter.'

'Hij zal het eindpunt niet halen, dat garandeer ik je.'

Ze haalde diep adem, blies weer uit en Neil zag hoe ze haar rug vastberaden rechtte. Ze pakte de foto van de laatste twee poppen en liep naar haar eigen laptop. 'Nou, dan kan ik deze poppen maar beter bestuderen en uitzoeken wat hij met ons van plan is.'

De droefheid overviel Chevy; hij had het niet verwacht. In zijn dromen hadden de latere fasen van het martelen van Beth hem vervuld van gespannen verwachting, voldoening en triomf. In werkelijkheid wilde hij niet dat het einde zou komen.

Maar hij voelde dat alles hem tot actie aanzette. Jenny, zo breekbaar en gekwetst. De hond, nog altijd vastgebonden in de schuur. Neil Sheridan die als lijm aan Beth kleefde, haar misschien zelfs neukte. En nu was, tot overmaat van ramp, de telefoon zojuist gegaan.

'Mabel, ik wil alleen maar even doorgeven dat we elkaar morgen bij Neo's treffen voor een brunch. Tot dan,' had een al wat oudere stem op het antwoordapparaat gezegd.

Wat betekende dat Mabel Skinner morgen rond lunchtijd zou worden vermist. Verdomme. Ze had er niet uitgezien als zo'n boekenclubtype.

Jammer. Het huis van Mabel beviel hem wel, afgezien van de foeilelijke bekleding. Haar auto ook, de luxueuze Lexus. Hij had zich afgevraagd wat een bejaarde dame moest met een Lexus.

Ze had hem niet meer nodig, niet nu ze in de grote diepvrieskist in de kelder lag, tussen de gebakken aardappelen en de kalkoenfilet. Hij had niet genoten van het doden van Mabel Skinner, had niet aan Jenny of Beth of zelfs zijn moeder gedacht. Haar dood was noodzakelijk geweest, net als die van Mo Hammond. Ook van diens dood had Chevy niet speciaal genoten.

Hij zuchtte en bedacht hoe dichtbij hij nu was. Nog twee poppen.

Hij ging naar Mabels eetkamer en pakte de laatste doos, met daarin de laatste twee poppen en een kinderwagen. Jenny keek toe; zijn sombere stemming sloeg op haar over. Hij haalde de babypop uit de kinderwagen en bracht hem naar haar. 'Alsjeblieft,' zei hij. 'Je mag met haar spelen tot ik haar nodig heb.'

Ze zei niets, had al een paar dagen niets gezegd.

Mocht Neil Sheridan verdoemd worden om wat hij had gedaan, níémand deed Jenny pijn. Chevy's ziel werd vervuld van vastberadenheid en hij keerde terug naar de tafel om de moederpop te prepareren. Sheridans dood was tot in de puntjes voorbereid: zodra Chevy klaar was om Mabels huis te verlaten, zou Sheridan aan de beurt zijn.

En daarna Beth. Moederpop Beth.

42

Neil bleef bij Beth en Abby, maar hij begroef zich in paperassen en telefoontjes. Het eerste was van Copeland: 'De verbrande babypop was in goede staat toen Stefan Larousse hem aan Anne Chaney gaf,' zei hij. 'Dus Bankes heeft haar verbrand.'

'Wat betekent dat hij de vrouwen niet meer aanpast aan de poppen. Hij manipuleert nu de poppen zelf.' Daar gingen Beths pogingen om er aan de hand van de poppen achter te komen wat hij voor haar en Abby in petto had.

'Dat neemt niet weg dat de rest van de poppen nu wordt onderzocht.'

'Maar niet door Beth,' zei Neil.

'Standlin maakt zich zorgen over haar. Ze stelde voor een eigen poppenexpert in te schakelen.'

'Beth weet waar ze naar moet zoeken,' zei Neil. 'Ze wil helpen.'

'Vanzelfsprekend. Maar als de laatste twee opduiken met een touw rond de hals van de baby en de moeder met afgesneden tepels, hoe zal ze dan reageren?'

Neils maag draaide zich om. Eén-nul voor Standlin. 'Oké. Heb je iedereen die aan de zaak werkt ingedekt?'

'We hebben de videobanden bekeken. De familie van elke FBI-agent of politieagent wiens gezicht op tv te zien was, is ondergedoken. De vrouw van Sacowicz is met haar kinderen naar Long Island vertrokken.'

'Ja, ik heb haar vanmorgen gesproken. Ricks broer, ook agent, is er ook.' Hij leek als twee druppels water op Rick, hetzelfde Slavische voorhoofd en de koperkleurige wenkbrauwen. *God. Rick.*

'We hebben de informatie over de poppen verspreid via tv,' zei Copeland, 'plus elke versie van Bankes' gezicht die we kunnen verzinnen. Hij weet blijkbaar hoe hij zijn wangen moet opvullen en latex rimpels kan aanbrengen om Chadburne te spelen, en God mag weten wat voor trucs hij als student theaterwetenschappen nog meer heeft geleerd. Maar ze trekken nu vijftig tips per uur na. De smeerlap kan geen stap meer doen. Kan nergens meer naartoe.'

'Hij heeft de vuurwapens en de geluiddempers van Mo Hammond. Hij heeft waarschijnlijk een oude vrouw gedood, heeft in haar huiskamer naar het nieuws zitten kijken en haar magnetronschotels opgegeten. Hij rijdt rond in haar auto.'

Copeland vloekte. 'Als hij dat doet, vinden we hem nooit.'

Maar dat was precies wat hij deed; Neil wist het gewoon. Hij bleef nog een minuut of tien achter zijn laptop zitten nadenken en belde toen Copeland weer. Een secretaresse zette hem in de wacht, zei dat Copeland met een veldagent in gesprek was. Neil ijsbeerde rond en wachtte.

'Heb je iemand pakketten op het postkantoor en bij UPS laten checken?' vroeg hij toen Copeland weer aan de lijn kwam.

'Ze gebruiken röntgenapparatuur op het postkantoor van Foster's; UPS en FedEx scannen al alle pakketten in het district.'

'Mooi zo. Bankes kan een pakket van die afmetingen onmogelijk ergens in een brievenbus gooien, maar hoe zit het met particuliere bedrijven zoals UPS?'

'We laten de koeriers uitkijken naar alles van die afmetingen. Ze hebben foto's van hem – als man en als vrouw – op het dashboard geplakt. Maar als hij op dit moment iets wil versturen, betaalt hij er waarschijnlijk iemand voor, net zoals bij de doos bloemen. Mevrouw Chadburne heeft twee weken geleden bij UPS in Boise iemand geld gegeven om Beth op vastgestelde datums dozen te sturen. Chadburne vertelde hem dat hij de stad uit zou zijn op de dagen dat de dozen verstuurd moesten worden.'

Neil liet zijn adem ontsnappen. Het was een gok.

'Maar luister,' zei Copeland, 'er zit in elk geval beweging in. Ik had net het laboratorium in Philadelphia aan de lijn waar de lichamen van zijn moeder en haar vader worden onderzocht. Hou je vast.'

Neil richtte zich op.

'Het ziekenhuis waar Jenny – Chevy's zusje – is onderzocht, had nog bloedmonsters van haar. Tests op het lijk van haar opa vertoonden zeer veel overeenkomsten. Het lijkt erop dat, met opa inwonend in het huis, de familie Bankes méér was dan een grote, gelukkige familie.'

'Wat?' Het duurde even voordat het doordrong. 'Incest?'

'Jenny's genen kunnen onmogelijk afkomstig zijn van een andere stamboom. Peggy Bankes werd verkracht door haar pa. Dat verklaart een en ander, niet?'

Neils gedachten snelden vooruit... naar Abby. 'En Chevy?'

'Nee, zijn vader was een scholier uit het naburige dorp, een zekere David Moore. We hebben zijn ouders gesproken en ze zeiden dat ze geen contact met Peggy meer hebben gehad nadat Robin Bankes ontdekte dat ze zwanger was. Hij tuigde de jongen af en sloot Peggy op.'

Neil voelde een mengeling van walging en opluchting. Het besef dat Bankes' bloed door Abby's aderen stroomde was al erg genoeg. De gedachte dat dat was ontstaan uit incest... 'Dus Peggy Bankes werd misbruikt door haar vader. Robin Bankes was Jenny's vader.'

'En tegelijkertijd haar grootvader. Koren op Standlins molen.'

'Dus er kán een kind zijn geweest vóór Chevy. Iedereen zegt dat Peggy geen vriendjes had vóór Chevy's vader, maar' – hij zweeg en kromp ineen bij de gedachte – 'dat hoefde misschien ook niet.'

'Man.' Neil zág bijna hoe Copeland met zijn hand over zijn hoofd streek. 'Ik zal de bijbel en de kassabon die je hebt gevonden zo snel mogelijk laten onderzoeken, maar het lijkt hoe dan ook een schoolvoorbeeld van langdurig seksueel misbruik. Peggy Bankes heeft haar hele leven lang de schijn opgehouden. Voer voor psychiaters, die familie.'

'Heeft de dood van Robin Bankes nog vragen opgeroepen?'

'Opa was de laatste jaren van zijn leven ziek; maagkanker, volgens iedereen.'

'Ik weet wat "iedereen" zegt, maar wat zeggen de doktoren?'

'We hebben nog geen behandelend arts gevonden.'

'Wat vind je daarvan?' vroeg Neil.

'Stel je er niet te veel van voor voordat Toxicologie met resultaten komt. Het kán maagkanker zijn geweest, precies zoals iedereen dacht.'

Of het kon moord geweest zijn. Door een vrouw wier vader haar vriendje wegjoeg en haar zijn eigen bed in sleurde. *Who killed Cock Robin?*

Neil haalde diep adem en ijsbeerde heen en weer als een gekooide panter. Hoe graag hij ook bij Beth en Abby wilde blijven, hier gevangen zitten was een kwelling.

'Wat de zelfmoord van de moeder betreft,' zei Copeland, 'het onderzoek van het lichaam wijst niet op moord, maar Bankes kan het best gedaan hebben.'

'Maar waarom? Zelfs al was opa een smeerlap, we hebben niemand gevonden die zegt dat Peggy Bankes Chevy mishandelde.' Terwijl hij het zei, herinnerde hij zich wat Beth had verteld. *Moeder zingt. Dat doet ze om Jenny niet te horen huilen.*

Misschien had ze Jenny mishandeld.

'Wel verdomme, Sheridan, het is in elk geval íéts. We komen ergens.'

Misschien. Maar Bankes was sneller, hij was hen een centimeter voor. Neil betastte de foto's van de poppen in Chaney's auto. 'De eerste poppen werden vanuit Boise verstuurd door een man die door Chadburne werd betaald, ja?'

'Ja.'

'Hoe heeft hij de andere dan hier gekregen?'

'Met de auto misschien,' zei Copeland. 'We denken dat hij gewoon per auto hierheen is gereden, die ergens heeft gedumpt en sindsdien andermans auto's gebruikt.'

'Misschien. Of de poppen lagen op hem te wachten toen hij hier aankwam.'

'Ik zal het lab opdracht geven om de dozen te checken op vuil of spinnenwebben. Misschien verstuurde hij ze naar het huis van zijn moeder.'

'Wie heeft er daar dan voor getekend?'

Ze zeiden het tegelijkertijd: 'Mo Hammond.'

De bevestiging kwam later die avond. Beth had Abby juist naar bed gebracht; Neil verheugde zich erop Beth naar bed te brengen toen zijn telefoon ging. Copeland had het bureauhoofd van Samson in Pennsylvania gebeld om Hammonds wapenopslagplaats opnieuw te onderzoeken, terwijl het lab de dozen waar de eerste drie poppen in hadden gezeten nog eens goed zou bekijken.

'De poppen werden niet opgeslagen in Bankes' huis,' vertelde Copeland. 'Hammond heeft ze bewaard.'

'Hoe weten we dat?'

'Ze hebben sporen op een van de dozen vergeleken met verf die twee jaar geleden in Hammonds winkel is gebruikt. Het was precies zoals je zei: Hammond was het verband tussen Bankes' plannen en zijn jacht op Beth. Hij moet die poppen bewaard hebben zolang Bankes in de gevangenis zat.'

'En wat betekent dat voor ons?'

'Helemaal niks.' Copeland zuchtte. 'Weet je, Sheridan, we weten zo veel dingen over Bankes dat het me duizelt. Maar het helpt ons allemaal niet om hem te vinden.'

'Lok hem dan uit de tent. Zorg dat er iets gebeurt.'

'Daar heb ik ook aan gedacht; daar bel ik voor. Je moet Beth vertellen dat Hannah Blake buiten levensgevaar is. Het komt weer goed met haar.'

Neil sloot zijn ogen. Eindelijk nieuws wat hij Beth graag wilde vertellen. 'Geweldig. Waar dacht je aan?'

'Dat we haar toch gaan begraven. Eens zien of Bankes zich vertoont.'

43

Chevy wachtte bij de afvalcontainers. Ze stonden in een hok, zoals gewoonlijk, en het winkelcentrum zou over vijf minuten worden geopend, om tien uur. Op de radio werd gerouwd om de dood van Hannah Blake; ze was blijkbaar vroeg in de ochtend overleden aan complicaties na de operatie. De presentator beschuldigde de Democraten ervan dat ze een samenleving hadden gecreëerd waarin zulke dingen konden gebeuren. Chevy dacht erover hem te bellen. Dát zou nog eens een giller zijn.

Hij draaide aan zijn trouwring en keek op zijn horloge, stelde zich al die FBI-agenten voor rondom een vergadertafel, de dood van Hannah Blake herkauwend, waarschijnlijk plannen smedend om hem bij haar begrafenis in de val te laten lopen. Channel 5 had een profielschetser geïnterviewd, die zei dat een moordenaar zoals Bankes gewoonlijk trofeeën van zijn moorden bewaarde, en aangezien het erop leek dat Bankes dat niet deed, verwachtten ze dat hij de begrafenis van zijn slachtoffers zou bijwonen om een kick te krijgen van zien wat hij gedaan had. Verdorie, Chevy zag de FBI ervoor aan het hele gedoe in scène te zetten om hem een loer te draaien.

Stommelingen. Hij hoefde niet naar begrafenissen om een kick te krijgen en hij bewaarde wél trofeeën van de vrouwen die hij vermoordde. Hij bewaarde hun stemmen.

Chevy verschoof en kreeg een stijve bij de gedachte. Hij klapte de van een spiegel voorziene zonneklep van de Lexus omlaag. De baard irriteerde hem, zijn schedel jeukte door de zwarte haarverf. De watten waarmee hij zijn wangen had opgevuld en die zijn gezicht een heel andere vorm gaven, bezorgden hem het gevoel dat hij net van de tandarts kwam. De vermomming was waarschijnlijk overbodig zolang hij rondreed in een auto die niet verdacht zou zijn voordat Mabel werd vermist, maar hij wilde geen enkel risico lopen. Zelfs door de getinte ramen heen kon een of andere lul hem van opzij aankijken en de held proberen te spelen. Het zekere voor het onzekere.

Wachten dus, en kijken. De parkeerplaats begon vol te lopen, klanten stroomden als mieren naar de ingang van het winkelcentrum. Het waren voornamelijk vrouwen; alleen, in tweetallen, met kinderen. Af en toe een man of een gezin. Vroeg of laat zou de juiste combinatie verschijnen en zou het einde weer iets dichterbij komen. Een snelle ontvoering, een snel telefoontje naar Sheridan en dan: *páts*. Een spreekwoordelijk lange, donkere en knappe FBI-agent – dood.

En Beth Denison op een rit regelrecht naar de hel.

'Sheridan.' Neil nam zijn telefoon op zonder Beth uit het oog te verliezen. Een groepje vrienden en familie van Hannah Blake had zich verzameld in het huis van Foster, om de schijn op te houden dat ze dood was, en een begrafenisonderneming werd bemand door FBI-agenten en undercoveragenten van de politie voor de zogenaamde begrafenisdienst de volgende dag. De psychiaters waren van mening dat Bankes zich misschien wilde vermaken door naar de begrafenis te komen of in elk geval op de achtergrond toe te kijken.

Neil geloofde er niets van.

'Sheridan,' zei de telefoniste in zijn oor, 'het is Chevy Bankes. Hij wil je spreken.'

Neils hart stopte. De stem van de telefoniste trilde, alsof ze het belang van het gesprek begreep. Geen grappenmaker dus.

'Verbind hem door,' zei hij gespannen.

Er verstreken enkele seconden waarin Neils hart weigerde te kloppen en hij liep van Carol Fosters woonkamer naar een hal. Ten slotte klikte de lijn en Bankes' stem werd hoorbaar. 'Zeg dat ze me sneller doorverbinden, klootzak, of je hoort nooit iets meer van me.'

Klik. Dode lijn.

Godver. Neil keek op; Harrison zag iets aan Neils gezicht en kwam op hem af. Tegen de tijd dat hij bij Neil was, had Neil de FBI-telefoniste weer aan de lijn.

'Maar ze zeiden dat we tijd nodig hadden om het toestel op te sporen, meneer Sher–'

'Het kan me niet schelen wat ze zeiden,' snauwde Neil zacht. 'Verspil geen tijd aan pogingen hem op te houden, want dan vinden we hem nooit. Hij is niet zo gek dat hij aan de lijn blijft en zelfs als we hem opsporen, zullen we ontdekken dat hij heeft gebeld vanuit een telefooncel in Timboektoe. Verbind hem de volgende keer metéén door.'

'Ik handel in opdracht van agent Copeland.'

'Verdomme. Geef me Copeland.'

Enkele seconden later kwam Copeland aan de lijn.

'Bankes belt me,' zei Neil in zijn telefoon. 'Zeg tegen je telefonisten dat ze hem niet meer laten wachten.'

'Wanneer?'

'Nu. Ik moet ophangen; hij belt vast terug.'

'Oké. Ik zal het aan mijn kant veranderen, maar je moet hem aan de praat houden, Sheridan. Zelfs als hij een prepaidtelefoon gebruikt, kunnen we hem vastpinnen. Ik heb twee helikopters paraat staan; ze kunnen binnen twee minuten opstijgen.'

Neil beëindigde het gesprek en hield zijn toestel in zijn hand. 'Het was Bankes,' legde hij Harrison uit. 'Hij belt terug. De centrale liet hem te lang wachten.'

'Verdomme.'

Neil ving Suarez' blik op, die stilzwijgend beloofde dat hij voor Beth zou zorgen. Neil liep de patio op.

Drie minuten later ging zijn telefoon. 'Praat,' zei hij. 'Dan geef ik je mijn rechtstreekse telefoonnummer.'

'Geef het me nu,' beval Bankes.

Neil gaf het.

'Dat is heel aardig van je, Sheridan. Nu kunnen we een praatje maken. Maar het zal je niet helpen dit saaie benzinestationnetje te vinden; het is trouwens te ver weg om er op tijd te zijn.'

'Je neemt grote risico's, voor een intelligente man zoals jij.'

Bespeel de gokker in hem. Dat zal hij fijn vinden. Misschien kun je hem aan de praat houden.

'Het spijt me van Hannah Blake.'

'Ja hoor, je bent er vast kapot van.'

'Dan ben ik ook. Ik heb zelfs niet van haar dood genoten. Haar geen kik horen geven. Het was een knap ding, voor zover ik me herinner.'

'Wanneer heb je Hannah Blake gezien?'

'Ik heb met haar geluncht tijdens een beurs in San Francisco. Ze was daar in plaats van Beth. Maar dat wist je al, nietwaar? Ik vermoed dat je alles over me weet.' Hij grinnikte. 'Maar niet waar ik ben en wie ik nu ga vermoorden.'

'Ik weet in elk geval dat je gestoord bent.' Hij keek op zijn horloge. Een knipperend groen lampje gaf het verstrijken van de seconden aan... traag als koude stroop, leek het. 'Je denkt dat het verschrikkelijk slim is om poppen te gebruiken om Beth de stuipen op het lijf te jagen. Tamelijk afgezaagd, als je het mij vraagt.'

Neil hoorde gegrinnik aan de andere kant van de lijn, en het geluid van een passerende vrachtwagen. Verdomme, hij was inderdaad bij een benzinestation. In een telefooncel of met zijn mobiele telefoon, dat maakte niet uit. Hij zou al lang weg zijn zonder dat iemand hem zag, zelfs als Neil hem nog tweeënzestig seconden aan de praat kon houden. Eenenzestig... zestig... negenenvijftig...

'En wat nu, Bankes?' Neil wilde hem onder de neus wrijven wat hij met Beth had gedaan, maar het gesprek werd afgeluisterd. Hij durfde niets over de verkrachting te zeggen. 'Vertel me eens waarom een echte vent kinderen van zes en vrouwen moet bedreigen. Had je niet genoeg aan het pijnigen van zwakkeren toen je je kleine zusje vermoordde?'

De lucht leek te knetteren, terwijl Neil op een antwoord wachtte. Hij had een gevoelige snaar geraakt. Ga je gang, klootzak, dacht hij, ga door het lint. Daag míj uit.

'Je weet niets over mijn zus,' zei Bankes hees.

'Ik weet dat het niet veel moeite zal hebben gekost om haar te vermoorden. Een kind dat genetisch beschadigd –'

'Er was niets mis met Jenny! Haar bloed deed er niet toe. Slecht bloed doet er niet toe.'

'Jenny was een prematuurtje; ze woog nog geen tien kilo toen ze verdw–'

'Hou verdomme je bek!'

Neil zweeg, bang dat Bankes zou ophangen.

'Ik heb een cadeau voor je,' zei Bankes, gehaast nu, zich kennelijk bewust van de tijd. 'Je kunt het vinden in het huis van Mabel Skinner, in Lexington Avenue.'

Neil opende zijn mond om iets te zeggen, maar hij zou tegen de lucht hebben gepraat. Bankes was weg, één minuut en tweeënveertig seconden nadat de telefoon was gegaan.

Hij toetste Copelands privénummer in.

'We zijn ermee bezig,' zei Copeland. 'De zuidoostelijke helikopter richt zich nu op een gebied in Southon.'

Neil vloekte. 'Hij is al weg, rijdt recht onder de helikopter over de autoweg.'

'We zullen blokkades oprichten, voor het geval dat; misschien pakken we hem als hij probeert te ontsnappen.'

En Bankes zou hen te vlug af zijn. Iedereen wist precies waar hij zestig seconden eerder was geweest, maar zestig seconden was alles wat hij nodig had om weg te komen. 'Kijk uit naar een auto die eigendom was van een zekere Mabel Skinner op Lexington Avenue. Hij zei dat hij een cadeau voor me heeft achtergelaten in haar huis.'

'Ik heb het gehoord,' zei Copeland. 'Ik haal de politie erbij. Ik bel je over het juiste adres. Als je daar als eerste aankomt, hou je dan gedeisd.'

'Waarom? Denk je dat Bankes' cadeau zal ontploffen?'

'Het is een mogelijkheid,' zei Copeland. 'Ik zie je daar.'

Neil hing op en keek naar Harrison, die van Neils gebaren en de ene kant van het gesprek genoeg had meegekregen om het te hebben doorgegeven aan de agenten ter plekke bij Foster's. Harrison schakelde zijn telefoon uit.

'Het overvalcommando is al onderweg naar de buurt,' zei Neil tegen hem. 'Copeland belt voor het precieze adres zodra ze het hebben.'

'Eropaf dan.'

'Wacht. Beth.'

Harrison bleef staan. 'Luister, Sheridan, ik ben geen vriend zoals Sacowicz was en het gaat me niet aan hoe je haar behandelt. Maar ik vind niet dat je haar bang moet maken. Ze is nu bij vrienden, bij haar dochter. Ze lijkt rustig. En ze is hier veiliger dan waar ook.'

Verdriet raakte Neil tussen de ogen. Harrison hoorde niet degene te zijn die hem kalm, verstandig advies gaf. Dat had Rick moeten zijn.

Maar Harrison had gelijk. Neil en Beth hadden een nacht van pure extase gedeeld; Beth had zich gekoesterd in het nieuws dat Hannah in leven zou blijven en Neil had schaamteloos misbruik gemaakt van haar jubelstemming. Daar hoefde hij nu geen domper op te zetten.

'Oké. We gaan.'

Mabel Skinner woonde op Lexington Avenue 1322. De plaats delict leek schrikbarend veel op die bij Beths huis nadat Carter was gestorven: geel lint, blauwe en rode lichtflitsen, zwermen uniformagenten die camera's achteruit duwden en verslaggevers verjoegen.

Neil baande zich met Harrison een weg door de massa en zette de versnelling van de auto in de parkeerstand. Ze holden naar het trottoir en troffen daar Copeland met drie andere mannen en een vrouw, allemaal in FBI-jack.

'Iedereen geëvacueerd?' vroeg Neil met een blik naar de huizen aan weerszijden van en tegenover dat van Skinner.

'Ja,' zei Copeland. 'Eén blok in alle richtingen is de boel ontruimd. Niemand in de buurt.'

Afgezien van de aanzwellende stroom mensen rondom de gele afzetting, hopend op sensatie.

'Stuur iedereen de straat uit,' zei Neil.

'We zijn ermee bezig, we zijn ermee bezig,' zei iemand.

'Infraroodopnamen hebben binnen niemand aangetroffen,' zei Copeland, met zijn handen laag langs zijn heupen. 'Ze stellen nu microfoons en versterkers op.'

'Oké,' zei Neil. Het zou enkele minuten duren, terwijl zij werkeloos rondhingen en alleen maar konden wachten.

Het overvalcommando had het huis afgezet om het FBI-team de ruimte te geven. Het FBI-team gebruikte warmtecamera's, die warme plekken opspoorden die op de aanwezigheid van leven duidden, en bracht vervolgens geluidsapparatuur aan op de muren. De microfoons konden elk geluid opvangen in vertrekken met een buitenmuur. Verder...

Neil schudde zijn hoofd. 'Het lijkt me geen valstrik. Ik denk niet dat hij binnen zit te wachten om iets te laten ontploffen.'

'Hij heeft de wapens nog die hij bij Hammond heeft opgehaald,' zei Harrison. 'Hij kan besloten hebben je hierheen te lokken om naar zijn cadeau te zoeken en je neer te schieten vanuit het voorraam.'

'Neem me niet kwalijk,' zei een vrouw in uniform. Ze was van de plaatselijke politie. 'Mijn partner en ik waren in de buurt toen u aankwam, agent,' zei ze tegen Copeland. 'We willen graag helpen... vanwege inspecteur Sacowicz.'

Copeland legde een hand op haar schouder. 'Bedankt. Blijf in de buurt; er zal gauw genoeg iets te doen zijn.'

'Ik heb een buurvrouw gevonden die het huis kent.'

Copeland keek haar aan, glimlachte. Ricks team was goed. 'En?'

'Ze zegt dat er de afgelopen paar dagen niets gebeurd is. Maar gisteren zag ze de Lexus van de bewoonster op de oprit staan en dat verbaasde haar, aangezien Skinner hem altijd binnen zet.'

'Plattegrond?'

De agent pakte een ruwe schets. 'Voordeur komt uit in een kleine woonkamer, met daarachter de eetkamer en rechts de keuken. Twee slaapkamers, alle twee met een buitenmuur. Maar deze badkamer niet, en er is een souterrain.'

Dus als er iemand in de badkamer of in het souterrain was, zou de apparatuur van de FBI dat niet registreren.

Neil ademde in, zijn neusgaten sperden zich open. Er was niemand binnen, in elk geval niet iemand die leefde.

'Dus hoe gaat het gebeuren?' vroeg de vrouwelijke agent aan Neil. 'Stiekem of met geweld? Sacowicz zei altijd dat de FBI van stiekem houdt.'

Neil lachte. Stiekem, met veertig FBI- en andere agenten ter plaatse, op klaarlichte dagen en met tv-camera's van hier tot aan de maan. *Rot toch op, Rick.*

Dus namen ze een minuut de tijd om zich te organiseren, terwijl Copeland bevelen gaf via een handset en toen beukte het overvalcommando de deur in. Elke deur, om precies te zijn, en elk raam, allemaal tegelijk. Binnen vijf seconden waren er twaalf mensen in het huis van Mabel Skinner, en na nog eens zestig werd het allesveiligsignaal gegeven.

Nu moesten ze uitzoeken wat Bankes had achtergelaten.

44

Er gebeurde iets, iets waardoor Neil was weggegaan zonder een woord te zeggen, afgezien van een raadselachtig bericht aan Suarez: 'Ik zal haar bellen.' Iets waarover niemand Beth inlichtte en haar hulpeloos, schuldig en bezorgd achterliet.

En uitgeput. Ze was het grootste deel van de nacht wakker geweest. Niet dat ze die heerlijke uren met Neil had willen missen, maar een beetje slaap zou haar nu goed uitkomen.

In plaats daarvan zat ze op een kruk en glaceerde koekjes met Carol Foster en Abby.

'Mama, wat is er?' vroeg Abby. 'Wil je een koekje?'

'Wat ze wil is even rusten,' zei Carol, terwijl ze glazuur aan haar schort afsmeerde. 'In godsnaam, Beth, waarom ga je niet naar het appartement boven? Het is de laatste tijd niet gebruikt en Abby en ik redden het wel. Je waakhond kan je wekken als Sheridan belt.'

Juan keek Beth aan. 'Waf.'

Ze glimlachte even. 'Dat zal best. Ik wilde dat ik wist wat er aan de hand is.'

'Ik weet zeker dat de FBI het vertelt als je het moet weten,' zei Carol.

'Goed,' zei ze, terwijl ze Juan sceptisch aankeek. Ze wendde zich tot Abby. 'Jij kunt bij Carol blijven, goed, lieverd?'

'Goed. Maar oom Evan heeft een vlieger voor me gekocht voor de voorjaarsvakantie en we hebben er nooit mee gevliegerd. Hij zei dat er vandaag genoeg wind staat. Mag het, alsjeblieft?'

Beth verwees haar door naar Juan, die Abby's kin beetpakte. 'Is hier een geschikte plek om te vliegeren?'

'Op het veld achter de galerie. We hebben het al eens geprobeerd, maar toen liet ik de vlieger te dicht bij de bomen komen. Hij scheurde.'

'Wat jammer,' antwoordde Juan. 'Er gaan een paar vrienden van me mee, goed? En blijf dicht bij je oom Evan.'

Abby trok haar gezicht in een frons. 'Hij is geen echte oom, hoor.'
'Dat meen je niet,' zei Juan.

Beth wees Juan de weg naar het appartement in het koetshuis en schopte in de woonkamer haar schoenen uit. Een minuut nadat ze waren binnengekomen, ging zijn telefoon. In plaats van naar de slaapkamer te gaan, luisterde ze schaamteloos mee.

Juan keek haar aan, terwijl hij praatte. 'Ja, Carol Foster heeft haar net overgehaald om een dutje te doen. We zijn in het koetshuis.' *Hartslag.* 'Nee hoor, ze is nog wakker. Wacht even.' Hij gaf Beth de telefoon.

'Neil? Waar ben je?'

'Sorry dat ik je alleen heb gelaten, lieverd. Ik kreeg een telefoontje.'

'Wat voor telefoontje?'

'Dat doet er niet toe. Ik wilde –'

'Verdomme, Neil, je hebt beloofd dat je me op de hoogte zou houden.'

Drie seconden stilte. 'Bankes heeft me gebeld. Hij heeft opnieuw een vrouw vermoord.'

Nee. O, god. 'Die vrouw... Was ze...'

'Ze was alleen maar een plaats voor Bankes om zich te verschuilen en een auto om in te rijden. We hebben de Ford Escort van die tiener in haar garage gevonden.'

'Heeft hij geen pop achtergelaten?'

'Dat wel, maar...'

'Ik kom hem bekijken.'

'Je hoeft deze niet te zien.' Hij zweeg enkele seconden en ze kon de vermoeidheid in zijn botten bijna voelen. 'Het is geen antieke pop. Lieverd, we zijn met het huis bezig en wachten op de uitslagen van het forensisch laboratorium. Je doet het beste wat je momenteel kunt doen... bij Hannahs vriendinnen zijn, wat uitrusten, Abby tevreden houden. Ik bel je straks weer en ik hou contact met Suarez.'

Verdomme, er rolden tranen over haar wangen.

'Beth?'

Ze vermande zich. 'Ja?'

'Ik hou van je.'

Neil verbrak de verbinding. Copeland kwam naar hem toe.

'Alles goed met haar?'

'Ja. Ze houdt zich prima,' zei Neil.

'En jij?'

'Ik voel me best.'

'Hmm. Ik weet niet waarom ik het vroeg. Bankes heeft ditmaal een G.I. Joe achtergelaten... met donkere haren, blauwe ogen, gespierd. Een kogelgat in zijn borst.'

Neil staarde hem somber aan. 'Als je het maar uit je hoofd laat,' waarschuwde hij.

'Jongen,' zei Copeland en dat verraste Neil evenzeer als de hand die Copeland op zijn schouder legde, 'het spel is veranderd. Jij bent nu Bankes' doelwit. Je bent volledig geconcentreerd op een bloedbad en zit met jezelf in de knoop. Ik heb geen andere keus dan je terug te trekken...'

Neils telefoon ging. Hij keek ernaar en wist het. Copeland wist het ook en hij vloekte.

'Heb je je cadeau gevonden?' vroeg Bankes.

Neil knarsetandde. 'We hebben haar gevonden. En de pop. Ik zie dat je besloten hebt voor de verandering een man te pakken.'

'Gewoon een uitstapje. En wat een meevaller dat jouw dood Beths lijden alleen maar erger zal maken. Ik heb de indruk dat ze dol op je is. Zeg eens, Sheridan, als je in haar komt, maakt ze dan dat heerlijke geluid, diep van binnenuit, telkens als je haar baarmoeder raakt...'

'Hou je smerige bek.'

Copeland vloekte binnensmond en Bankes zei berispend: 'Nou, nou. Me beledigen is niet de manier om me lang genoeg aan de lijn te houden om me te kunnen opsporen. Hebben ze je dat in Quantico niet geleerd?'

'Zeg wat je te zeggen hebt.'

'Ik ben naar het winkelcentrum geweest om nog een cadeau voor je te kopen, aangezien je het eerste zo leuk vond.'

De klootzak.

'Wist je dat vrouwen zo'n gemakkelijk doelwit zijn als ze winkelen? Vooral als hun kinderen erbij zijn. Ze worden afgeleid. Alsof je een kind een snoepje afpakt...'

'Je liegt.' Neils maag draaide zich om.

'Ik heb dus een vrouw en haar dochter. Ze wachten op je in het park.'

Jezus. Misschien loog hij niet. 'Welk park?'

'Ellis Park. Kijk in een duiker aan de zuidkant. Zes uur dertig.'

'Dat is over tweeënhalf uur. Als je echt mensen hebt, wil ik ze nu.'

Bankes grinnikte. 'Weet je, mijn opa zei altijd: "Wil in de ene hand, spuug in de andere. Eens kijken welke het eerste vol is."'

'Leven ze nog?'
'Voorlopig wel.'
'Hoe heten ze? Laat me met de moeder praten.'
'Nee. Je zult me op mijn woord moeten geloven.'
Copeland wuifde met zijn hand en wees naar zijn horloge om Neil er – overbodig – aan te herinneren dat hij moest blijven praten. Nog een paar seconden en ze zouden hem misschien kunnen lokaliseren.
'O, Sheridan?' zei Bankes. 'Laat me je de moeite besparen. Ik ben in de Oak Wood Mall in Clayton. Ik vertrek via de noordoostelijke ingang, vlak bij de afvalcontainer van de afdeling Levensmiddelen. Zal ik zeggen in wat voor auto ik rij nu ik de Lexus van Mabel heb gedumpt? Nee. Dan zou de lol er af zijn.'
Hij was weg.
Copeland blafte bevelen in zijn telefoon, stuurde een team naar Clayton om de uitgangen van het winkelcentrum te bewaken, maar iedereen wist dat Bankes daar over dertig seconden weg zou zijn. In de auto van een nieuwe vrouw, met haar en haar dochter vastgebonden op de achterbank als gijzelaars.
Of misschien waren de vrouw en haar dochter al in het park.
Of misschien waren ze dood.

45

'Dit zijn de meest recente opnamen van Parken en Ontspanning,' zei Brohaugh, terwijl zijn vingers over het toetsenbord dansten als kikkertongen die insecten vangen. Meteen nadat het forensisch team Mabel Skinners keuken had onderzocht, was er een geïmproviseerde commandocentrale ingericht rondom haar keukentafel. Ze verzamelden zich rond het scherm en keken naar de foto's die verschenen.

Copeland schudde langzaam zijn hoofd. 'Bankes heeft een goede keus gedaan. Ik heb mijn halve leven daar gewoond zonder te weten dat er een park was met zo weinig bomen en zo veel open vlakten.'

Dat was wat iedereen dacht. Bankes had nog twee keer gebeld, en korte gesprekken gevoerd vanuit een cel, om Neil te vertellen waar hij naartoe moest. Hij had de kleine heuvel in het park opgegeven als plaats waar hij Neil kon ruilen tegen een onbekende vrouw met kind die hij beweerde te hebben. Hij had de open vlakte beschreven waar vliegeren, joggen en frisbee populair waren, een diepe stenen duiker in het midden van een van de vlakten.

De duiker liep dood. Het was gewoon een afwatering voor het park, die nergens naartoe leidde. Er was alleen een kleine stenen put waar Neil de vrouw en haar dochtertje zou moeten aantreffen.

'Daar moet het zijn,' zei Harrison, naar het scherm wijzend. 'Zijn daar nog meer foto's van?'

Brohaugh zocht, typte en bracht meer foto's op het scherm, allemaal vanuit een andere hoek genomen – kadasterfoto's – van de duiker.

'Jezus,' mompelde Copeland, 'hij ziet ons op driehonderd meter afstand aankomen.'

'Hoe goed is je beste scherpschutter?' vroeg Neil.

'Vierhonderd meter als je hem alleen maar wilt raken. Kan elke knoop die je aanwijst op driehonderd meter raken.'

'Oké.' Een knoop op driehonderd meter was behoorlijk goed.

Copeland: 'Maar het maakt geen verschil. Bankes wist wat hij deed. Moet je dat zien. Waar kan ik verdomme een scherpschutter onzichtbaar neerzetten?'

'Hoe zit het met Bankes?' vroeg Harrison. 'Er ontbrak een jachtgeweer bij Hammond, plus drie pistolen. Voor zover we weten kan Bankes ook een scherpschuttersgeweer hebben gejat. Iets wat niet in het voorraadboek stond.'

'Tenzij hij een deel van het afgelopen jaar bij een militie heeft gezeten,' zei Standlin, 'kan hij niet met geweren omgaan. Hij is een folteraar. Geweren zijn snel en schoon, onpersoonlijk.'

'Geen lol aan,' zei Copeland.

'Wil je zeggen dat hij alleen een bot mes heeft?' Dat was Harrison weer.

'Het goede nieuws is...' begon Standlin.

'Is er goed nieuws?' vroeg Brohaugh.

'Bankes improviseert. Dit met Sheridan hoort niet bij wat hij heeft gepland en voorbereid. Hij is in de stad aangekomen met antiek, niet met een G.I. Joe. Dus ofwel is hij ten einde raad doordat we hem verhinderd hebben iets anders te doen, ofwel heeft hij een reden gevonden voor een vendetta tegen Sheridan. Waarschijnlijk omdat die iets met Denison heeft.'

Neil dacht erover na. Bankes had niet boos geklonken toen hij met Neil sprak over seks met Beth, maar bijna geamuseerd. Hij verloor zijn zelfbeheersing toen Neil hem beschuldigde van de moord op zijn zusje.

'Genoeg. We gaan,' zei Copeland. 'Het is bijna vijf uur. We hebben een plan, hoe stom het ook is,' zei hij met een blik op Neil, 'maar we moeten hem nog steeds zien te vangen.'

'Hem doden, zul je bedoelen,' verbeterde Neil hem, en Copeland zei: 'Uiteraard.'

Nog geen uur later zaten ze op een betonnen plaat in Ellis Park. Ze gebruikten picknicktafels, onder een afdak dat waarschijnlijk lekte als het regende, en twee busjes vol elektronica en surveillance-apparatuur. Brohaughs kabels waren verbonden met een generator in het dichtstbijzijnde busje, voor het geval hij zonder stroom kwam te zitten. Neil rilde bij de gedachte dat het zo lang zou kunnen duren.

Er waren vijf agenten aanwezig: Copeland, Brohaugh, Standlin, Harrison en O'Ryan. En Neil natuurlijk. Copeland had Neil er liever buiten gelaten, maar Bankes wilde hem erbij betrekken.

Neil maakte zijn holster los. De slip van zijn overhemd wapperde in de wind.

'Gaat het?' vroeg Harrison.

'Laat me met rust,' gromde Neil. 'Je doet alsof ik nooit eerder gijzelaar ben geweest.'

'Ik vermoed dat je nooit te maken hebt gehad met een gek die een beminde pijn heeft gedaan.'

Neil keek hem strak aan. 'Dan ken je me niet erg goed, wel?'

Harrisons gezicht betrok. Neil kreeg medelijden met hem. 'Ik voel me best.'

En zo was het. Eindelijk dééd hij iets. Neil verving Beth met alle genoegen als doelwit. Kom op, klootzak, had hij gedacht. Kom maar achter me aan.

En dat had Bankes gedaan. Helaas waren een moeder met haar dochter zijn werktuigen geworden. Neil had na het eerste telefoongesprek, dat inderdaad in de Oak Wood Mall was gevoerd, niet geweten of hij hem wel of niet moest geloven. Maar toen Bankes opnieuw belde, had Neil de vrouw van angst horen snikken op de achtergrond.

'Ik wil met haar praten,' had Neil gezegd. 'En het is je geraden dat ze kán praten.'

'Praat, kutwijf. Zeg tegen die vent wat er gebeurt.'

Een stem, trillend en doodsbang. 'Hij h-heeft mijn d-dochter en m-mij.' Afgrijzen doordrenkte haar woorden. 'Hij zal ons v-vermoorden.'

En toen kwam Bankes weer aan de lijn. 'Dus kom op, klootzak. Kom de vrouw en het kind halen.'

Hij had opgehangen. Was te lang aan de telefoon geweest en wist alles over het traceren van gesprekken.

Neil keek op zijn horloge; bijna halfzeven. De vrouw en haar kind waren waarschijnlijk rond twee uur ontvoerd, voor zover kon worden nagegaan. Ze wisten nog steeds niet wie het waren; niemand had aangifte gedaan van een vermiste vrouw of een vermist kind. Iemand dacht nog steeds dat ze de dag in het winkelcentrum doorbrachten.

Neil toetste Suarez' nummer in; hij wilde bevestiging dat Beth in veiligheid was.

Suarez antwoordde met zachte stem. 'Ik heb net even gekeken. Ze is van de wereld. Een uur geleden in slaap gevallen. Doe wat je doen moet.'

Copeland en Neil liepen naar de achterkant van het busje, waar O'Ryan via haar headset jongleerde met de tv-journaals. 'Heb je de camera's onder controle?' vroeg Copeland.

'Ja,' antwoordde ze. 'We hebben ze een minuut of twintig geleden weggestuurd. Behalve die wijsneus die vorig jaar bij Channel 2 werd ontslagen, Corey Dunwoody. Hij is nu freelancer en maakt het me lastig. Ik heb gedreigd hem te arresteren wegens obstructie.'

Copeland wreef over zijn kin. 'Ik ken hem nog van de aanslag op de gouverneur vorig jaar. Geen scrupules, geen moraal. Hij zou de tieten van zijn moeder nog versjacheren om iets groots te filmen.'

'Ja,' zei O'Ryan. 'De doorsneeverslaggever.'

Bankes liep een paar meter achter Heinz en het donkerharige meisje, Samantha. Ze kringelden door een uitgestrekte wijk die aan Fosters landgoed grensde: een vader en zijn kind die de hond uitlaten. Samantha en Heinz vormden zijn beste vermomming tot nu toe. Ze liepen dwars door de achtertuin van een schijnbaar leegstaand huis.

De Fosters bezaten zo'n vijftienhonderd vierkante meter grond. Het perceel was nergens omheind en het landschap eromheen was dun bebost en glooiend, met een paar schilderachtige uitzichten rond het huis en de galerie, en aan de zijkanten een woonwijk, een autoweg en voorstadsbegroeiing. Het werd sinds een paar dagen zwaar bewaakt; vandaag, dacht Chevy, zou dat minder zijn. De FBI was in Ellis Park en bereidde zich voor op de begrafenis van Hannah Blake.

Hij glimlachte omdat het zo gladjes verliep en omdat de dood van Neil Sheridan zijn plannen met Beth in de kaart speelde. Hoe zorgvuldig Chevy alles ook had gepland, hij had nooit kunnen voorzien dat de man die Jenny pijn had gedaan dezelfde was die met Beth neukte. Dubbele eer voor deze moord, dacht hij.

Heinz trok enthousiast aan zijn lijn en Samantha viel bijna.

'Hou hem goed vast,' zei Chevy. 'Laat hem pas los als ik het zeg.'

'Ik doe mijn best,' zei ze bijna jammerend. Het was een klein jengelding. Hij zou blij zijn als hij van haar af was.

'Doe nog beter je best.' Hij bewoog de .22 in zijn zak, zorgde ervoor dat ze de vorm zag. 'Linksaf, tussen die bomen door. We moeten opschieten.'

46

'Ik moet gaan,' zei Neil. Een namiddagkilte beet in de lucht en de zon daalde naar de horizon. 'Het is halfzeven.'

'De plaatselijke politie is de laatste mensen nog aan het wegsturen,' zei Copeland. 'Met een smoes over een gaslek onder een viaduct.'

'Dat moet lukken,' mompelde Harrison. Hij wipte op de ballen van zijn voeten op en neer. Net als iedereen. Er waren vijf uren verstreken sinds Bankes had gebeld over Mabel Skinners huis. Sindsdien hadden ze haar lichaam gevonden, de G.I. Joe gevonden en zich opgesteld in het park. Het ging snel nu en het zou niet stoppen voordat het voorbij was.

Zoals Bankes hem had geïnstrueerd had Neil zijn das, wapen en holster afgelegd en zijn overhemd losgeknoopt om te laten zien dat hij geen kogelwerend vest droeg. Alsof hij rauw vlees om zijn nek hing en het hol van de leeuw binnenging.

'Hier,' zei Copeland. 'Je kunt er niet met die grote .45 op af gaan, maar dit ziet hij vast niet in je zak zitten, als je hemdsslip uit je broek hangt. Neem het mee. Als er iets verdachts is in die duiker, schiet je het neer.'

Neil dacht erover na, herinnerde zich Bankes woorden dat hij ongewapend en alleen naar de duiker moest komen, en stopte de .22 toch maar in zijn zak.

'Luister, jongen,' zei Copeland, 'loop langzaam, recht over dat pad. Net achter die heuvel zit een scherpschutter en tweede in die dikke eikenboom.'

Neil verbeet een grimlach. 'Gaan ze me neerschieten? Ik zal het enige zijn wat zij te zien krijgen.'

Copeland vloekte. 'Verdomme, Sheridan.'

Neil sloeg hem op zijn schouder. Copeland was hier faliekant tegen en ze hadden er enkele hartige woorden over gewisseld. 'Je bent mijn baas niet,' had Neil gezegd. 'Als ik ernaartoe ga en overhoop word geschoten, kun je tegen iedereen zeggen dat ik een idioot was en dat ik tien rechtstreekse bevelen heb genegeerd. Als het lukt, zorg ik dat jij de eer krijgt.' Copeland had er plotseling honderd jaar ouder uitgezien en het duurde even voordat Neil besefte waarom. Het was niet de reputatie van de FBI of de eer waarover Copeland zich zorgen maakte, maar het lot van Neil.

Hij mocht daar nu niet aan denken. 'Dus ik loop over dat pad, terwijl de beste scherpschutter van de FBI klaar staat om op alles te schieten wat uit een duiker komt,' zei Neil. 'Weet hij dat het een vrouw of een kind kan zijn?'

'Dat weet-ie. En, Sheridan, als Bankes je de vrouw en het kind geeft, hang dan niet de held uit door hun plaats in te nemen. Maak dat je wegkomt en neem ze mee. We komen in actie en geven je dekking zodra de gijzelaars vrij zijn.'

Neil zweeg. Harrison, Standlin en Brohaugh zwegen eveneens. Iedereen wist dat het zo niet zou gaan. Bankes had deze plek zorgvuldig gekozen. Hij kon onmogelijk uit het park ontsnappen, tien minuten nadat Bankes de plek had genoemd al niet meer.

Daarom wisten ze dat Bankes hier niet was.

'We kunnen het mis hebben, Sheridan,' zei Copeland. 'Misschien heeft Bankes geconcludeerd dat het spel uit is. Misschien zit hij in die duiker te wachten om je mee te sleuren als hij ten onder gaat.'

'We hebben het niet mis,' zei Neil. 'Bankes is er niet. Het beste waarop we kunnen hopen is dat hij de vrouw en haar kind daar heeft achtergelaten. Levend.'

Maar dat verwachtte eigenlijk niemand. Ze verwachtten lijken. Poppen.

Copelands portofoon reutelde, hij gaf antwoord en piepte toen de scherpschutters op. 'Tijd om te gaan.'

Neil liep naar de duiker, zo nonchalant als maar mogelijk is wanneer je hart bonst als een vuist. Er bewoog niets om hem heen. Er was niets wat kon bewegen. Kortgeschoren gazon, een blauwe lucht die langzaam roze kleurde, het zachte kwetteren van vogels. Een mooie avond, als je niet naar een graf liep. Of in een val.

Vijftig meter van de picknicktafels van de FBI, zestig. Nog binnen bereik van de scherpschutter, nog niet binnen dat van de pistolen die Bankes van Hammond had gestolen. Honderd meter. Neil hield zijn schreden in. Hij kon de opening van de duiker nu zien, een stenen boog, ongeveer een meter hoog, iets minder breed. Als het regende, verzamelde het water zich in een kleine poel rondom de boog en werden de speelgazons en de hellingen waar gevliegerd werd bewaterd. Het had gisteren geregend, niet zo veel dat er poelen waren ontstaan, maar genoeg om de grond modderig en drassig te maken. Genoeg om tot gevolg te hebben dat de vrouw en haar kind, als ze daar waren, nat en koud zouden zijn.

Neil haalde langzaam en diep adem. *Je kunt het mis hebben. Bankes kán in die duiker zitten wachten om je mee te nemen in zijn ondergang.*

Neil wist dat het zo niet was.

Maar er was wel iemand. Stik, er bewoog iets. Hij was dichterbij nu, dertig meter van de duiker. Als Bankes hem wilde neerschieten, zou hij het gauw doen. Als Bankes de vrouw en het kind dood had achtergelaten, zouden er geen geluiden opstijgen uit de duiker. Als er alleen een pop in de modder lag, zou er niets bewegen bij de ingang.

'Sheridan.' De stem van de scherpschutter fluisterde in Neils oor. Hij had een telescoopvizier dat van een insect een monster kon maken. 'Ga naar rechts. Daar beweegt iets.'

Neil zag en hoorde het ook. De geluiden – gesnik of gejammer, als van een gewond dier. De bewegingen – trillingen, als van angstig bibberen.

Hij verkortte zijn pas, bewoog van het midden van het pad naar rechts om de scherpschutter een vrij schootsveld te geven – *laat hem niet te snel schieten als er nog een gijzelaar in leven is* – en liep langzamer. De zon vormde nu een gouden schijf in Neils ogen, scheen fel achter de duiker, zodat hij alleen maar silhouetten zag.

Neil liet zijn hand in zijn zak glijden en betastte de .22. Het leek wel een speelgoedwapen in vergelijking met de 10 mm die hij bij de FBI had gebruikt of de .45 die hij nu bezat. Met zijn grote kolenschoppen van handen had Neil altijd een voorkeur gehad voor grote wapens. Anderzijds, in geval van nood kon ook een .22 een gat maken.

Hij dacht na over dit noodgeval.

De scherpschutter zei in zijn oor: 'Nog wat verder naar rechts, Sheridan.' De zon schitterde achter de duiker. Neil kwam steeds dichterbij en dacht aan de scherpschutter die toekeek door een telescoopvizier, aan de verslaggevers die een foto probeerden te schieten die het nieuws zou halen en aan de mogelijkheid dat de geluiden die hij hoorde de snikken konden zijn van een meisje dat pijn had. En hij dacht aan Beth en Abby die hem nodig hadden, en aan Bankes die hem misschien verraste, ginds een wapen tegen iemands slaap drukte. Hij herinnerde zich de G.I. Joe en vroeg zich af waarom Bankes, áls hij daar was, Neil nog niet had neergeschoten. Zo kwam Neil dichter bij de rand van de duiker. Het jammeren duurde voort. Hij betastte de .22, haalde diep adem, deed een snelle stap naar voren en richtte recht in de duiker. In de laatste seconde zag hij het andere wapen en dacht: o jezus, nee.

47

Tijd om te gaan. Chevy wist niet precies hoelang de aandachtsboog van een kind van zes was, maar Abby was met Evan Foster buiten geweest toen Chevy in de Monte Carlo van de moeder van Samantha langsreed. Dat was inmiddels ongeveer een halfuur geleden en hij wilde niet het risico lopen dat Abby weer naar binnen zou gaan, terwijl hij zich opstelde. Zolang ze ver van de galerie was, zou hij minder dicht bij het huis hoeven te komen dan waartoe hij bereid was geweest.

Bovendien zou de opwinding in Ellis Park weldra voorbij zijn. Hij had nog niets gehoord op het nieuws, maar hij wilde ver buiten de stad zijn voordat Neil Sheridan zijn verdiende loon kreeg.

'Blijf staan,' zei hij tegen Samantha en ze gehoorzaamde. Haar wangen waren nat van tranen, haar pols rood op de plek waar Heinz aan zijn riem had getrokken toen hij bekend terrein rook. Chevy glimlachte bij de herinnering aan een voorstelling waarin hij een keer had opgetreden, met een hond in een van de rollen. 'Honden en kinderen,' had de regisseur gezegd, 'zijn veel betrouwbaarder dan volwassen acteurs. Ze missen nooit een claus.'

Hij liep tussen de bomen door naar een plek waar hij Abby net kon zien, terwijl ze naar de lucht staarde, keek toen om zich heen tot hij twee mannen met gele blokletters op de achterkant van hun jack zag: FBI. Mooi zo. Er waren er misschien nog een paar rondom de rest van het terrein, maar deze twee patrouilleerden precies langs dat deel van Fosters landgoed waar Chevy hen nodig had, een meter of vijftig van elkaar verwijderd. Ze keken alle twee naar boven, naar Abby's vlieger.

Chevy beduidde Samantha dat ze vóór hem moest gaan staan. Hij haalde het wapen tevoorschijn; de demper haakte even achter de voering van zijn zak.

'Goed zo! Je hebt hem!' Abby's ijle stem klonk over de heuvel en Heinz jankte. Chevy hoorde Evan Foster in de verte lachen, zag hem met het vliegertouw worstelen. Een minuut later maakte de vlieger een duikvlucht, recht naar de grond. Abby jammerde en rende ernaartoe om hem op te rapen.

Chevy vond de volmaakte positie en duwde Samantha zwijgend voor zich uit. Toen hij precies het goede uitzicht had, bleef hij staan en duwde haar op haar knieën. Haar ruggengraat verstijfde van angst, maar het was te laat. Hij legde zijn hand voor haar mond, hield haar stevig vast en zette het wapen tegen haar slaap.

De dichtstbijzijnde FBI-agent grinnikte om het fiasco met de vlieger. De andere riep naar hem dwars over het veld: 'Denk je dat jij het beter kunt, klojo?'

'Ik zou hem beter overeind houden dan Foster net deed,' riep hij terug. Toen mompelde hij een aantal stomme, stoere beledigingen. 'Rijke, verwende kwast. Ik durf te wedden dat hij helemaal niks overeind kan houden...'

Hij trapte een sigaret uit met zijn hak en kwam wat meer in Chevy's richting.

Ga weg, klootzak; ga weg. Chevy hield zijn adem in.

Hij sloeg zijn arm steviger om Samantha heen fluisterde in haar oor: 'Eén kik en ik schiet je dood.'

Ze geloofde hem. De bewaker kuierde weg. Heinz werd ongedurig en Chevy gooide hem een stuk worst toe om hem koest te houden. Hij wachtte tot de agent zich nog verder had verwijderd en liep toen naar de rand van het bos, met zijn wapen tegen Samantha's hoofd en de hondenriem in zijn hand.

Geen tijd meer. Het moest nu gebeuren.

'Geen beweging!' zei Neil. Hij strekte zijn arm met de .22.

Een Glock 380 wees naar hem terug, met daarachter een gebroken vrouwenstem. 'B-blijf staan.'

Neil knipperde met zijn ogen. Het was verdomme een vrouw, zwak en doodsbang, en het wapen trilde in haar handen. Neils .22 staarde haar aan, beide wapens klaar om te schieten op slechts drie meter afstand van elkaar. 'Ik zal je niets doen, lieverd. Leg het wapen neer.'

'Blijf staan,' zei ze nogmaals. Ze was jong, midden twintig; er zat een schram op haar linkerwang, met eromheen een lelijke buil van purperkleurig vlees en geronnen bloed. Ze had een pop op schoot. 'Ik s-schiet,' stamelde ze. 'Blijf staan.'

'Luister naar me,' zei Neil. *Win haar vertrouwen, hou haar rustig.* Stomme gedachten, gezien het feit dat zij en haar dochter de hele middag in gijzeling waren gehouden door een gek en dat Neil met een pistool – een klein pistool weliswaar – tussen haar ogen mikte. 'Ik ben gekomen om je te helpen. Ik heb je eerder gesproken aan de telefoon.'

De vrouw schudde haar hoofd. Krampachtige, korte bewegingen die Neil duidelijk maakten dat ze op de rand van hysterie stond.

'Laat je wapen zakken, dan breng ik je naar huis.'

'H-hij heeft mijn dochter. Hij heeft Samantha.' Tranen rolden over haar wangen. 'Ik m-moet je doden.'

Wat? 'Luister naar me.'

'I-ik moet je doden, dan laat hij haar gaan. Dat heeft hij gezegd. Het s-s-spijt me.'

'Stop. Luister naar me.' Kalmte was bijna onmogelijk. Bankes had de vrouw opgesteld als Neils moordenaar. De smeerlap. 'Je hoeft me niet te doden. Bankes komt het niet te weten en ik zal je helpen je dochter terug te krijgen, dat beloo–'

'H-hij komt het te weten. Hij zei dat hij haar zou doden.' Ze huilde, maar hield het wapen op Neil gericht. 'Ik moet je doden. Hij wil het op tv zien en dan laat hij Samantha gaan.'

'Hij liegt, hij gebruikt je. Ik kan jou je dochtertje terugbrengen.' Hij dacht bliksemsnel na, een inschatting met de snelheid van het licht: dertig politieagenten met zware wapens, een vrij schootsveld, klootzakken van fotografen die op een verhaal wachtten. Er wurmde zich een idee in zijn hoofd. Hij liet zijn wapen zakken en spreidde zijn handen. 'Luister naar me,' zei hij tegen de vrouw, in de hoop dat ze nog goed genoeg bij haar verstand was om hem te horen. 'Schiet me niet dood, maar luister naar me...'

Beth schopte de dekens van haar bed. Ze kon niet slapen, hoewel ze wist dat Juan dacht dat ze van de wereld was. Ze kon niet eens een dutje doen. Ze kon niets doen dan hier liggen en zich afvragen waar Neil was, wat hij deed. Waar Bankes was.

Ze stond op, liep op blote voeten naar het raam en keek naar buiten. Links zag ze Abby en Evan, en enkele FBI-agenten die als schildwachten op het veld stonden. Een vlieger in de vorm van een draak tuimelde onbeheersbaar door de lucht. Beth glimlachte. Ze hadden weinig succes met de vlieger, maar Abby vermaakte zich. Dat leek nu belangrijker dan wat ook.

Ze wilde naar de deur lopen, maar ze bleef met haar hand op de klink staan. De tv stond aan in de kamer ernaast. Juan moest hem hebben aangezet. De stem van de omroeper klonk dringend toen hij het laatste nieuws voorlas. *'FBI... Ellis Park... de jacht op Chevy Bankes...'* Beth spitste haar oren. *'Een G.I. Joe die beschadigd zou zijn door een kogel in de borst...'*

Geschokt deed ze een stap achteruit. G.I. Joe? Verdomme, daar had Neil niks over gezegd. Hij had gezegd dat ze een dutje moest doen, met Abby spelen en alles aan hem overlaten.

Ze liep op haar tenen terug naar het bed en zette de kleine zwartwittelevisie aan die op het nachtkastje stond. Ze zette het geluid zo zacht dat Juan het niet kon horen en zocht toen de kanalen af tot ze iets zag wat op nieuws leek. Ze hoefde maar één kanaal te bekijken, er werd overal verslag van gedaan. Ze stopte bij Channel 2 en zette het geluid net hard genoeg om het te verstaan.

'...in Ellis Park, waar de vermeende seriemoordenaar Chevy Bankes een moeder en haar dochter in gijzeling zou houden...Wat is dat?' De presentatrice zweeg, luisterde naar iets in haar oortje en ging toen verder met haar verslag. *'We horen zojuist dat iemand een ontmoeting zal hebben met Chevy Bankes...'*

Beth zette het geluid wat harder.

'We hebben verbinding met Chuck Strommen in Ellis Park. Chuck, kun je ons vertellen wat er gebeurt?'

Daarop klonk de stem van een man; de eigenaar van de stem was verbannen naar een rechthoekje in de rechterbovenhoek van het scherm. *'Nou, Melissa, het enige wat we weten is dat Corey Dunwoody, een freelancefotograaf, eerder een aanvaring met de FBI had over het maken van opnamen hier in het park, maar op de een of andere manier is hij erin geslaagd een plek te bereiken waar hij kan filmen. Ik herinner de kijkers eraan dat we deze beelden rechtstreeks uitzenden...'*

Beth hield haar adem in. Neil liep over het gras, zijn overhemd hing open. Wat voerde hij verdomme uit?

'Channel 2 News meldt dat de man die de confrontatie met Bankes schijnt aan te gaan, de achtendertigjarige Neil Sheridan is, die kennelijk zonder toestemming van de FBI werkt. De kijkers herinneren zich misschien dat Sheridan de voormalige FBI-agent is die vanaf het begin zijdelings bij deze zaak betrokken is geweest. Enkele dagen geleden verscheen hij als zogenaamd "adviseur", die volgens sommigen cruciale informatie had gelekt...'

Beth keek geschokt toe. Confrontatie met Bankes? Zonder ruggensteun van de FBI? Verdomme, verdomme, verdomme.

'...en dat we dit niet zouden zien als de FBI haar zin kreeg. Zoals u op eerdere opnamen kunt zien...'

Het rechthoekje in de hoek van het scherm toonde opnamen van een verslaggever die van de plaats delict werd verdreven en van FBI-agenten die zijn camera's met veel getier en geduw in beslag namen. Het woord ARCHIEFBEELDEN verscheen in het rechthoekje, terwijl op het grotere deel van het scherm het woord LIVE opflitste. Neil liep langzaam over een pad.

Beth wreef in haar ogen en keek, probeerde zich te concentreren, probeerde het commentaar buiten te sluiten, maar was tegelijkertijd bang dat ze dan iets zou missen. Neil liep naar een ondiepe kom, lege handen, openhangend overhemd, zonder de nonchalante gratie waarmee hij anders altijd liep. Hij was vastberaden, maar gespannen, stijf.

Tot iets ervoor zorgde dat hij zijn schreden inhield. Hij aarzelde, stapte naar rechts, haalde toen een wapen uit zijn zak en richtte het op de duiker.

De camera zoomde in en Beths hart stond stil. Er werd een wapen op hem gericht.

Beths adem stokte. Neil stond klaar om te worden beschoten of zelf te schieten, de commentaarstem van de presentatrice leek die van een jongetje dat een spannende film navertelt. Neil leek iets te zeggen tegen degene die het wapen had – het was een vrouw – toen verstrakte zijn lichaam en Beth wilde roepen: *Maak dat je wegkomt! Maak dat je wegkomt!* Terwijl ze dit dacht, liet hij zijn wapen zakken en spreidde zijn handen. Beth keek vol afgrijzen toe, bad dat ook het andere wapen zou zakken, maar dat deed het niet. Het flitste en Neil zakte op de grond.

Nú! Heinz blafte precies op het goede moment. Chevy liet hem los.

Abby zag hem, gilde van blijdschap en rende op Heinz af. Evan holde met openhangende mond achter haar aan, de vlieger danste wild in de lucht, als een lek geprikte ballon, en het touw rukte aan zijn handen. De bewakers doken met hun wapens in de hand in elkaar en keken toe hoe Heinz en Abby elkaar vol blijdschap tegemoet renden.

Chevy floot.

Twee keer. Hij moest twee keer fluiten, maar toen draaide Heinz zich naar hem om tussen de bomen. Abby volgde.

Brave hond...

48

Geschoktheid.

Angst.

Beth ging als verstard op de rand van het bed zitten.

'Melissa,' zei de verslaggever ter plaatse. Zijn stem klonk hoger nu en hij sprak sneller. *'Sheridan is neergeschoten, Sheridan is neergeschoten! De plaats delict wordt momenteel overspoeld door hulpdiensten...'*

O, god. Neil.

Het leek wel een film-van-de-week. De beelden waren schokkerig en snel, werden in- en uitgezoomd, probeerden dicht genoeg te naderen om details te geven en tegelijkertijd de dramatische toestroom van mensen uit alle hoeken van het park vast te leggen. In een van de verst ingezoomde opnamen ving Beth een glimp op van Neil op de grond. Bloed op zijn borst... Toen zoomde de camera uit en werden beelden getoond van medewerkers van de hulpdiensten die de helling af stroomden naar de duiker. Ze omringden hem tot Beth niets meer kon zien – had hij geademd? Een muur van mensen knielde om hem heen, koortsachtig naar elkaar roepend, maar alles wat de kijkers hoorden, was het onafgebroken, staccato commentaar van de reporter. De camera zoomde uit en liet agenten met geweren zien, ambulances, een helikopter die licht daalde op een heuveltop en het was alsof iedereen rende, rende... Toen draaide de camera naar de duiker, waar iets gebeurde, waar iemand uitkwam, te midden van zo veel FBI-agenten dat het amper te zien was.

'De schutter is zo te zien een vrouw, Melissa,' zei de stem van Chuck. *'Misschien de vrouw die door Chevy Bankes werd gegijzeld. We kunnen op dit moment niets met zekerheid zeggen, maar het lijkt geen kind te zijn. Melissa, het ziet er niet naar uit dat Chevy Bankes in de buurt is. Zodra we weten wat er is gebeurd, komen we bij je terug.'*

Beth was geschokt, verdoofd. *Neil. God, laat hem niet doodgaan.*

Woede stroomde binnen. Op Neil, omdat hij haar had buitengesloten; op die vrouw, die onbekende, die geprobeerd had hem van het leven te beroven. Op Bankes, die ergens toekeek, misschien het kind van deze vrouw gijzelde, lachend om wat hij had gedaan.

Ze had gedacht dat hij haar zeven jaar geleden pijn had gedaan. Het was niets in vergelijking hiermee.

Beth wist hoeveel tijd er verstreek, terwijl ze keek hoe de tv-reporters probeerden het uit te zoeken. Ze hoorde ook de tv in de woonkamer, en iemand die binnenkwam om op gedempte toon met Juan te praten. De presentatoren begonnen zichzelf te herhalen, toonden telkens weer dezelfde beelden, zochten dingen die ze konden vertellen, tot de helikopter was weggevlogen en de presentatrice in de studio, die alles voor de honderdste keer herkauwde, zweeg, naar een papiertje in haar hand keek en zich tot de camera richtte.

'We hebben zojuist gehoord dat voormalig federaal agent Neil Sheridan, die afdaalde in de duiker, blijkbaar om met de vermeende seriemoordenaar Chevy Bankes te onderhandelen, is overleden. Een woordvoerder van het Georgetown University Medical Center meldt dat hij bij aankomst was overleden aan een schotwond in de borst.'

49

Chevy luisterde naar het overgaan van Beths telefoon. Drie keer. Verdomme, het wachten maakte hem nijdig. Ze had meteen moeten opnemen, had moeten weten dat hij zou bellen. Toen er eindelijk werd opgenomen, was er geen stem, alleen stilte.

'Kom naar me toe, Beth,' zei Chevy in de telefoon. Hij had zin om naar de maan te huilen. Alles was volmaakt verlopen. *Nog maar even nu, Jenny.* 'Kom naar me toe en haal je dochter.'

'Beth is er niet. Praat met mij.'

Chevy verstarde. Het was een mannenstem, Zuid-Amerikaans accent. Een lijfwacht natuurlijk. Een lijfwacht nam verdomme haar telefoon aan. Woede schokte hem tot in zijn botten. 'Ik wil Beth spreken.'

'Praat met mij, *amigo*.'

Chevy wachtte, hervond zijn zelfbeheersing. 'Goed. Geef haar dan de boodschap door.'

'Wat voor boodschap?'

'Ze moet naar me toe komen als ze haar dochter levend wil zien.'

'Waar? Waar ben je? Wat heb je met Beths kleine meid gedaan?'

Federale agenten: geen verfijning, geen subtiliteit. Deze klonk gespannen. Iemand had hem blijkbaar al verteld dat Abby weg was, onder hun neus was verdwenen. Evan Foster en de twee overgebleven bewakers hadden het allemaal op een rennen gezet toen Abby achter Heinz aan het bos in rende toen Chevy floot, en hadden de achtervolging gestaakt toen ze Samantha tevoorschijn zagen komen in de trui van Abby en met Heinz aan de lijn. De verwisseling had hen slechts even in verwarring gebracht voordat ze zich realiseerden dat het meisje Abby Denison niet was, maar lang genoeg voor Chevy om Abby tussen de bomen door mee te nemen naar de woonwijk waar hij de Monte Carlo geparkeerd had.

'Waarom zou ik jou vertellen waar ik ben?' vroeg Chevy en hij kon het niet laten om zich verkneukelend te vragen: 'Wat vind je van wat ik met je vriendje Sheridan heb gedaan? Ik heb op de radio gehoord dat hij dood is, maar vanavond in *Nightline* krijg ik vast de beelden nog wel te zien.'

'Hoe weet Beth waar ze je moet ontmoeten?'

Chevy zuchtte en stelde de cruisecontrol van de Monte Carlo in op een onschuldige negentig kilometer per uur. 'Laat haar de pop zien. Ze komt er wel achter.'

'Wacht. En als... en als het haar nou niet lukt? Ze gedraagt zich vreemd. Ze is uit haar doen.'

Chevy lachte nogmaals. 'De pop brengt haar wel weer bij haar positieven.'

'Ze kan geen pop meer zien. Ze is eindelijk dolgedraaid. *Loco*. Rijp voor de psychiater. Geef de boodschap door aan *míj*.'

'Laat haar de pop zien. Zeg dat ze aan onze tijd samen moet denken.'

De pop in de duiker was een Benoit die vroeger van Anne Chaney was geweest: donkere haren, donkere ogen en... verminkt. Ze hoorde eigenlijk bij een paar van moeder en dochter, maar ze had de stang van een wandelwagen in haar hand, een lege wandelwagen.

'Pak aan, Sheridan,' zei Copeland, terwijl hij hem een schoon overhemd aanreikte. Dat van Neil zat onder de rode verf. 'Verman je, jongen. Kijk niet meer naar die verdomde pop met haar wandelwagen.'

Neil dwong zichzelf op te kijken. Ze hadden een wachtkamer gevorderd in het ziekenhuis waar hij door de helikopter naartoe was gebracht. De vrouw in de duiker, Rebecca Alexander, lag verderop in de gang om haar wang te laten hechten. Ze kon tegen een stootje. Nadat Neil haar had overgehaald om het wapen neer te leggen, hadden ze een plan gemaakt om alles opnieuw in scène te zetten, precies zoals Bankes wilde dat het zou gebeuren. Ditmaal deden ze het voor de camera. Corey Dunwoody, de fotograaf die een aanvaring had gehad met O'Ryan, werd teruggeroepen. Hij nam alles op, onder luid en gespeeld protest van de FBI. Hij had genoten van het idee dat hij iets zogenaamd verbodens filmde en toen het voorbij was, had hij de band, bungelend als een massief gouden strop, getoond aan het tv-station dat hem had ontslagen.

Neil trok juist zijn bedorven overhemd uit toen zijn telefoon overging. Suarez.

'Het is Abby. *Dios.* Hij heeft Abby.'

'Wat? Nee.' Het woord verkruimelde. 'O, god...'

'Wat is er?' vroeg Copeland. 'Is dat Bankes?'

Neil probeerde het snelle bonzen in zijn borst te bedwingen en negeerde Copeland, terwijl hij naar Suarez luisterde. Tegen de tijd dat Suarez klaar was, verkeerde Neil in shock, dezelfde koude, fysieke shock die hij had gevoeld toen ze hem vertelden dat Mackenzie dood was.

'Sheridan, verdomme, zeg iets.' Copeland rukte de telefoon uit zijn hand. 'Wie is dat?'

'Suarez,' antwoordde Neil in een nevel. Hij wist niet of zijn stem hoorbaar was boven zijn hartslag uit. 'Bankes heeft Abby.'

Het werd stil in de kamer. Copeland plofte op een stoel. 'O, jezus.'

Neil wendde zich tot Brohaugh. 'Bankes heeft zojuist Beths mobiele telefoon gebeld en Suarez nam op...'

'Oké, ik ben ermee bezig,' zei Brohaugh, terwijl hij haastig op toetsen drukte. De anderen hielden hun adem in. 'Daar komt-ie. Wacht even, ik laat het horen.'

'Jezus,' zei Harrison. 'Wat zei Bankes?'

Neil schraapte zijn keel. *Blijf kalm. Beheers je.* Copeland kon hem nog altijd van de zaak af halen. 'Bankes heeft Abby. Hij heeft haar bij Foster ontvoerd en wil dat Beth naar hem toe komt.'

Copeland streek met zijn hand over zijn hoofd. 'Neem in het opsporingsbevel op dat, als ze de auto vinden, er een meisje in zit.'

'We weten nu in elk geval in wat voor auto hij rijdt,' zei Harrison. 'De bordeauxrode Monte Carlo van Rebecca Alexander. Eindelijk een meevaller.'

Een meevaller, maar niet van doorslaggevend belang. Het werd donker en ze hadden twee minuten achterstand op Bankes.

En Abby. Bankes had Abby.

Neil woelde door zijn haren en ramde toen met twee handen tegen de muur. 'Godver!'

Niemand zei iets; dat ene woord vatte alles samen. Toen hij weer op adem was gekomen, zei hij: 'Ik moet naar Beth toe. Ze slaapt. Suarez heeft haar nog niets verteld over Abby.' Hij verwijderde de gebroken capsule met bloed die op zijn borst was geplakt. Zijn vingers waren nog rood van toen hij ernaar had gegrepen, terwijl Rebecca Alexander losse flodders op hem afvuurde.

Standlin kwam binnen toen Neil net een schoon overhemd aantrok. Ze had met de Alexanders gesproken.

'Vertelt ze de waarheid?' vroeg Copeland haar.

'Absoluut,' zei Standlin. 'Rebecca Alexander is zo koel als een komkommer. Haar man is degene die nu instort.' Ze zweeg, keek de kamer rond en fronste haar wenkbrauwen. 'Wat is hier verdorie aan de hand?'

Copeland sprak zacht, woorden die hij niet wilde zeggen. 'Bankes heeft Denisons dochtertje ontvoerd.'

Standlin staarde Neil aan. 'O, nee. Sheridan, wat erg.'

Brohaugh zei: 'Dit is de opname van het telefoongesprek.'

Ze dromden bij elkaar en luisterden naar het gesprek dat alles had veranderd. Bankes die Suarez een boodschap doorgaf, Suarez die geschrokken klonk – hij had nog maar net gehoord dat Abby ontvoerd was –, maar zijn best deed om het gesprek te rekken. Maar daar was Bankes te slim voor.

Het ging om de pop, zei Bankes. *'Laat haar de pop zien. Zeg dat ze aan onze tijd samen moet denken.'*

Neil slaakte een reeks verhitte vervloekingen. Hij voelde hoe de blikken van alle leden van het onderzoeksteam zich in hem boorden. 'Nee,' zei hij. 'Ik kan die pop niet aan Beth laten zien. Als ze erachter komt dat Abby ontvoerd is... Ze zal kapot zijn als ze die pop ziet.'

'Sheridan,' zei Copeland met zijn James Earl Jones-stem, 'die pop is een persoonlijke boodschap aan Denison. Tegen de tijd dat onze onderzoekers hem van alle kanten bekeken hebben, kan Denison het hebben uitgeknobbeld. Hij zegt het alsof het iets is wat alleen zij kan weten...'

'Ze hebben dat ding nu al meer dan een uur,' viel Neil hem in de rede. 'Laten zij het maar uitknobbelen.'

Copeland slaakte een zucht en raadpleegde de aantekeningen die hij had gemaakt, terwijl hij met het laboratorium praatte. 'Een Benoit, een vrouw die een babypop duwt in een wandelwagen, 1868. Afgezien van de vermiste baby is het de laatste van de poppen die Larousse aan Anne Chaney gaf. Ze waren in perfecte staat toen Anne Chaney erbij werd gehaald om ze te taxeren. Nou, die volwassen pop is... beschadigd.'

Neil keek hem spottend aan. *Beschadigd*. 'Er moet nog iets zijn.'

Standlin liep nog achter. 'Dus Bankes heeft nu twéé meisjes. Dat slaat nergens op.'

'Nee, nee.' Neil schudde zijn hoofd. Suarez had hem verteld dat Abby verdwenen was en Neil was al het andere vergeten. 'Suarez zei dat het eerste meisje, Samantha Alexander, het goed maakt. Ze verscheen bij Foster's nadat Abby was verdwenen. Bankes heeft een wisseltruc uitgehaald met de twee meisjes en de hond van Beth.'

'Hond? Is de hond ook terug?'

'Bankes heeft Samantha Alexander met de hond laten rennen. De bewakers trapten erin en dachten net lang genoeg dat het Abby was om Bankes de kans te geven weg te komen.'

Standlin liep naar de deur. 'Ik moet de Alexanders gaan vertellen dat hun dochter is gevonden. Is ze in veiligheid? Is alles goed met haar?'

Neil knikte. 'Ze is bij Suarez bij Foster's. Hij zei dat ze geschrokken was, maar ze is niet gewond. Carol Foster laat haar koekjes versieren.'

'O, jee,' zei Standlin. 'Dus we hebben één moeder en één dochter terug. Dat is in elk geval goed nieuws.'

Maar zo voelde Neil het niet.

'Ze heeft geen vin verroerd, man,' zei Suarez toen Neil met de pop het appartement binnenkwam. 'Ik heb het eerste uur of zo af en toe gekeken, toen begroef ze zich onder de dekens, alsof ze het koud had, en zei dat ik haar met rust moest laten. De laatste keer dat ik keek, was ze van de wereld.' Hij zweeg even. 'Nog nieuws over Abby?'

Neil schudde zijn hoofd. 'Nee.'

'Hé, voor wat het waard is, man, je zag er goed uit op tv. Ik zou het zelf hebben geloofd, als ik niet had geweten dat het nep was. Bankes is er met zijn ogen dicht ingetrapt. Hij had het erover aan de telefoon. Verkneukelde zich.'

'Ja, ik heb het gehoord.'

'Oké. Dus je denkt dat Beth erachter kan komen waar hij Abby naartoe heeft gebracht?'

'Dat zullen we zo weten.'

Hij zette de doos met de beschadigde pop neer en opende de deur van Beths slaapkamer. Het was er donker en stil. Te stil. De haartjes op zijn armen stonden rechtop.

Hij liep naar het bed en ging naast de berg beddengoed zitten. Beth bewoog niet. Hij legde zijn hand zachtjes op de sprei, op wat de welving van haar heup had moeten zijn.

En toen wist hij het.

Ze was weg.

50

Beth stond rillend in een telefooncel. Snel, snel. Ze viste munten uit haar portemonnee. Gelukkig lag haar portemonnee in haar slaapkamer, al had Suarez haar wapen en haar telefoon.

Suarez had de telefoon beantwoord en Beth wist meteen dat het Bankes was. Een minuut na het gesprek had Suarez Quantico gebeld en doorgegeven wat Bankes hem had verteld: hij had Abby.

Het had al haar kracht gevergd om niet op de grond te zakken en hysterisch te krijsen toen ze het hoorde. Abby was achter Heinz aan gerend, en het andere meisje, Samantha, was teruggekomen.

Abby was weg. Goeie god.

Neil. Haar eerste opwelling was: ik moet met hem praten. Maar dat kon niet. Neil was dood, Abby was verdwenen.

Beth had zichzelf gedwongen te blijven luisteren. De pop was de sleutel, had Bankes gezegd. Iets aan de pop zou haar duidelijk maken waar Bankes Abby naartoe had gebracht.

De rest deed er niet meer toe. Neil was dood, Abby was bij Bankes.

Doe iets.

Evan.

Ze had niet genoeg kleingeld voor interlokale gesprekken en toetste daarom het nummer van haar telefoonkaart in. Ze vroeg zich af hoelang het zou duren voordat de FBI zou merken dat die gebruikt was. Het deed er niet toe. Ze wisten waarschijnlijk nog niet dat ze weg was; Suarez dacht dat ze sliep. Ze moest erachter zien te komen waar Abby was en de FBI was blijkbaar niet van plan haar de pop te laten zien.

Verdomme; Neil had het beloofd.

Neil is dood.

Denk daar niet aan. Draai.

Waterford nam na drie keer overgaan op en Beth snikte bijna van opluchting. 'Kerry, met Beth Denison. Alsjeblieft, ik heb je hulp nodig.'

Stilte. Ze kon zijn verwarring voelen.

'Alsjeblieft, Kerry. Het gaat niet over je collectie; het gaat niet over zaken. Praat alsjeblieft met me.'

Opnieuw bleef het stil; Beth zág bijna hoe Waterford zijn wenkbrauwen fronste. Toen klonk zijn stem over de lijn, wat aarzelend. 'Volgens het nieuws weet niemand waar je op dit moment bent, Beth.'

O nee. Ze hadden al gemerkt dat ze weg was. *Denk na.* 'Omdat de FBI me heeft opgehaald. Ik zit in beschermende hechtenis.'

'Beschermende hechtenis?'

'Alsjeblieft, Kerry. Ik moet iets weten over een paar poppen.' Ze zocht in haar geheugen naar wat het verzekeringsrapport had gezegd. 'Een babypop en een moederpop van Benoit, uit 1868. Het was een paar dat eigendom was van Stefan Larousse.'

'Larousse?'

'Ik heb nu geen tijd om het uit te leggen, maar het is belangrijk. Ik ben minder deskundig dan jij en er is iets met die poppen wat ik van Chevy Bankes moet uitzoeken.'

Er klonk gebons op de achtergrond aan Kerry's kant van de lijn en twee of drie hondjes begonnen opeens te blaffen.

'Wacht even, Beth,' zei Kerry. 'Er wordt op de deur geklopt.'

'Wacht. Kerry!' Beth keek op haar horloge. Charleston lag in dezelfde tijdzone. Het was laat voor bezoek. Ze probeerde te horen wat er gaande was, gehinderd door het verkeerslawaai en de nachtelijke geluiden om haar heen.

'Beth.' Kerry was weer aan de lijn. Hij klonk zenuwachtig. 'De FBI is hier. Twee agenten. Ze willen me spreken.'

O, jezus. 'Heb je gezegd dat je mij aan de telefoon hebt?'

'Nee, ik heb alleen maar gezegd dat ik een telefoongesprek moest afmaken en dan naar de keuken zal komen. Godallemachtig, Beth. Wat gebeurt er?'

'Ze zullen je dezelfde dingen vragen als ik, Kerry. Vertel ze eerst aan mij. Er is iets met die poppen wat ik moet weten, of met Margaret Chadburne. Wij hebben Chadburne zowat tegelijkertijd ontmoet, in Dallas. Weet je nog? Bankes heeft me sindsdien gestalkt als Margaret Chadburne.'

'Ik weet het, ik heb het nieuws gevolgd.' Kerry liet zijn stem dalen. 'In godsnaam, Beth, ik weet niet wat ik je moet vertellen. Ik heb die malloot in Dallas gesproken, net als jij, maar ik heb haar poppen nooit gezien. Ik heb de Larousse-poppen nooit gezien. Chadburne kwam naar me toe nadat jij haar had gezegd dat ze de replica niet moest kopen. Ze bedreigde me warempel, zei dat ik mensen had besodemieterd, mompelde dat haar moeder iedereen jarenlang ongestraft voor de gek had gehouden en dat ze het niet leuk vond. Ik zei dat ze moest oprotten. En vorige week bestelde ze juist die pop bij me.'

Beth probeerde de logica ervan te ontdekken. Bankes' moeder had iedereen ongestraft voor de gek gehouden.

Hoor je het niet? Moeder zingt. Dat doet ze om Jenny niet te horen huilen. Schreeuw, kutwijf. Laat moeder ophouden.

Ze praatten er nog een minuut omheen; Kerry vertelde wat hij zich van Margaret Chadburne herinnerde en Beth probeerde het in verband te brengen met Bankes' haat jegens zijn moeder, jegens wat Beth moest herkennen in poppen die ze nooit had gezien. En al die tijd keek ze uit naar politieauto's of grijze sedans met een federaal kenteken. *Volgens het nieuws weet niemand waar je op dit moment bent.* Ze hadden er niet lang voor nodig gehad om te merken dat ze weg was.

'Beth?' De stem van Kerry. 'Dat is de enige keer dat ik die vrouw heb ontmoet. Eh, man, denk ik. En ik weet niets over die poppen. Niemand heeft de Larousse-poppen de afgelopen tientallen jaren gezien, behalve op foto's.'

Beths gedachten maalden. Niets. Ze had niets om op door te borduren.

Kerry zweeg, toen werd zijn hoge stem weer hoorbaar: 'Hé, Beth?'

'Ja?'

'Klopt het wat ze op het nieuws zeiden over de staat van de moederpop die ze hebben gevonden?'

'Ik... eh... Nou ja, ik weet niet precies hoeveel ze bekendmaken.'

'Ze zeiden dat ze afschuwelijk verminkt was, dat er een gat tussen haar benen was geboord en dat de baby ontbrak.'

Een golf van misselijkheid deed haar knieën knikken. 'O. Nou, dat klopt, geloof ik.'

'God allemachtig. Wat een gestoorde klootzak.'

Ze hing op. *Denk na. Nee, denk niet aan wat Bankes met de pop heeft gedaan of aan wat hij met Abby zou kunnen doen. Denk alleen aan Bankes. En aan hoe je hem moet vinden.*

Ze stapte weer in de auto, reed voorzichtig. Ze nam alle hoeken langzaam, lette erop dat ze volledig tot stilstand kwam, zodat de auto die ze bij Foster's had meegenomen zacht naar achteren schokte voordat ze weer gas gaf. Ze wist niet hoelang ze in deze auto zou kunnen rondrijden voordat ze zou worden aangehouden. De oude truc met de kussens onder de dekens had haar niet veel tijd opgeleverd en ze zouden er gauw achter komen in welke auto ze reed. Maar ze was in elk geval ontsnapt. Het was niet moeilijk geweest nadat Juan haar eenmaal met rust had gelaten: via de achterdeur van het appartement naar een gang boven waar zij en Abby altijd speelden, naar de goederenlift aan het eind van die gang en naar het koetshuis. Ze had geen voet buiten de deur hoeven zetten en ze wist waar ze de sleutels van elke auto kon vinden. Zoals alle werknemers van Foster's had ze er heel wat keren in gereden.

Net als Hannah.

Ze had een donkergroene Taurus gekozen – Evans voorstel. Evan, die ze er niet bij had willen betrekken, maar wiens stem sinds de verdwijning van Abby verstikt klonk van angst en spijt en die alles voor Beth zou doen. Voor Abby.

Ze stopte voor een verkeerslicht. Een politieauto stopte naast haar. Ze keek recht voor zich uit, deed alsof ze aan de radio draaide en meende te voelen hoe de ogen van de agent zich in haar slaap boorden.

Ontspan je. Ze weten waarschijnlijk nog niet naar wat voor auto ze moeten zoeken. Het enige wat haar het gevoel gaf dat ze opviel, was het feit dat het een koele avond was en dat ze een jurk zonder mouwen droeg, zonder jasje, een panty en geen schoenen – haar pumps en haar blazer waren in de woonkamer van het appartement, waar Suarez wachtte.

En dan was er natuurlijk het feit dat ze op het punt stond recht in de handen van een gezochte misdadiger te rijden. Als ze gelijk had en inderdaad wist waar hij was.

Ze hád gelijk. Ze wist het. *'Dit is net als thuis. Het is het land van moeder. Schreeuw, zodat moeder je kan horen.'*

Ze móést gelijk hebben. Hij was naar huis gegaan, naar Samson, naar de plek waar Beth zijn moeder het zwijgen kon opleggen.

Alstublieft, God, maak dat hij Abby achterlaat.

Levend.

Neil bonsde op de voordeur van het huis van de Fosters en een agent op de veranda en één binnen grepen naar hun wapens. Toen ze hem herkenden, keken ze alsof ze een geest hadden gezien. 'U bent dood,' fluisterde een van hen.

'Nog niet,' zei Neil, 'maar jij wel, als je het laat uitlekken. Waar is Evan Foster?'

De tweede bewaker fronste zijn wenkbrauwen. 'Hij en zijn tante zijn een uur geleden naar boven gegaan. Ze hebben naar het nieuws gekeken.'

Neil liep naar de trap. 'Welke kant op?'

'Naar boven en rechtsaf. Er is een grote zitkamer...'

Neil nam de trap met twee treden tegelijk, bleef voor een brede dubbele deur staan en hoorde de tv-verslaggever uitweiden over de dood van Neil. Dit was inmiddels waarschijnlijk landelijk nieuws. Hij moest ervoor zorgen dat iemand zijn moeder belde, zijn zus, Mitch.

Hij haalde diep adem en stormde toen de zitkamer binnen. Evan Foster stond achter de stoel van Carol. In twee tellen drukte Neil hem met zijn schouder hard tegen de muur. 'Waar is ze, lul?'

Evan stamelde: 'Je bent d-dood. Ze z-zeiden dat je dood was.'

Neil verstevigde zijn greep en de vingers van zijn rechterhand verkreukelden iets wat aanvoelde als karton in Evans borstzak. 'Waar is ze?'

'Ik weet niet waar je het ove–'

Neil ramde hem tegen de muur. 'Zeg op, klootzak.'

Carol Foster pakte zijn arm beet. 'Meneer Sheridan, u hebt niet het recht om hier binnen te va–'

Neil duwde Evan opnieuw tegen de muur en zag dat hij met zijn ogen rolde van de pijn. 'Beth is verdwenen en jij weet waar ze is.'

'N-nee, nee. Ik weet niet waar ze naartoe is.'

'Is Beth verdwenen?' zei Carol op hetzelfde moment. Ze hield Heinz vast aan zijn halsband. Het stomme mormel kwispelde. 'Wat is er aan de hand?'

'Beth deed alsof ze sliep en heeft het koetshuis via de gangen verlaten,' legde Neil over zijn schouder heen uit. Hij klonk grimmig. 'Uw neef hier heeft de bewaking een halfuur geleden gebeld om te zeggen dat hij uitging. Hij zei dat hij de groene Taurus zou nemen en niet gevolgd wilde worden, dat hij wat tijd wilde doorbrengen bij een vriendin, na zo'n uitputtende nacht, toch? Vijf minuten later vertrekt de groene Taurus en niemand volgt hem omdat ze weten dat het Evan is, maar kijk eens aan: Evan is hier en Beth is verdwenen. Kun je dat verklaren?'

De vraag werd benadrukt door opnieuw een klap tegen de muur en er viel iets uit Evans zak. Carols smeekbeden om hem geen pijn te doen waren aan dovemansoren gericht. Evans gezicht vertrok van pijn.

'Ik weet niet waar ze naartoe is,' zei hij slapjes.

'Je moet iets beters –'

'Ik weet het niet, ik weet het niet!' Hij gilde nu en Neil keek spottend naar de tranen die uit Evans ooghoeken rolden. 'Ze zei alleen maar dat ze weg moest. Ze smeekte me haar te vertrouwen en ze zei dat ze Abby kon vinden. Ze zei dat u dood was en dat de FBI haar niet liet helpen, dat er nog een pop was en dat ze erachter kon komen. Ze smeekte me, ze zei dat ze Abby moest redden...'

'Dus liet je haar in haar eentje achter een gek aan gaan?'

Evan wierp Neil een moordlustige blik toe. 'Ze kan zo niet leven, stomme lul! Wat denk je dat Beths leven nog waard is als Abby sterft en ze het had kunnen voorkomen...?'

'Ze kán het niet voorkomen!'

'Ze denkt van wel,' kaatste Evan terug. Zijn stem daalde drie tonen, zijn emoties schemerden erdoorheen. 'Ze wilde alleen maar dat ik haar even tijd gaf om erachter te komen waar Bankes Abby naartoe had gebracht. Jullie wilden niet eens dat ze het probeerde. Jullie wilden het haar niet eens laten probéren. Ik heb haar een wapen gegeven. Ze zei dat als ik van haar hield...'

En dat was alles voordat Evan Foster instortte en jankte als de smoorverliefde zak die hij was, huilend om de verkeerde keus, de verkeerde emoties, de verkeerde vrouw.

'Wat voor wapen heb je haar gegeven?'

'Een Ruger 9 millimeter.'

Neil herademde: Beth wist in elk geval hoe ze daarmee moest omgaan. Hij liet Evans overhemd los en rolde met zijn schouders, keek hen allebei dreigend aan. 'Hou jullie mond.'

'Sheridan.' Evan bukte zich om de kaart op te rapen en haalde er nog twee uit zijn zak. Hij stak ze Neil toe. Kaarten voor de Orioles. 'Als je Beth en Abby vindt...'

Neil keek Foster lange tijd aan en stopte de kaarten in zijn zak. Hij wilde naar de deur lopen, maar draaide zich om naar Evan. 'Tussen haakjes, Beths lievelingskleur is geel,' zei hij. 'En haar grootste angst? Wat ze nu aan het doen is.'

51

Beth reed als een zombie, met ingeschakelde cruisecontrol, terwijl de stem uit de radio als een ijskoude, verdovende wind over haar heen stroomde. *Voormalig FBI-agent Neil Sheridan dood... Een meisje van zes dat zou worden gegijzeld... De FBI haast zich...Verwarde moeder beschuldigd van de moord op Sheridan... Neil Sheridan dood... Kind van zes vermist...*

Een nachtmerrie. Een droom. Misschien zou ze later gewekt worden door de geluiden van een lachende Abby en van Heinz, met het gevoel dat Neil haar vasthield, diep in haar bewoog, en ontdekken dat het één afschuwelijke fantasie was. Misschien gebeurde het niet.

Maar het gebeurde wel. Die vrouw had Neil vermoord, Chevy Bankes had Abby. Beths fantasie sloeg even op hol, naar alle dingen die Bankes met een kind zou kunnen doen, toen beteugelde ze haar verbeelding en concentreerde zich op de flitsende witte strepen op de weg.

Blijf rijden. Niet denken.

Ze keek op het dashboardklokje. Acht minuten over tien. Nog ongeveer een uur naar Samson in Pennsylvania. Daar zou ze Bankes' huis zoeken. Neil had een keer een plattegrond voor haar getekend. Het lag naast de schietbaan van Mo Hammond en zou in zo'n gat niet moeilijk te vinden zijn. Neil had het haar uitgelegd.

Goddank dat hij in haar leven was gekomen, voor slechts een korte tijd.

Ze knipperde de tranen uit haar ogen. Ze durfde niet aan Neil te denken, niet nu Abby ergens in leven was, haar nodig had. Ze moest haar vinden.

Je zit er tot over je oren in.

Neils woorden drongen door de nevel heen. Ze verdrong ze. Bankes wilde háár. Hij zou Abby vast en zeker doden als er een stel FBI-agenten bij zijn moeders huis verscheen in plaats van zij.

Alles in je eentje doen betekent niet dat je sterk bent. Het betekent alleen maar dat je alleen bent.

Ze wilde dat Neil zijn mond hield en glimlachte even bij die gedachte. Ze had niet naar hem geluisterd toen hij nog leefde, maar nu dreunden zijn woorden met elke hartslag door haar lichaam.

Je bent niet meer alleen.

Ze had hem geloofd, uiteindelijk, en had zichzelf erom vervloekt. Het was zo pijnlijk geweest om alleen te zijn toen dat het enige was wat ze kende. Maar nu, nu ze met Neil slechts enkele korte dagen – en nachten – buiten haar zeepbel had geleefd, was ze op drift. Opnieuw alleen, onderweg naar een lot waaraan ze de gedachte niet kon verdragen, zonder de man die haar anker was geweest.

Er is meer dan één persoon in de wereld die je wil helpen, Beth.

O, god.

Beth zwenkte naar rechts en stopte in de berm van de autoweg. Ze sloot haar ogen, nam een besluit.

Abby, alsjeblieft. Laat het geen vergissing zijn.

De tranen waren opgedroogd toen Beth eindelijk een benzinepomp vond. Grover's. Een gehucht in de beboste heuvels van Pennsylvania, niet ver van Samson, op het kruispunt van twee landwegen. Ze moest een telefoon hebben, om agent Copeland te bellen.

Er stond één enkele auto op het grind van de oprit, een gedeukte oude Ford LTD, op de stoep naast het gebouw. Eén werknemer, één auto. Ze keek om zich heen. Er waren toiletten buiten, een ijsmachine en een krantenrek. Maar geen telefoon.

Rillend stapte ze uit. De temperatuur was gedaald tot veertien graden, zeiden ze op de radio, en ze huiverde door de noordenwind. Ze liep over de kiezels naar de parkeerplaats. Er drong een glasscherf in de zool van haar linkervoet. Ze stapte naar rechts om de rest van wat een gebroken fles moest zijn te vermijden. Pech; haar rechtervoet vond er nog meer. Maar minder erg. Ze had voorzichtiger gelopen.

Ze stapte op het trottoir, waar ze meer licht had, en legde haar hand op de klink van de winkeldeur. De andere lag licht op haar tas, die aan haar schouder hing. Evans wapen zat erin. Ze hoopte vurig dat ze het niet nodig zou hebben. Ze zou een telefoon zoeken, speciaal agent Copeland alles vertellen en het aan de FBI overlaten.

Je bent niet meer alleen.

Ze opende de deur en keek naar binnen. De kassa was drie meter verderop, verlicht en met een geopende fles Aquafina op de toonbank en een wikkel ernaast. De kassier was nergens te bekennen.

Toen zag Beth twee dingen tegelijk. Ten eerste een donkerrode vlek achter de toonbank, een ijzingwekkende veeg op de muur. En ten tweede viel op dat de wikkel van een Reese's Cup-koekje was.

52

Rennen.

Dat deed ze, maar haar lichaam klapte terug. Er steeg een kreet op uit haar borst, terwijl ze naar de arm tastte die probeerde zich om haar hals te sluiten.

Nee, nee. Niet naar mijn arm pakken; gebruik de muis van je hand.

Maar het besef kwam te traag. Hij gromde, struikelde naar achteren en sleurde haar mee. Ze verloor haar evenwicht en ze vielen; de riem van haar tas gleed van haar schouder. Ze graaide ernaar. Het wapen, het wapen…

Het zal in je tas zitten als je het nodig hebt.

Bankes lag boven op haar en lachte spottend. Zijn gewicht voelde aan als een steen en haar heup gilde van pijn door de val. Ze kreeg geen adem. *Denk na.*

'Aha, Beth,' zei hij, schrijlings op haar. 'Net als vroeger.'

Nee. Het was anders nu. Ze was sterk. Ze was getraind. Ze had jaren geoefend. Ze kende alle zelfverdedigingstechnieken. Ze ramde haar voorhoofd tegen zijn neus.

'Aarghh!' gromde hij en hij rolde weg. Ze schoof hem weg en krabbelde overeind om weg te rennen. *Rennen.*

Denk nooit dat je laatste slag de genadeslag was tot je weet dat hij echt buiten gevecht is gesteld. Zo niet, dan word je waarschijnlijk neergeschoten.

Fwp.

Ze voelde de inslag eerder dan de pijn. Alsof iemand haar hard in haar rug had geduwd. Ze viel op de grond, grind schuurde langs haar armen en benen en de pijn drong in haar schouderblad. Haar rechterarm werd slap.

Eerst hoorde ze grinniken en daarna voelde ze dat ze overeind werd gesleurd. Zijn wapen, dat naar kruitdamp rook, porde in haar hals.

'Hai, pop,' fluisterde hij en Beth voelde het bloed uit haar rug sijpelen. Warm en plakkerig doorweekte het de achterkant van haar jurk. Ze keek omlaag. Ook op haar borst vormde zich een donkere vlek.

'Ik heb op je gewacht, Beth, gekeken of je langsreed. Ik heb in feite zeven jaar gewacht.' Hij keek naar het bloed op haar schouder en trok een gezicht. 'Je had me niet moeten dwingen op je te schieten, Beth. Ik wil nog niet dat je doodgaat.'

Beth knipperde met haar ogen en probeerde de wereld scherp in beeld te krijgen. *Denk na. Je kunt hem nu fysiek niet de baas, dus denk ná.* Standlins instructies keerden als een vloedgolf terug. *Doe alsof je bang bent, schreeuw, hap naar adem. Wek de indruk dat je zwak bent.*

'Loop naar de hel,' snauwde ze.

Bankes vloekte en duwde haar tegen de deur van het benzinestation. Haar wang sloeg tegen het glas. Pijn explodeerde achter haar ogen, duisternis sijpelde naar binnen. Ze graaide naar bewustzijn, maar het was als een wimpel die net buiten handbereik in de wind wapperde en ze kon hem niet beetpakken. Heel even wilde ze stoppen met vechten en gewoon wegzinken in de pijn, maar toen wist ze weer waarom dat niet kon.

'Abby,' mompelde ze tegen het glas.

Bankes lippen raakten haar slaap, haar gezicht werd hard tegen de deur gedrukt en Beth moest zich concentreren om niet te braken. 'Wat zei je?'

'Mijn dochter. W-wat heb je met haar gedaan?'

Hij lachte, hetzelfde zelfingenomen gelispel dat ze door de telefoon had gehoord, en in haar nachtmerries. 'Je bedoelt ónze dochter?'

'Nee!' gilde Beth voordat ze zich kon inhouden en Bankes grinnikte.

'Dat dacht ik al. Wees, maar niet bang. Ik maak geen aanspraak op haar. Dat we hetzelfde bloed hebben, betekent niets. Bloed is niets. Bloed is niets.'

Hij had zichzelf herhaald, of hoorde ze dubbel? Ze probeerde het te begrijpen. *Bloed is niets.* Kon hij dat echt menen? En zo ja, waar ging dit dan allemaal over?

Krrrtss. Het geluid kliefde door haar zintuigen, het onmiskenbare geluid van plakband dat van de rol wordt getrokken. Ze probeerde zich te bewegen, maar tevergeefs. Hij rukte haar armen op haar rug en pijn vlijmde door haar schouder. Zijn knie boorde zich in haar lendenen om haar tegen de deur te houden. Een kleverig stuk tape pakte haar polsen. Hij bukte zich, om het plakband door te bijten, dacht ze. Ze zette zich af en schopte, gillend, maar hij was erop voorbereid en rukte haar hoofd achterover. Plakband op haar lippen, dat haar haren op een wang plakte. Heel even kon ze niet ademen. In domme paniek probeerde ze haar mond te openen en naar lucht te happen.

Ze ademde diep in door haar neus en hij duwde haar de winkel binnen, sleepte haar door de gangpaden naar de achterkamer. Beth voelde zijn hand op haar heup toen hij in zijn zak zocht. Hij haalde een sleutel tevoorschijn en stak die in een klein sleutelgat in de muur, draaide hem om...

Het licht ging uit.

Hij duwde haar door de winkel naar buiten. Donker. Hij had het uithangbord gedoofd met de sleutel en alle lampen binnen op één na uitgedaan. Het zou lang duren voordat de dode bediende zou worden gevonden in een winkel die gesloten leek. Ze had bijna bewondering voor zijn grondigheid.

Maar alle gedachten verdwenen toen hij de kofferbank van een oude LTD opende. Ze schopte en vocht, met een soort surrealistisch besef dat het niets uithaalde, dat hij haar ondanks haar jarenlange training de baas was en dat ze bloed verloor, dat het vermogen om te vechten langzaam uit haar weglekte. De aarde verdween onder haar voeten, ze stootte haar hoofd tegen de binnenkant van de kofferbak en haar benen vielen achter haar aan. Hij gooide haar in het donker. Ze trappelde en de muffe geur van schimmel drong diep in haar neus. Terwijl de banden van de auto over glasscherven en grind knarsten, zonk ze weg in duisternis, telkens weer denkend: *Je hebt alles verkeerd gedaan.*

53

'Ze hebben de plek gevonden waarop Peggy Bankes in haar codicil misschien doelde, bij de rivier,' kondigde Copeland aan. Halfelf 's avonds. Neil keek opnieuw op zijn horloge. Het was ruim twee uur geleden dat Beth met de Taurus was weggereden. 'Ze hebben er lichamen gevonden... botten, beter gezegd. Van twee vrouwen en een baby, zo te zien. Volgens de patholoog-anatoom liggen ze er al acht tot tien jaar.'

'Goeie god,' fluisterde Standlin. 'Paige Wheeler en Nina Ellstrom.'

'Waarschijnlijk. Behalve de baby. Die ligt er al meer dan achttien tot twintig jaar.'

'Jenny,' zei Neil.

'Heeft zijn moeder hem Jénny nagelaten?' vroeg Brohaugh onthutst. 'Heeft hij Jénny opgegraven?'

'Best mogelijk,' zei Standlin. 'We weten dat hij daar íéts heeft opgehaald op de avond dat hij het codicil ontving.'

Dezelfde avond dat hij Gloria Michaels had vermoord. Neil kon het niet geloven.

'Misschien,' erkende Copeland en het was alsof hij de rest niet wilde zeggen. Hij slikte. 'De schedel van de baby ontbreekt.'

Stilte. Niemand wist wat hij daarop moest zeggen.

Neil schudde zijn hoofd. Peggy Bankes' codicil, slachtoffers die al jaren dood waren of zelfs babybotten lieten hem op dit moment koud. Het enige waaraan hij kon denken was dat hij Bankes moest vinden. En Beth en Abby.

Hij sloot zijn ogen en gedachten wriemelden als maden door zijn hoofd. Chevy had van Jenny gehouden, had sheriff Goodwin gezegd. Moeder zong om Jenny niet te horen huilen, had Chevy gezegd toen hij Beth aanviel. En meer... *Dit is net als thuis... de grond van moeder... Schreeuw, dan houdt moeder op.*

Allemachtig. Die schooldecaan, Iris Rhodes, had terecht geprobeerd

Jenny weg te halen uit dat gekkenhuis. Had er maar iemand naar haar geluisterd, dan hadden ze nu misschien geen babybotten gevonden in de achtertuin...

Neil verstarde. 'Hij gaat naar huis,' zei hij, meer tegen zichzelf dan tegen de anderen.

Copeland keek hem aan. 'Wat?'

'De grond van zijn moeder. Daar wil hij Beth vermoorden.'

'Hoe weet je dat, verdomme, Sheridan? Weet jij iets wat wij niet weten?'

Ja. Hij balde zijn hand tot een vuist en de aandrang om alles te vertellen was bijna overweldigend. 'Denk na,' zei hij, en hij zag dat Standlin hem aankeek. 'Alle vrouwen, zelfs Gloria Michaels, zijn vermoord of achtergelaten in een bos, bij water. De plek waar hij Jenny vond, werd zijn begraafplaats, misschien zelfs de plaats waar hij de twee volgende vrouwen na Gloria vermoordde. Hij creëert die omgeving voor bijna elke vrouw opnieuw.'

'Maar zelfs als je gelijk hebt,' zei Copeland, 'kan hij daar nu onmogelijk zijn. Het krioelt er van politie en FBI. Ze hebben schijnwerpers geplaatst, hebben opdracht te graven tot ze alles hebben.'

'Hij zal voor Denison dus een andere plek moeten zoeken, of zo'n zelfde plek,' zei Brohaugh.

'Een andere beboste plek aan de Susquehanna, afgelegen genoeg om er iemand midden in de nacht ongestraft te kunnen vermoorden...?' Harrisons brede schouders zakten af. 'Zo moeten er honderden kilometers zijn.'

'Maar hij zal niet ver weg gaan. Hij wil dat zijn moeder het hoort,' zei Neil.

Copeland zei kwaad: 'Sheridan, als je meer weet dan wij, voor de draad ermee.'

Neil slikte en zond een stille smeekbede naar Standlin: *vertrouw me.*

'Ik denk dat hij gelijk heeft,' zei ze na een minuut. 'Hij zou daar kunnen zijn.'

'Maar zou Denison dat weten? Zij is ook verdwenen,' zei Brohaugh logisch, 'waarschijnlijk om te proberen hem te vinden.'

Neil fronste zijn wenkbrauwen en probeerde na te denken. Hij herinnerde zich dat hij voor Beth een plattegrond op een servet had getekend: het land van Bankes, het jachtrevier van Hammond, de wapenwinkel... 'Misschien gaat ze naar Samson. Als ze denkt dat Bankes Abby daar naartoe heeft gebracht.' Er schoot hem iets te binnen. 'Hebben we nog een geurmonster van Bankes van toen hij in Beths garage kampeerde?'

'Voor de honden?' vroeg Copeland. 'Ik zou het niet weten. Maar zelfs als ze Bankes niet kunnen opsporen, zouden ze Denison of het meisje kunnen opsporen.'

'Hoelang duurt het om er per helikopter te komen?' vroeg Neil.

'Je kunt er in veertig minuten zijn,' antwoordde Brohaugh. 'Maar als ze daar niet zijn? We hebben alleen maar jouw vermoeden, Sheridan, en we zetten alles op die ene kaart...'

'Agent Copeland.' Een secretaresse stak haar hoofd om de deur. 'De politie van Samson heeft net gebeld. De auto van Denison is gevonden.' Neils hart stond stil. 'Bij een klein benzinestation zes kilometer van Bankes' huis.'

'Grover's,' zei Neil.

'Inderdaad. Een van de agenten checkte de winkel omdat alle lichten uit waren en meestal is hij de hele nacht open. Bediende doodgeschoten, zijn Ford LTD uit 1985 verdwenen en Denisons Taurus – beter gezegd: die van Foster – staat daar.'

'Jezus,' zei Neil verward.

Brohaugh plofte op een stoel. 'Goed. Het is dus de goede kaart.'

'Jezus, jezus, jezus.'

'Hou je mond,' blafte Copeland. 'Zijn er videobeelden van de winkel?'

'Die worden op dit moment doorgestuurd. Je moet ze over een minuut kunnen bekijken,' zei de vrouw tegen Brohaugh. 'Maar er is nog iets. De Monte Carlo van Rebecca Alexander was daar ook, in de wasstraat, waar niemand hem kon zien.'

'Moeder gods,' fluisterde Harrison. 'Hij gaat inderdaad naar huis.'

Copeland knipte met zijn vingers. 'Goed. Haal die honden, haal de helikopter.' Tegen de secretaresse: 'Bel de politie van Samson en geef ze mijn nummer. Zeg dat ze me van nu af rechtstreeks moeten bellen.'

'Denison is tweeënhalf uur geleden bij Foster's weggegaan,' zei Standlin.

'We zien het tijdstip wel op de video,' zei Brohaugh. 'Daar komt-ie.'

Ze verzamelden zich achter Brohaugh en keken naar de bewakingsvideo van het benzinestation. Er gebeurde aanvankelijk niets. Brohaugh spoelde de beelden versneld door. Toen kwam Bankes de winkel binnen en Brohaugh draaide de beelden op normale snelheid af. Alles gebeurde in schokkerige zwart-witte stilte. De bediende werd neergeschoten... Eén enkele kogel uit een handwapen op dertig centimeter afstand, precies door de neus van de jongeman en in de muur achter hem. Bankes keek toe hoe hij op de grond gleed, pakte een Reese's Cupkoekje en scheurde die open, liep toen om de toonbank heen en boog zich heel even over het lichaam heen. Hij kwam overeind en liep met iets kleins in zijn hand naar de achterkant van de winkel. Het licht in de winkel ging uit en weer aan, toen ging hij door de voordeur naar buiten en gebeurde er niets gedurende – Neil zag de getallen voorbijglijden, terwijl Brohaugh doorspoelde – vijf minuten, tien, twintig, vijfendertig. Toen ging de voordeur open en een vrouw keek naar binnen.

Beth.

En ze moest iets hebben gezien, want opeens was ze weer weg en ontstond er beweging voor de deur. Een minuut later ving de camera haar tegen het glas gedrukte gezicht op. Achter haar verscheen Bankes, een kop groter, die haar toetakelde. Neil werd overvallen door panische angst. Het gebeurde niet nú, hield hij zichzelf voor; het was al gebeurd. Hij kon er geen eind aan maken; het was voorbij. *Kijk gewoon, en denk na.* Paniek stroomde door zijn aderen; hij kon niet zien wat Bankes met haar deed. De details werden aan het oog onttrokken door stickers op de glazen deur en het schijnsel van de buitenverlichting in de lens van de camera, tot Bankes Beth door de winkel naar de achterkant bracht – sleepte, alsof ze gewond was. Haar mond was dichtgeplakt, er zat een donkere vlek boven een van haar borsten, haar handen waren op haar rug gebonden.

En toen werd het beeld zwart. De camera draaide nog steeds, maar er bewogen alleen, maar schaduwen door de winkel. De deur ging open en dicht. De schaduwen verdwenen.

Een levende, ademende documentaire over iets wat een uur geleden was gebeurd, honderdvijfenzestig kilometer verderop. Neil wist niet zeker of zijn hart nog klopte.

Toen de film voorbij was, kwam de secretaresse weer binnen om te zeggen dat er vers bloed was aangetroffen op glasscherven op het parkeerterrein. 'En,' voegde ze eraan toe, Neils blik angstvallig vermijdend, 'Denisons tas is bij het benzinestation gevonden. Met de Ruger van Evan Foster erin.'

54

Zelfs Chevy vond het frisjes, hij had een suède jack aan. Beth rilde heftig. Ze had haar schouders opgetrokken tegen de kou; haar jurk was gescheurd en zat onder het bloed. Haar polsen waren achter haar rug gebonden, haar panty hing aan flarden om haar benen en haar blote voeten lieten donkere bloedsporen achter op de grond. Ze zag er angstwekkend breekbaar uit. Heel even was hij bang dat ze het niet lang meer zou uithouden. Hij durfde haar niet te ver te drijven, te snel. Ze moest alert en bij bewustzijn blijven. Vóélen.

Ze waren er nu bijna. De smalle lichtbundel van zijn zaklamp leek binnen drie meter op te lossen in het vochtige kreupelhout en de inktzwarte nacht sloot zich om hen heen. Het was nu even over één in de nacht en hij wilde dat ze eerder hadden kunnen beginnen, maar hij had geen andere keus gehad dan tijd uit te trekken voor Abby en daarna de LTD te verstoppen die hij van de beheerder van het benzinestation had gestolen.

Beth sleepte zich zwijgend voort door het bos. Toen ze eenmaal zo ver weg waren dat ze niet meer te horen zou zijn, hoe hard ze ook riep, had hij het plakband van haar mond verwijderd. Maar ze had geen kik gegeven, hoewel ze een gat in haar schouder had en snijwonden in haar voeten. Hij dacht ook dat hij minstens één van haar ribben had gebroken tijdens hun worsteling bij het benzinestation. Beth klemde haar kaken op elkaar en zweeg, wat er ook gebeurde.

Toe maar, dacht hij wrang, hou het nog maar even vol. Dan kon de pret beginnen. Hij had een tas vol lege cassettebandjes.

Beth struikelde en hij pakte haar arm. Ze kreunde binnensmonds. Het geluid verraste hem, resoneerde in zijn kruis.

'Niet zo sterk meer als vroeger, hè?' zei hij gniffelend. 'Als ik het me goed herinner, gaven een beetje bloed en gestaag stoten tussen je benen me de eerste keer weinig om naar te luisteren. Maar het was geen eerlijke strijd. Ik had geen kans gehad om je eerst af te matten. Ditmaal weet ik dat je er klaar voor bent.'

'Waar is Abby?'

'Je bent net een kapotte grammofoonplaat.'

Ze bleef staan en zei klappertandend: 'Laat haar gaan en ik zweer dat ik alles zal doen wat je zegt. Alsjeblieft. Doe mijn dochter geen pijn.'

Ze kreeg tranen in haar ogen en ze leken echt, geen krokodillentranen omdat ze dacht dat hij dat van haar wilde. Hij had niet gedacht dat Beth Denison in staat was tot echte emoties.

Maar het was niet echt. Hij was het bijna vergeten: ze was even goed als moeder.

Hij keek haar spottend aan. 'Je denkt dat je iedereen voor de gek hebt gehouden, maar mij niet. Hoe voelt het, de wetenschap dat toen je Margaret Chadburne aan de telefoon had, ík het was? De wetenschap dat ik heb geluncht met Hannah Blake en je dochter aan de telefoon heb gehad? Hoe was het om eindelijk door te hebben wat de poppen betekenden?' Hij boog zich naar haar toe. 'Jíj bent degene die onecht is. Je hebt Jenny pijn gedaan, je liegt over Abby's vader, je plant wat bloemen en je glimlacht. Je bent net als moeder.'

'I-ik heb Jenny nooit pijn gedaan. Ik heb haar nog nooit gezien. Jíj bent degene die je kleine zusje pijn heeft gedaan. Jíj hebt haar vermoord.'

'Ik heb Jenny niets gedaan! Moeder haatte de baby, sheriff...'

'Nou, jongen, waarom zeg je dat?'

'Omdat opa haar slecht bloed heeft gegeven. Het is zijn schuld dat Jenny zo zwak is. Ze heeft slecht bloed.'

Woede greep hem bij de keel en hij draaide zich razendsnel om en schopte Beth in haar buik. Ze viel als een zak meel op de grond. 'Je beweert dat je Jenny nooit pijn hebt gedaan,' tierde hij. 'Je bent een leugenachtig kutwijf, net als moeder. Ze heeft jarenlang in opa's bed gespeeld en gedaan alsof ze het erg vond. Maar heeft ze ooit iets gedaan om er een eind aan te maken?'

Beth bleef roerloos liggen en Chevy raakte heel even in paniek. Ze had veel bloed verloren en hij worstelde met zijn zelfbeheersing. Als hij niet oppaste, zou hij haar kwijt zijn voordat het zelfs maar was begonnen.

Moeder begon te neuriën.

Hou verdomme je bek.

Hij pakte Beth bij een arm en trok haar overeind. 'Doorlopen.'

Vijf voor halftwee 's nachts. Neil liep over het parkeerterrein van het benzinestation en zijn maag draaide zich om toen hij het bebloede glas zag. Harrison zette zijn mobiele telefoon uit en kwam naar hem toe.

'Dat was het lab,' zei hij zacht. 'Het bloed hier is O-negatief. Net als dat van Denison.'

Neil vroeg zich af waarom het nieuws hem zo hard raakte. Hij had immers verwácht dat het bloed van Beth zou zijn. Ze had haar schoenen in de woonkamer van het appartement uitgetrokken, ze had ze niet kunnen halen omdat Suarez daar was. Ze had ook geen jas en de temperatuur was gedaald tot beneden de tien graden. Het idee dat Beth het koud had, was vreemd genoeg even wreed als de tientallen andere gruwelijke beelden die Neil zich onderweg hierheen had voorgesteld. Ze tastten zijn hersens aan, beslopen hem als roofdieren die hij niet kon zien of aanraken of in handen kon krijgen.

Hij liep naar Harrison, die toekeek hoe het forensisch team de auto van Alexander uitkamde. *Blijf bezig, werk. Voel niet.* God, hij had het negen jaar gedaan. Waarom kon hij het nu niet?

Harrison kwam hem halverwege het parkeerterrein tegemoet. 'Ze hebben vingerafdrukken genomen in de Monte Carlo en maken straks de kofferbak open om te zien of ze sporen kunnen verzamelen.'

'Niet te geloven dat hij helemaal hierheen is gereden in de auto van Alexander zonder dat iemand hem gezien heeft. Er is een opsporingsbevel voor de Monte Carlo verspreid zodra we Rebecca Alexander uit het park hadden.'

'Maar toen was hij al onderweg. In het donker, over stille wegen...'

Er vloog een helikopter over en ze wachtten tot de herrie was weggestorven voordat ze verder praatten. Als Bankes diep in het bos was, zou een helikopter hem moeilijk kunnen opsporen. Het bos was weliswaar nog niet in volle bloei, maar de bomen stonden dicht op elkaar en het was donker. De speurhonden beloofden meer. Neil had ze Abby's T-ballpet met het geborduurde lieveheersbeestje gegeven, en Beths T-shirt met Pooh en de honingpot. De hondenbegeleiders hadden niet veel hoop dat ze in de kast in Beths garage een geurmonster van Bankes zouden kunnen vinden, te meer niet omdat de forensische dienst er met chemicaliën had gewerkt. Maar als Bankes inderdaad bij Abby of Beth was...

Een plaatselijke hulpsheriff was met een krik bezig met de kofferbak van de Monte Carlo, die plotseling met een krakend geluid opensprong. Hij zette zijn vingers onder de rand en trok hem verder open.

'Goeie god!' zei hij en hij sprong achteruit.

Neil stormde naar voren. De hulpsheriff hapte nog steeds naar adem en twee anderen waren naar voren gestapt om te kijken. Neil wrong zich naar voren, duwde een uniformagent opzij en keek in het spelonk van de kofferruimte.

Ze hadden Abby gevonden.

55

Bankes cirkelde rond als een haai. Beth stond licht voorovergebogen, duizelig en half verdoofd. Haar mouwloze jurk bood nauwelijks meer bescherming tegen de elementen dan een slipje. Elke ademhaling was als een mes tussen haar ribben. Het bloed uit het gat in haar rechterschouder doorweekte de achterkant van haar kleren en haar polsen waren nog steeds aan elkaar gebonden. Beth wriemelde met haar vingers tegen haar heupen en ze meende dat ze even hadden bewogen, maar ze wist het niet zeker. Het bloed op haar handen voelde aan als gelatine.

Bankes glimlachte. Zijn sporttas hing over zijn schouder en het wapen wees in haar richting, terwijl hij om haar heen liep. Anderhalve meter verder stond een lantaarn op de grond; een tweede verspreidde een vale gloed ergens achter haar.

'Bevalt het je?' vroeg hij, wijzend naar een kleine open plek in het bos. 'Ik heb deze plek speciaal voor jou gekozen.'

'Waar is Abby?'

'Wie? Ach ja, Abby. Tja, als ik je dat zou vertellen, zou dat net zoiets zijn als de afloop van een verhaal vertellen, toch?'

Beth sloot haar ogen voor een gebed: *God, laat me niet dit hele eind door het bos hebben gelopen om te ontdekken dat Abby hier niet is.*

'Je hebt mijn vraag niet beantwoord. Wat vind je van mijn podium? Je had het bij daglicht moeten zien. De lantaarns doen het geen recht.'

Beth dwong zichzelf haar ogen te openen, nam de omgeving die Bankes had gekozen in zich op en probeerde zich intussen op haar ademhaling te concentreren. Ze kon de Susquehanna niet al te ver weg horen kabbelen en ze rook vers gebladerte en dennennaalden. Verder leek deze speciale plek in het bos niets speciaals te hebben, op een houten stellage na, een eind achter Bankes. Hij stond tussen twee bomen en was drie à drieënhalve meter hoog. Aan één kant was een steile trap, als een scheepsladder, en het hele bouwsel werd voor drie kwart omgeven door banken. Een uitkijkpost voor wild, dacht Beth. Ze had er wel eens van gehoord, maar er nog nooit een gezien.

De Jager. De jacht op vrouwen was kennelijk geopend wanneer Chevy Bankes op jacht ging.

En op kinderen?

'Waar is Abby?' vroeg Beth. 'Heb je haar gedood zoals je Jenny hebt gedood?'

'Ik zeg toch dat ik Jenny geen pijn heb gedaan.'

'En ik zeg dat ik je niet geloof.'

Bam.

Beths hoofd klapte opzij; ze beet op haar kiezen. *Doe alsof je bang bent, schreeuw, hap naar adem. Wek de indruk dat je zwak bent,* had Standlin gezegd. *Zeg geen woord tegen hem, alleen: 'Loop naar de hel, klootzak,'* zei Neil. Ze sloot haar ogen in het bizarre verlangen Neils nagedachtenis te eren door de goede dingen te doen.

'Ga,' zei Bankes, met zijn kin naar de wildkansel wijzend. 'Ik wil je daarboven hebben.'

Beth spuugde naar hem.

Het wapen in zijn hand flitste naar haar wang. Ze dook weg, maar haar reflexen waren traag en het raakte de zijkant van haar hoofd. Ze wankelde en een seconde later zat Bankes naast haar op de grond. Zijn stem en het pistool boorden zich in de wond die het had gemaakt in haar slaap. 'Je wilt toch nieuws over je dochter horen?' Beth sloot haar ogen, maar gaf geen kik. 'Klim dan op die uitkijkpost.'

Hij duwde haar de sporten van de ladder op, met zijn lichaam tegen haar rug, en het wapen bewoog nauwelijks, terwijl ze klommen. Beth zakte in een hoek op de grond. Zelfs in het zwakke licht merkte ze op dat het platform blijkbaar op haar komst was voorbereid. Bladeren en ander afval waren weggeveegd en ze zag plekken vochtig, donker hout die in de loop der jaren door insecten waren weggevreten en afdrukken van dennenappels als eeuwenoude fossielen.

Bankes opende zijn sporttas en haalde er een oude cassetterecorder uit. Hij legde cassettes op een rij. Beth kon de etiketten op enkele ervan lezen: *Paige 3, Paige 4, Paige 5, Nina 1, Nina 2, Anne 1, Lila 1, Lila 2...*

Abby's hoofd zakte opzij toen Neil haar in zijn armen nam. Zijn hart was een pijnlijke steen. Een zwerm agenten dromde om hem heen; ze keken alsof ze een spook hadden gezien.

'De ambulance is onderweg,' zei Harrison. 'Hij kan over drie minuten hier zijn.'

Neil ging op de stoeprand van de parkeerplaats zitten en wiegde Abby op zijn schoot. Een klaaglijk geluid ontsnapte aan haar lippen. 'Lieverd,' zei hij, haar zacht heen en weer schuddend. Zijn stem brak. 'Abby, schat, kom op. Ik ben het, Neil. Zeg alsjeblieft iets. Heinz is terug; hij heeft je gemist.' Hij legde zijn hand om haar gezichtje en probeerde het naar hem toe te draaien. 'Kom, lieverd, kom.'

Haar pols was rustig, haar ademhaling normaal. Er was geen spoor van gebroken botten of verwondingen, afgezien van een paar blauwe plekken op haar armen, ongeveer ter grootte van een mannenhand. Ze hadden haar onderzocht op hoofdwonden en gebroken botten voordat ze haar uit de kofferbak hadden getild en ze leek ongedeerd.

Maar ze werd ook niet wakker.

'Abby.' Neil verhief zijn stem. 'Jezus, Abby, zeg iets...'

'Hé, kijk dit eens.' Er verscheen een hulpsheriff in de kring van omstanders, met een plastic zakje in zijn hand. Er zat een medicijnflesje in. Neil kon de naam op het etiket niet lezen, maar het leek een donkerrode vloeistof.

'Benadryl,' zei de hulpsheriff. 'Er ontbreken twee capsules en hier is de dop.'

Neil keek in paniek om zich heen. 'Heeft hij haar drugs gegeven?'

Harrison lachte. 'Man, mijn vrouw heeft de kinderen daar wel honderd keer mee gedreigd. Benadryl.' Hij klonk zonder meer vrolijk. 'Ze vallen er als een blok van in slaap, als ze er niet helemaal van slag door raken.'

De knoop in Neils borst werd enigszins losser. Harrison glimlachte nog steeds. Neil wist niet eens dat hij getrouwd was, laat staan dat hij vader was, maar hij wist blijkbaar waar hij het over had. 'Weet je dat zeker, man?'

Harrison streelde Abby's wang met zijn knokkels. 'Als hij haar dat heeft gegeven, slaapt ze haar roes uit en is ze over vier tot zes uur weer de oude. We zullen het tegen de ziekenbroeders zeggen. Maar denk eens na. Chevy haatte zijn moeder omdat ze zijn zusje pijn had gedaan. Het ziet er steeds meer naar uit dat hij een verdomd zwakke plek had voor Jenny. Kinderen pijn doen is niet zijn ding. Hij heeft het op volwassen vrouwen gemunt.'

Hij had het op Beth gemunt.

56

Beth probeerde de geluiden buiten te sluiten. Gejammer, gekrijs en gegil van ondraaglijke pijn vulde haar oren. De eerste vogels en insecten in het bos waren stilgevallen bij de eerste schrille kreet; het bos was nu dodelijk stil.

Een langpotige zwarte spin schuifelde over het bankje. Beth had zijn grillige tocht nu naar schatting bijna een halfuur gadegeslagen en ze vroeg zich verdwaasd af of spinnen oren hebben. Het was een van die dingen die ze waarschijnlijk op de basisschool had geleerd, net als de namen van de hoofdsteden van alle Amerikaanse staten, maar ook die herinnerde ze zich niet meer. Haar hart ging uit naar het arme, verdwaalde schepsel, zelfs als het de doodsstrijd niet kon horen. Het zocht natuurlijk naar het web dat hier was geweest voordat Bankes dit podium had klaargezet.

Hij heeft ook mijn wereld afgepakt, dacht ze, terwijl Nina het uitschreeuwde. Haar maag had het weinige dat erin zat al uitgebraakt en het was alsof haar hart uit haar borst werd gerukt bij elke schorre kreet uit de kleine speakertjes. Ze probeerde aan iets te denken wat de kreten naar de achtergrond kon dringen, maar al haar gedachten draaiden om Abby.

Nina gilde van pijn. Bankes zat kalm op het bankje, alsof hij naar een symfonie luisterde. Plotseling was de band afgelopen. Hij wierp de cassette uit het apparaat en schoof er een nieuwe in. Zijn pistool lag naast zijn bovenbeen. Hij leek er op het eerste gezicht slordig mee om te gaan, maar Beth wist wel beter. Ze was er te ver vandaan, zwak en versuft, haar ribben en schouders deden bij elke ademhaling pijn en haar voeten zaten vol vieze, bloederige wonden. Ze zakte ineen tegen het bankje en hield zichzelf voor dat het haar alleen maar kon helpen als hij dacht dat ze zichzelf niet langer overeind kon houden, maar zich tegelijkertijd afvroeg of het inderdaad zo was. Als de kans zich voordeed, zou ze dan fysiek sterk genoeg zijn om ervan te profiteren?

Het platform werd aan drieënhalve zijde omringd door een balustrade en een bank. Als hij dicht genoeg bij de vierde zijde kwam, waar de ladder stond, en ze kon zijn benen verstrikken in zijn...

En dan? Een snelle schaarbeweging. Een trap? Ze kon niet denken. Een zekere Nina stierf in haar oren. *Nina 2.* Nog twee folterende uren van de dood.

Plotseling drukte Bankes op STOP. 'Je geniet niet van mijn collectie, Beth. Dit is een van mijn favoriete bandjes en je hebt meer belangstelling voor die stomme spin dan voor wat ik je probeer te bewijzen.' Hij raapte het pistool op, boog zich naar voren en verpletterde de spin met de kolf van het wapen. Maar niet helemaal. De helft van het kleine lijf vormde een veeg op het hout, de andere helft spartelde, vastgeplakt aan zijn eigen ingewanden. Bankes ging weer zitten. 'Ik denk dat het tijd wordt om je mijn nieuwste aanwinst te laten horen. Misschien doet een bekende je meer.'

O nee. Niet Lexi Carter. Beth wist niet of ze het aankon naar een vrouw te luisteren die in haar eigen huis was vermoord.

Beth draaide zich om en staarde naar het bos. *Klik.* De afspeeltoets werd ingedrukt.

Stilte. Nog meer stilte. Toen een zwak, zwak stemmetje. *'Mammie?'*

Beths ogen vlogen open. Chevy Bankes grijnsde naar haar.

'Mammie, waar ben je?' snotterde Abby en ze probeerde dapper te klinken. *'Ik wil naar huis. Mammie, alsjeblieft. Dit bandje is voor jou. Alsjeblieft, mammie, kom terug.'*

Doodsangst transformeerde tot rode golven van woede. Erdoor verblind haalde ze uit.

Bankes gaf haar een zet en Beth knalde tegen de balustrade. Warm vocht stroomde opnieuw uit haar schouder en ze realiseerde zich vaag dat hij de cassettespeler bediende, tegelijkertijd op AFSPELEN en OPNEMEN drukte.

Angst greep haar bij de keel. Het was zover. Hij zou nu opnamen maken van de moord op haar. Het was niet de gedachte aan de dood die aan haar ingewanden klauwde en alles vanbinnen overhoop haalde. Het was niet eens de gedachte aan de pijn die hij haar zou laten ondergaan. Het was het idee dat Abby misschien nog in leven was, ergens, en om haar mama riep.

'Wat heb je met haar gedaan?' fluisterde Beth.

Bankes ademde in haar gezicht, terwijl hij fluisterde: 'Ik heb haar gedood. Of misschien ook niet. Misschien heb ik haar levend en bloedend en huilend achtergelaten. Misschien heb ik nog meer bandjes van haar om je te laten horen.'

'Ze is nog maar een kind. Waarom zou je zoiets doen?'

'Waaróm?' Hij richtte zich op en zijn lippen krulden spottend. 'Je weet waarom.'

'Ik weet dat ik het bedorven heb bij Anne Chaney. Ik weet dat ik je naar de gevangenis heb gestuurd. Maar je verdiende het. Zelfs als je Anne niet eigenhandig had gedood, verdiende je elk moment dat je in de gevangenis hebt doorgebracht, en meer.' Ze keek naar de cassetterecorder. Die draaide en nam haar onstuimige zwanenzang op. Maar misschien kon ze ervoor zorgen dat er nóg iets werd opgenomen. Uitleg. Voor de familie van Anne Chaney en de andere vrouwen die Bankes had vermoord voordat hij Beth ontmoette, voor de familie van Hannah Blake en Lexi Carter en de vrouwen wier dood was nagebootst met poppen. Voor Neils rouwende familie... een van hem vervreemde broer in Zwitserland, een zus in Atlanta, een moeder in Florida.

Beth stak haar kin naar voren en sprak duidelijker voor de opname. 'Je haat me omdat ik een eind heb gemaakt aan je moorden.' Ze keek naar het apparaat en voelde zich merkwaardig gestimuleerd door de mogelijkheid om verklaringen te geven. Verklaringen die ze ooit had gezworen nooit te onthullen. 'Je haat me omdat ik, nadat je me had verkracht, je dochter heb opgevoed, terwijl jij wegkwijnde in de gevangenis. En hoeveel vrouwen waren er vóór Anne Chaney? Hoeveel stemmen heb je verzameld?'

Bankes mondhoeken trilden, alsof hij het amusant vond dat Beth wist dat vele anderen in haar voetsporen waren getreden. 'Vóór Anne Chaney? Hmm. Drie, moeder niet meegeteld.' Hij boog zich naar voren en het pistool streelde Beths wang. 'Wil je ze horen?'

'Ik zou wel eens willen weten wat een man voelt als hij luistert naar vrouwen die gillen van pijn en om hun leven smeken.'

'Genot,' zei hij eenvoudig. 'Zó heftige orgasmen dat ik soms denk dat ik doodga. Maar meestal... stilte.'

Stilte? Hij zei het zo eerbiedig dat Beth huiverde. Ze wilde dat ze haar vragen kon terugnemen. Ze wilde het niet weten. Ze wilde niet luisteren, terwijl die door en door slechte man genoot van het herbeleven van wreedheden die Beth zich nauwelijks kon voorstellen.

O, Abby, waar ben je?

Verdriet smoorde elke andere emotie en Beth moest op haar kiezen bijten om te voorkomen dat het in lange, hartverscheurende snikken naar buiten kwam. Ze dwong zichzelf zich op de band te concentreren, op iets naar buiten brengen dat de krankzinnigheid van die man ooit zou kunnen verklaren. 'Waarom wilde je Anne Chaney doden?'

Hij ijsbeerde langs de lange zijde van de uitkijkpost, maar bleef nu staan. 'Ze was een bedriegster. Dat waren ze allemaal.' Hij keek haar strak aan. 'Anne Chaney was een leugenachtige, bedrieglijke slet. Tijdens een congres lunchte ze elke dag met een vriendin in mijn hotel. Ze waren al bevriend sinds hun studietijd; ze kusten elkaar op de wang en lachten en kletsten en praatten over vroeger. En 's avonds gingen ze uit eten, Anne, haar beste studievriendin en de man van haar vriendin. Wil je weten wat er gebeurde, Beth, als de cocktails op waren en iedereen naar bed ging?'

Nee, dat wil ik niet.

'De man van haar vriendin kwam terug naar het hotel. Anne neukte de hele nacht met de man van haar beste vriendin.'

Beth was geschokt. 'Dus je hebt de taak op je genomen om de wereld te bevrijden van twee overspelige mensen? Ik ben niet overspelig.'

Zijn ogen werden glazig, twee harde, koperen schijven in zijn gezicht. 'Nee,' zei hij zacht, 'jij niet. Jij bent erger. Je bent de ergste bedriegster die er is.'

Er trok een rilling door haar ruggengraat, die Beths vastberadenheid ondermijnde. 'Is het vanwege Abby?'

'Ik zei toch, ik wil Abby niet. Bloed is niets.'

'Wat dan wel?'

Het wapen drukte onder haar kin. 'Je hebt Jenny pijn gedaan.'

'Dat zeg je steeds weer. Ik heb Jenny niet eens gekend. Jenny is achttien jaar geleden verdwenen. Ze is dood.'

Hij scheen niet te luisteren. Hij was naar zijn sporttas gelopen en had het pistool achter zijn tailleband gestopt. Voorzichtig, bijna eerbiedig, haalde hij met beide handen iets uit de tas, iets kleins en ronds en wits, iets glads en...

O, god.

Beth wankelde bij het zien van de kleine schedel, glanzend als een zilveren maan in zijn handen. Hij betastte hem aarzelend, alsof het een kwartelei was, en er rolde een traan over zijn wang.

'Jenny, dit is Beth. Ze gaat eindelijk boeten.'

57

Neil stormde door het kreupelhout naar de vier opgewonden agenten. Harrison volgde hem op de voet. Toen de ambulance met Abby wegreed, waren ze gebeld door Copeland: de honden hadden iets gevonden. Neils hart had sindsdien niet meer normaal geklopt.

Copeland stak een hand op om hem tegen te houden. 'Wacht even. We kunnen nog niet verder.'

'Hebben ze een spoor?' vroeg Neil.

Copelands luisterde, met een vinger op de ontvanger in zijn oor. Hij knikte. 'De honden hebben de geur van Denison gevonden. Als ze het spoor ver genoeg hebben gevolgd, halen we ze terug.' Hij wendde zijn blik af en concentreerde zich op wat de stem in zijn oor zei. 'Dat meen je niet. Echt waar?' Hij keek Neil aan. 'Oké.'

'Wat?'

'Het lab heeft de babybotten onderzocht die we bij de rivier hebben gevonden. Het kind daar was een jongetje.'

Neil fronste zijn wenkbrauwen. 'Niet Jenny?'

'Blijkbaar niet. Ze hebben de kassabon voor de luiers nog niet kunnen dateren en geen geboortedata in de bijbel gevonden, maar misschien was er inderdaad een baby vóór Chevy. Een jongen.'

'Misschien.' Neil dacht er even over na, maar het kon hem eigenlijk niets meer schelen. Hij had Abby terug en de honden hadden Beths geur opgevangen. Al het andere was niet belangrijk. 'Godver,' zei hij. 'Laten we met de honden meegaan.'

'Ik heb twintig agenten klaarstaan.' Copeland keek Neil lang aan. 'Jij bent niet een van hen.'

Neil vloekte en streek door zijn haren. Een seconde later voelde hij Harrisons hand op zijn schouder.

'We zorgen voor haar,' zei Harrison en hij klonk bijna als een vriend. Rick zou het hebben goedgekeurd, dacht Neil. 'We zijn er nu bijna.'

'Is dat J-Jenny?' Beth kon de woorden nauwelijks over haar lippen krijgen.

Bankes streelde de kleine schedel als een minnaar. 'Mijn moeder heeft jaren in het bed van haar eigen vader doorgebracht en dit was het resultaat: een baby met slecht bloed. Moeder wilde niet voor haar zorgen. Dat hele godvergeten dorp geloofde dat ze voor haar zorgde; mij geloofden ze niet. Ík zorgde voor Jenny. Moeder liet haar in haar eigen poep liggen en zong verdomme liedjes en plukte bloemen, terwijl Jenny huilde. Ze zei dat Jenny niets voelde, maar ze voelde wel iets, ik weet het. Ze vóélt. Weet je hoe ik dat weet, Beth? Omdat ik het kan horen als ze huilt. Heel haar leven, en alle jaren dat ze vermist werd. Ze huilde tot ik haar eindelijk terugvond.'

O, god. Beth knipperde met haar ogen en probeerde te begrijpen wat hij zei, probeerde het in overeenstemming te brengen met wat hij met haar deed, wat hij in de loop der jaren met al die vrouwen had gedaan. Wat hij met Abby had gedaan. 'Heb je haar teruggevonden?'

'Toen ik eenentwintig werd. Moeder zei waar ik haar kon vinden. Maar toen was het te laat. Ze had iedereen om de tuin geleid.'

Volg het verhaal, probeer vol te houden. 'Ik s-snap niet waarom je boos op me bent.' Maar toen meende ze het te begrijpen. 'Omdat ik iedereen in de waan liet dat mijn man de vader van Abby was? Je zei dat bloed niet belangrijk is. Je zei dat het je niet kan schelen...'

'Ik maak me niet druk over Abby, ik maak me druk over Jenny!' brulde hij en Beth deinsde terug voor zijn heftigheid en verbaasde zich tegelijkertijd over de tederheid waarmee hij de schedel van zijn zusje vasthield. 'Je hebt haar pijn gedaan, misselijk, bedrieglijk kutwijf dat je bent. Je hebt haar pijn gedaan!'

Beth knipperde met haar ogen. Er bewoog iets in het bos achter hem. Haar hart maakte een salto.

Let op, niet kijken. Volg zijn hersenkronkels. Denk na. Ik heb haar pijn gedaan. Ik heb Jenny pijn gedaan.

Hij ging op zijn hurken zitten, nog steeds juist buiten het bereik van haar benen, en alles achter hem werd weer stil. Het was misschien gewoon een dier geweest, een ree of zo. Het was nog steeds te donker om er iets van te kunnen zeggen. Maar hoewel ze zichzelf tot voorzichtigheid maande, begon haar hart te bonzen. Ze testte de boeien om haar polsen. Verdomme, ze zaten strak, áls ze haar vingers al kon bewegen. Ze wist het gewoon niet meer.

'Kijk,' zei hij.

Ze keek naar Bankes, keek naar de schedel. Zijn bevende vinger gleed om een klein zwart gat, twee centimeter boven de slaap, precies de plek waar hij alle vrouwen had neergeschoten.

'Dit is jouw werk, kreng.'

Ze gaapte hem aan.

'Op de avond dat je Anne Chaney hebt vermoord. Nadat ik Jenny had teruggevonden en voor haar zorgde en we er samen voor zorgden dat moeder stopte met zingen. Je hebt Jenny opnieuw pijn gedaan.'

Er waren twee hulzen van een .38 pistool, Beth. Eén kogel raakte Anne Chaney in de rug. Waar is de andere?

Herinneringen schoten door haar hoofd. Eén schot in Anne Chaneys ruggengraat, en een tweede... in het wilde weg.

'D-dat was niet mijn bedoeling, Ch-Chevy,' zei ze, bijna stikkend in zijn voornaam. 'Ik wilde Jenny geen pijn doen. Het ging per ongeluk, ik wilde je tas niet raken.'

'Moeder zong die avond zo hard. Ze bleef de daaropvolgende zes jaar zingen, toen ik in de gevangenis zat. Ik had daar geen bandjes. Ik had ze naar Mo Hammond gestuurd, om ze voor me te bewaren, samen met Jenny en de poppen. Daardoor had ik niets om moeder te laten stoppen.'

Beth was verbijsterd. Hij draaide de schedel een stukje. 'En dit' – hij liet zijn vinger over een onregelmatige barst in het hoofd glijden – 'dit is het werk van Sheridan. In jouw huis. Hij schopte Jenny. Hij verdiende het te sterven.'

Bankes concentreerde zich zo op Jenny's schedel dat hij niet om zich heen keek. Bewegingen, meer dan één nu. Ze voelde het. O, god, er wás iemand.

Bankes' blik richtte zich op Beth. Zijn gezicht was zwart van woede. 'Je hebt Jenny pijn gedaan en daarna speelde je de vermoorde onschuld. Je plantte verdomme bloemen. Een Oscar-waardige voorstelling, even goed als die van moeder. Hoor je haar nu niet zingen?'

Hij boog zich naar haar toe en ze kromp ineen.

'Moeder vindt het het ergst als ik een vrouw neuk. Dat doet haar denken aan opa. Dan stopt ze met zingen.' Hij staarde Beth aan en zijn oogwit werd zichtbaar. 'En nu,' zei hij, in zijn tas zoekend, 'is het jouw beurt.'

Hij haalde vijf nieuwe cassettebandjes tevoorschijn. Op alle vijf stond: *Beth*.

‘Ze zijn in het bos,’ zei Copeland en hij wenkte Neil. ‘Je mag luisteren, maar ik heb de leiding, begrepen?’ Neil knikte. Op dit moment zou hij het overal mee eens zijn. ‘De verkenners hebben ze gezien.’

Neil was zo opgewonden dat hij nauwelijks ademhaalde.

‘Ze zijn in een of andere boomhut,’ klonk de fluisterende stem van een man die Neil nog niet kende, een zekere Wexler. ‘Een uitkijkpost voor jagers, denk ik. Verdachte heeft de .38. De vrouw ligt op de grond.’

‘De grond?’ vroeg Neil. Ze waren te ver weg om te kunnen zien. Slechts enkele verkenners waren voorbij de honden het bos in gegaan. De anderen bewaarden afstand en wachtten op Copelands bevelen. Als ze aanvielen, zouden ze het allemaal tegelijk doen, een massale verrassingsaanval.

‘Ze bloedt, haar kleren zijn gescheurd,’ rapporteerde Wexler. ‘Ik kan niet zien hoe ernstig ze gewond is. Het ziet er niet goed uit.’

Neil sloot zijn ogen; de adrenaline stroomde door hem heen. Hij tastte automatisch naar zijn .45 en verlangde naar het geweer dat hij de afgelopen negen jaar tegen zijn borst had gedrukt.

‘Oei, stik,’ zei Wexler. ‘Hij pakt haar.’

‘Wát?’

‘Hij laat het pistool over haar keel glijden, over haar borsten. Man, ik denk dat hij op het punt staat haar te pakken.’

‘Kun je hem neerschieten?’ vroeg Copeland.

‘Niet van hieruit... Er staan te veel bomen. Jezus. Hij betast haar. Ze probeert weg te kronkelen... Ze is vastgebonden.’

Neil rukte zijn oortje los en sprong op. Copeland en Harrison pakten hem beet en ramden hem tegen een boom.

‘Sheridan!’ fluisterde Copeland, terwijl hij hem stevig beetpakte.

‘Ik ga ernaartoe,’ zei Neil. ‘Hij schrikt zich dood als hij ziet dat ik leef. Dan gaat hij door het lint.’

‘Hij wordt alleen maar pisnijdig,’ wierp Harrison tegen. ‘Hoor je wel wat Wexler zegt? In godsnaam, hij heeft een pistool op haar gericht.’

‘Ik ben dóód. Ik kan ernaartoe gaan en hem de stuipen op het lijf jagen. Hem over de rand duwen.’

‘Welke rand?’ gromde Copeland, met Neils overhemd in zijn vuist. ‘De rand waardoor hij alles wat hij met Denison van plan is overboord zet en haar gewoon een kogel door het hoofd jaagt? In godsnaam, laat me het team eropaf sturen.’ Copeland staarde hem aan tot Neil knikte en deed toen een stap terug. Hij voelde aan zijn oortje.

'Wexler,' zei hij, 'we gaan eropaf.' Hij schakelde over naar een andere frequentie om zich tot het hele team te richten. 'Hier Copeland. Verdachte houdt de vrouw vast op een uitkijkplatform en drukt een wapen op haar keel. Verkrachting. Op "drie" gaan we. Niemand schiet; ik herhaal: *niet schieten!*' Hij keek Neil aan en haalde diep adem. 'Een... twee...'

Het wapen gleed hard en koud over haar keel. Beth kromp ineen en had er een seconde later al spijt van. Zelfs die minimale reactie deed Bankes glimlachen. *Niet reageren. Niet huilen. Alleen dénken.*

Ze dacht dat er iemand was, maar stel dat ze het mis had? Ze kon niet werkeloos blijven zitten en toestaan dat Bankes een bandopname maakte, terwijl hij haar folterde en zijzelf wachtte op redding waarvan ze niet zeker was. Maar ze wíst dat ze ginds waren. Politie? De FBI? Neil?

Nee, ze was het bijna vergeten. Niet Neil.

Het wapen gleed over haar lichaam omlaag. Haar ruggengraat verstrakte en de pijn was een vuur dat was gesmoord tot een constant, roodgloeiend kloppen voordat het verschrompelde onder een ander soort pijn. De loop van het wapen vond haar kruis. Het schuurde uitdagend door wat er van haar jurk was overgebleven. Het plakband begaf het niet. Bankes stak een vinger door een van de gaten in haar panty en rukte. Het nylon scheurde meteen.

Wees zwak, doe alsof je bang bent, voed zijn obsessie. Huil, jammer.

Hij keek op alsof een geluid zijn aandacht had getrokken, zette het van zich af en het wapen gleed verder over de kloof tussen Beths benen. Hij keek naar de cassettespeler. De knoppen AFSPELEN en OPNEMEN waren allebei ingedrukt en het zachte snorren klonk in haar oren.

'Het is zover, Beth. Huil voor me. Ik heb zo lang gewacht om je aan mijn collectie te kunnen toevoegen.'

Beth keek naar de band, staarde hem toen strak aan en zei luid en duidelijk voor de opname: 'Loop naar de hel, klootzak.'

'Drie!'

Beth had het idee dat de kreet heel ver weg klonk, maar opeens bewoog het bos. Overal, en alles tegelijk. Gedaanten met infraroodbrillen en pantservesten flitsten als zwart kwik door het bos en stopten toen zo abrupt dat de nacht leek te sterven.

Bankes rukte Beth tegen zich aan. Zijn wapen boorde zich in haar hals en duwde haar gezicht naar de lucht. Ze boog haar knieën. Als hij haar wilde gijzelen, kon ze het hem verdomd moeilijk maken. De pijn deed er om de een of andere reden niet meer toe.

Hij verstevigde zijn greep, strompelde bij het zwakke licht van de lantaarn over de wildkansel, wankelde, draaide om zijn as. Hij bleef in beweging en hield Beth dicht tegen zich aan. Hij wilde niemand een vrij schootsveld bieden.

'Ze is van míj!' Bankes' stem klonk paniekerig. 'Blijf waar je bent. Ik ben nog niet klaar met haar. Ze is verdomme van míj!'

Beth stikte bijna en hapte langs de loop van het pistool naar adem. Alles wat twee seconden geleden nog bewoog, was plotseling weer roerloos. Stil. Dodelijk.

Toen dreunde een diepe stem: 'Mis,' en Beths hart stond stil. Onmogelijk. Maar de stem klonk opnieuw, dichterbij nu, en rolde als donder door de stilte: 'Mis, Bankes. Ze is van míj.'

58

Een koor van geweren deinsde gelijktijdig terug, maar Neil stapte erlangs. Hij voelde de spanning in elke man, het verstrakken van elke vinger om elke trekker, het half toeknijpen van elk oog door het vizier en de woedende stem van Armand Copeland in hun oortjes. Neil, ongewapend, rukte het stomme ding uit zijn oor en liet het naast de infraroodbril vallen, terwijl hij naar het midden van het schemerig verlichte houten bouwsel liep. Copeland zou hem wel willen vermoorden, maar dat deed er nu niet toe. Tien meter van de uitkijkpost bleef hij staan.

'Laten we dat eens en voor altijd duidelijk maken, Bankes,' zei Neil scherp. 'Beth is van mij, niet van jou.'

De blik op Bankes' gezicht was onbetaalbaar. De blik op Beths gezicht deed zijn hart stilstaan. Ze kon hem, beneden tussen de bomen, niet zien doordat haar gezicht door het wapen naar boven werd gedrukt. Maar hij kon haar zien. Er stroomde bloed over de rechterkant van haar gezicht, dat in haar jurk trok. Haar benen bungelden alsof ze zichzelf niet overeind kon houden en haar voeten zagen eruit alsof ze in een blender hadden gezeten. Haar borst rees en daalde heftig, haar kleren waren bebloed en gescheurd, met name aan één schouder. Het was verdomme dertien graden.

Neil had zin om Bankes' lul eraf te rukken. In plaats daarvan balde hij zijn rechterhand en probeerde nonchalant te klinken. 'Je had vast niet verwacht dat je me zou zien, Bankes?'

'Je bent d-dood,' fluisterde Bankes.

Neil glimlachte. 'Lulletje.' Hij zei het op kinderachtige, zangerige, pesterige toon en er spoelde een golf van pervers genoegen door hem heen. 'We hebben een toneelstukje voor je opgevoerd in het park. Heb je het op tv gezien? De klapper van het seizoen.'

'Rebecca Alexander heeft je gedood!'

'Rebecca Alexander heeft met losse flodders op me geschoten. Ze heeft je voor gek gezet, Chevy, net als wij allemaal. Hoe vind je dat? Er is blijkbaar geen vrouw ter wereld die jou niet heeft verneukt.'

'Hou je bek!'

'Neil!' Het woord kwam schor over Beths lippen.

'Ik ben hier, lieverd; ik voel me prima. We hebben het geflikt. Alles komt goed nu.'

'Abby...'

'Leeft. Ze is ongedeerd, lieverd. Abby maakt het prima.'

Beth sloot haar ogen; haar gezicht werd nog steeds omhoog gedrukt door Bankes' pistool. De loop werd zo ver in haar vlees gedrukt, dat Neil dacht dat het staal door haar huid zou dringen.

Hij stapte naar voren. Bankes was gestopt met rondlopen en om zijn as draaien; hij realiseerde zich waarschijnlijk dat het deel van de uitkijkpost achter zijn rug een gericht schot moeilijk maakte. Hij had gelijk; niemand zou hem trouwens in de rug schieten. Het team was niet bewapend met .22's. De kans bestond dat elke kogel die in Bankes' rug zou worden geschoten, dwars door hem heen zou gaan en Beth zou treffen. Hij was veilig zolang hij Beth dicht tegen zich aan hield.

Hoelang zou hij het volhouden? Hoelang zou Beth het volhouden?

Neil zag de bleke bol op de bank. De ontbrekende schedel, het geschenk in het codicil van zijn moeder. Jenny.

Nee, niet Jenny. Een jongen.

De gedachte plukte aan Neils brein en hij speelde ermee. De laboratoriumverslagen waren nog niet compleet en hij kon er nog niet zeker van zijn. Maar misschien wist hij genoeg om aan Chevy's geest te morrelen.

'Zo, ik zie dat je je grote broer hebt meegebracht om je in actie te zien,' zei Neil voorzichtig.

Bankes' blik gleed naar de schedel en terug naar Neil. 'Dat is mijn zusje, Jenny. Je hebt haar geschopt en pijn gedaan. Je zult ervoor boeten.' Bankes trok Beth hoger tegen zich aan en Neil kromp ineen. Maar Beth gaf geen kik en Neils hart maakte een wilde draai in zijn borst; hij dacht dat ze niet veel langer zou kunnen volhouden.

Toen realiseerde hij zich dat haar stilzwijgen op iets heel anders duidde: kracht, zelfbeheersing. Zoveel beheersing vergde concentratie en inspanning. Ze was dus nog steeds bij hem en ze maakte het Bankes zo moeilijk mogelijk. *Goed zo, meid. Hou vol.*

Eén seconde. Alles wat ze nodig hadden was dat Beth zich één seconde van Bankes zou kunnen losrukken, dan zou hij doorzeefd worden. Zes geweren waren vanaf posities op de grond op hem gericht. Twee scherpschutters zaten in de bomen. Een bataljon gewapende agenten had de omgeving afgezet. Eén seconde slechts.

'Jenny?' vroeg Neil, verwarring veinzend. 'Is dat Jenny?' Hij lachte. 'Jezus! Heeft je moeder je dát wijsgemaakt in haar testament?'

Bankes fronste zijn wenkbrauwen. 'Waar heb je het over?'

Neil deed alsof hij zich kostelijk amuseerde. 'Jeetje, je zei dat je moeder iedereen voor de gek heeft gehouden. Ik geloof dat ze dat inderdaad heeft gedaan.'

'Hou je b–'

'Dat is Jenny niet, stomme lul.'

Bankes verstarde. 'Je liegt.'

'Ik lieg niet.' Neil haalde zijn schouders op. 'Maar denk dat gerust, als je wilt. Tjongejonge, heb je je hele volwassen leven rondgezeuld met een schedel waarvan je dacht dat die van Jenny was? Armzalige, stomme klootzak. Ik heb bijna medelijden met je. Je moeder was écht goed.'

'Je lult uit je ne–'

'Heeft Peggy je nooit over je oudere broer verteld, Chevy? Die bij zijn geboorte is gestorven? Het heeft even geduurd voordat we iemand vonden die het verhaal kende, en aanvankelijk geloofden we het niet eens. Maar nu weten we dat het waar is. Herinner je je Ray Goodwin? Hij was sheriff toen je een kind was.'

Bankes fronste zijn wenkbrauwen. Ja, hij wist het nog. Neil zag het in zijn ogen.

'Hij herinnerde zich dat je moeder zwanger was voordat jij werd geboren,' ging Neil verder, 'en dat die baby het niet gered heeft. De meeste mensen wisten zelfs niet dat ze zwanger was; je opa was er kennelijk niet blij mee; hij hield haar binnen. Zijn dochter, degene met wie hij graag neukte, je weet wel. Het lichaam van de baby werd bij de rivier begraven.'

Neil zweeg om het te laten bezinken. Hij zag de twijfel in Bankes' ogen.

'Je liegt,' zei Bankes honend. 'Moeder zei dat Jenny daar begraven was.'

'Zielenpoot,' zei Neil. 'Jenny verdween. Het was niet háár lichaam dat je hebt opgegraven.'

'Jullie hebben die plek gisteren pas gevonden. DNA-tests gaan niet zo snel. Jullie kunnen onmogelijk weten wie het was.'

'Nou, de forensische wetenschap is iets prachtigs, Chevy. Ze hebben geen DNA nodig om verwantschap vast te stellen, alleen bloed. En botten bevatten de beste informatie over bloed die een patholoog maar kan wensen. Onze mensen hadden alleen het ziekenhuisdossier over Jenny nodig, en een vluchtig onderzoek van het lichaam van je opa. Het was niet moeilijk te zien hoe ver de appel van de boom viel.' Hij gaf Banks tijd om het nieuws te verwerken en zweeg. 'Wat betreft de vraag of het Jenny is, nou, je kunt het geslacht niet opmaken uit de schedel, maar wel uit de heupen.'

Twijfel had postgevat. Neil zette door.

'In godsnaam, Chevy, als je me niet gelooft, kijk dan eens naar die schedel. Jenny was zestien maanden toen ze verdween. De schedel waarmee je rondloopt is van een zuigeling. Zie je dat verschil dan niet?'

'Jenny was klein...'

Maar terwijl hij het ontkende, gleed zijn blik naar de schedel die op zijn kant naast de cassetterecorder lag. Bankes schuifelde erheen, schudde zijn hoofd; de hand waarin hij het wapen had, beefde in de holte van Beths gekneusde hals. De spanning in haar lichaam veranderde en Neil voelde een steek van angst.

Jezus, Beth, ik ga op hem af. Doe niets sto–

Ze begon te neuriën.

Bankes' ogen werden groter. 'Hou je bek,' snauwde hij haar toe. Neil zag dat hij zijn greep verstevigde.

Beth zong. *'Who killed Cock Robin? I, said the Sparrow, with my bow and arrow... I k- killed Cock Robin.'*

Het klonk Neil rafelig en zwak in de oren, maar het was niettemin een deuntje. Bankes begon te beven, sloeg toen een hand voor een oor. Beth strekte haar benen en duwde. Ze duwde hen naar achter, voorbij de ladder, maar Bankes hield haar vast. Beth haalde adem en bleef zingen; het gestamelde, geobsedeerde zingen werd luider. *'Who saw him die? I, said the Fly, with my little eye...'*

Bankes schudde heftig zijn hoofd en probeerde de stem te verdrijven. Beth greep haar kans: ze schopte tegen zijn knieschijf. Hij gromde, kromp ineen en ze viel. Eén stralende seconde lang waren ze gescheiden en in de volgende, nog stralender fractie van een seconde, explodeerde het bos van geweervuur en spatte Bankes' hoofd uit elkaar.

59

Beth zat op een deken, met een andere deken om zich heen geslagen en haar rechterschouder in het verband. Haar kleren, gescheurd en bespat met bloed, aarde en Chevy Bankes' hersenen, waren meegenomen. Er zat een verpleger aan haar voeten. 'Had u geen schoenen kunnen aantrekken voor dit uitstapje?' vroeg hij met een bezorgde glimlach.

'De FBI had mijn schoenen in beslag genomen,' antwoordde ze met een blik op Neil.

Hij vloekte. 'Koppig mens. Je had me kunnen bellen.'

'Je was dood.'

Neil bloosde. Hij voelde zich hulpeloos, kon niet blijven zitten, kon niet stilstaan, kon niet stoppen met haar aankijken of aanraken of zelfs verwijten maken.

Naast de uitkijkpost tilden twee hulpsheriffs een lijkzak op. Neil keek hoe Beth tegen de ochtendzon in tuurde en met haar blik Bankes' lichaam volgde naar een brancard. Ze voelde aan het schone verband op haar slaap. De wond zou ditmaal goed worden behandeld en zonder veel littekenweefsel genezen. Daar zou Neil wel voor zorgen.

Hij zou voor een heleboel dingen zorgen: kaarten voor de Orioles en Hotwheels-circuits voor Abby, kerstdagen met veel speelgoed dat je zelf in elkaar moest zetten; vredige, van slaap vervulde nachten; ontspannen seks.

Een heleboel seks. En een ring die geen toneelrekwisiet was, een die ze niet omdeed als onderdeel van een kostuum om zich aan de wereld te tonen. Een ring die zijn zus Aubrey een KVED-ring zou noemen: *knoeperd van een diamant*.

Neil draaide zich om toen hij een motor hoorde. Een witte scooter met het wapen van een sheriff slingerde tussen de bomen door. Hij keek naar Beth om zich ervan te vergewissen dat ze goed genoeg was opgekalefaterd om er niet angstaanjagend uit te zien en wenkte de scooter. Achter de bestuurder zette Abby haar helm af.

Ze rende naar Beth en vijfentwintig FBI-agenten, ME-scherpschutters en hulpsheriffs bleven stilstaan om te kijken. Toen Abby haar eindelijk losliet, voegde Neil zich bij hen.

'Mama huilt,' zei Abby.

Neil glimlachte. 'Kijk eens om je heen,' zei hij en hij wees naar de verzameling dappere ridders om hen heen. 'Iedereen huilt.' Hij ging op zijn hurken zitten. 'Wat denk je, mag ik meedoen?' en hij maakte er een driepersoons omhelzing van.

Een gezin.

'Hé, Sheridan.' Het was een technisch rechercheur, die een plastic zakje ophield. 'Je wilde dit zien?'

Neil kwam overeind en liet Abby Beths verband bekijken. Hij pakte het zakje met de kleine, gehavende schedel aan en draaide hem om en om, teneinde hem te bestuderen.

De schedel waarmee je rondloopt is van een zuigeling. Zie je dat verschil dan niet?

Copeland kwam naar hem toe. 'Is er iets?' vroeg hij.

Neil gaf hem de schedel. 'Ik vraag me af,' zei hij, 'als dit Jenny niet is...'

'Wat is er dan met haar gebeurd?' maakte Copeland de zin af. 'We vinden haar wel. Ze is waarschijnlijk niet ver daarvandaan begraven.'

'Ja.' Neil keek tussen de bomen door naar Abby. De paar uren dat hij haar gemist had, hadden bijna een gat in zijn borst gescheurd.

Copeland volgde zijn blik. 'Ik heb het idee dat je leven zal veranderen, Sheridan,' zei hij.

'Reken maar.'

'Ben je in voor nóg een verandering?' Neil fronste zijn wenkbrauwen en er trok een merkwaardige opwinding door zijn aderen. 'Ik zou je graag in mijn team willen hebben – legitiem. Dat wil zeggen, als je denkt dat je kunt leren af en toe een bevel op te volgen.'

Neil glimlachte. 'Af en toe misschien.'

'Mooi.' Copeland gaf Neil een hand. 'Misschien dat Standlin me nu met rust laat.'

'Reken daar maar niet op.' Neil zweeg even. 'Luister, ik heb eerst even wat tijd nodig. Ik wil mijn broer in Europa bezoeken. En daarna denk ik dat ik een leuke, lange huwelijksreis ga maken.'

Copeland mepte hem op zijn schouder. 'De zoveelste die voor de bijl gaat.'
Neil liep naar Beth en Abby toe en ging naast hen zitten.
'Waar ging dat over?' vroeg Beth. 'Het zag er serieus uit.'
'Copeland heeft me uitgenodigd om weer bij de FBI te komen werken.'
'O, Neil. Wat geweldig.'
'Maar ik heb gezegd dat ik eerst een paar weken nodig heb, dat ik iets moet doen.'
'Wat dan?' vroeg Beth, met Abby's hand in de hare.
Neil legde zijn hand op Abby's haren, waarin een speldje was losgeraakt. Hij schoof hem omhoog en maakte hem vast, streelde toen Abby's wang. 'Bedenk dat zelf maar.'

Epiloog

Mazatlán, Mexico
3050 kilometer verderop

'Een beetje lager,' zei Jennifer Rhodes met schuin gehouden hoofd.

Het dienstmeisje zette de middelste roos wat dieper in de vaas. Twee dozijn rode bloemen en een witte wolk van gipskruid. Eén dag nog en ze zouden op hun hoogtepunt zijn. Dan vond Jennifer ze het mooist. Die voorkeur had ze blijkbaar van haar moeder geërfd.

'Senorita?' Maria draaide het boeket rond om het te laten keuren.

'Zo is het goed,' zei Jennifer, terwijl ze naar een herinnering aan haar moeder zocht. Ze vond er geen, alleen het vage beeld van een zoete vrouwenstem – zingend, altijd zingend.

Maria zette de vaas op een mahoniehouten piëdestal. 'Zo,' zei ze. 'Zal ik de radio uitzetten als ik ga?'

'Nee, ik denk dat ik nog even blijf luisteren. Tot morgen.'

Maria deed de deur achter zich dicht. Jennifer pakte de afstandsbediening, draaide haar rolstoel naar de radio en zette die harder. Een Amerikaanse nieuwslezer las het zoveelste opgewonden, langdradige verhaal voor over de afloop van de jacht op de serieverkrachter Chevy Bankes en zijn zusje, wier botten nog niet gevonden waren. Enkele ogenblikken later opende de presentator de telefoonlijnen om met luisteraars te praten.

Jennifer dempte de stemmen en sloot haar ogen. Chevy was dood. Ze wist niet of ze opgelucht moest zijn of verdrietig. Opgelucht omdat een gevaarlijk man een land niet langer terroriseerde. Verdrietig omdat alles wat hij had gedaan – zeiden de speciale agenten en psychiaters en oude buren – voor zijn zusje was geweest.

Ze stopte haar hand in de zak van haar rok en haalde er een opgevouwen stukje papier uit. Het was vlekkerig en dun, als rijstpapier, met bladgoud aan drie zijden en een vergeelde rand waar het uit de band was gescheurd. Ze had het jaren geleden gevonden tussen de rommel, toen zij en Iris oude foto's hadden bekeken. Iris had het weggewuifd alsof het niets te betekenen had en had gezegd dat ze het moest weggooien, maar om de een of andere reden had Jennifer het weggemoffeld. Ergens had ze altijd geweten dat het belangrijk was. Zoals ze ook altijd had geweten dat er meer achter haar adoptie zat dan het verhaal dat Iris vertelde: *Je was heel erg ziek en je moeder wist niet hoe ze voor je moest zorgen en er was verder niemand...*

Verder niemand. Maar Jennifer, omringd door Iris en de andere pleegkinderen, had het nooit echt geloofd.

Nu vouwde ze het broze papier open, liet haar vingers langs de namen glijden en raakte de laatste drie aan:

James Robin Bankes: geb. 14, maart 1976, gest. 28, maart 1976

Chevy David Bankes: geb. 5 februari 1978

Jennifer Robin Bankes: geb. 19 juni 1990, verdw. 14 oktober 1991

Ze reed naar de tafel en pakte een pen, testte hem op de hoek van een tijdschrift. Haar ogen prikten toen ze de ontbrekende informatie over haar broer invulde:

Chevy David Bankes: gest. 25 april 2009.

Dankwoord

Schrijven lijkt een eenzame bezigheid, maar er zijn veel mensen zonder wie dit boek nooit werkelijkheid had kunnen worden en aan wie ik dan ook veel dank verschuldigd ben:

Jenny Bent, mijn geweldige agente, voor haar geloof in het manuscript en haar niet-aflatende steun bij elke stap die ik zette.

Celia Johnson, mijn fantastische redactrice, voor haar voortdurende geduld, deskundigheid, toewijding en vriendelijkheid tijdens het hele schrijfproces.

Carol, Elaine en Shirley, voor de dingen die alleen jullie kunnen begrijpen; en Emily, waar je ook bent.

Tom en Carolyn, voor alles wat ze me tijdens mijn jaren bij Garth's Auctions over antiek hebben geleerd en dat ik in dit boek kon gebruiken.

Ken, omdat hij na al die jaren voor me klaarstond en me alles heeft bijgebracht over de juiste politieprocedures (al hebben mijn personages zich daar niet altijd aan gehouden).

Linda, omdat ze mijn persoonlijke statistieken- en researchgoeroe was en nog heel veel meer.

Rocki, de beste cheerleader van allemaal.

Mijn beste vriendinnen – Fran in het bijzonder –, omdat ze begrepen dat ik geen telefoongesprek kon voeren, uit eten kon gaan of gaan winkelen wanneer er op mijn computerscherm iemand aan het doodbloeden was.

Mijn schoonfamilie, voor hun oprechte enthousiasme en steun; wijlen mijn vader, voor zijn altijd lieve woorden; mijn moeder, voor haar liefde en haar op alle gebieden sterke karakter; en mijn zus, omdat ze oprecht trots was op deze onderneming, al heeft de wereld meer aan háár boeken.

Mijn kinderen Kaitlin en Kyle, omdat ze er begrip voor hadden dat hun mama's fantasieën angstaanjagender waren dan die van andere moeders.

En mijn echtgenoot Brady, omdat hij thuis de teugels kort hield, naar eindeloos veel alternatieve zinnen wilde luisteren en niet bang was het bed te delen met een vrouw die altijd moorden aan het verzinnen was. Maar vooral omdat hij zo veel van me houdt.